漢字パーフェクトシリーズ

JN283568

正しく書ける 正しく使える 中学漢字1130

〈新常用漢字表対応〉

Gakken

はじめに

中学校では、卒業までに常用漢字（普段の生活で使用する漢字の目安として定められたもの）の一般的な読み方を全て学習することになっています。常用漢字２１３６字のうち、１００６字は小学校で学習します。本書では、中学校で新しく学習する１１３０字をコンパクトにまとめています。

漢字の学習で大切なことは、最初に学習するときに正しい形を覚えることと、読み方や書き方、使い方がわからなかったときに、すぐに調べることです。

本書では、筆順を省略せずに一画ずつ示し、注意点も付けていますので、正しい書き方を覚えることができます。また、それぞれの漢字には用例とチェック問題がありますので、正しい使い方がわかり、身につきます。漢検対応級マークも付けており、この一冊で１１３０字をしっかりと学習することができます。

本書をいつでもそばに置いておき、わからないことがあれば、すぐに調べて、漢字の学習に役立ててください。

学研教育出版

もくじ

この本の特長と使い方

漢字は音読みの五十音順に並べてあります。ただし、訓読みしかない漢字や、音読みを中学校で習わない漢字は、訓読みの五十音順になっています。

✤音訓の順、漢字の字体は、「音訓の小・中・高等学校段階別割り振り表」（文部科学省）に従っています。許容字体・異体字がある場合は、※で補足しています。「謎」を「謎」、「餌」を「餌」と書いても構いません。

✤部首、画数、筆順は、『現代標準漢和辞典　改定第2版』(学研)をもとにしています。部首の読み方は、代表的なものを示しています。お手持ちの辞典、教科書によっては、本書と異なる場合があります。

筆順 漢字の全ての筆順と、注意点を示しています。一画ずつ示していますので、漢字の正しい書き方を覚えることができます。

問題 用例をチェック問題形式で出題しています。正しい使い方がわかり、テスト対策にも役立ちます。

音 **訓** 音読みはカタカナ、訓読みはひらがなで示しています。訓読みの青字は送りがな、（ ）は高校で習う読み方です。

漢検対応級を示しています。

漢字の**総画数**です。

部首 部首と、部首の代表的な読み方を示しています。

4級

奥

12画

部首 大(だい)

音 (オウ)

訓 おく

筆順 はらう　筆順に注意

用例 奥様(おくさま)　奥底(おくそこ)　奥の手(おくのて)　奥歯(おくば)

問題
□〔おくさま〕にお会いする。
□海の〔おくそこ〕に沈む財宝。
□ついに〔おく〕の手を使う。
□〔おくば〕を丁寧に磨く。

用例 漢字を使った例です。次の印が付いているものは、ページ下で説明をしています。＊…難しい言葉の意味。※…他の読み方や書き方。

✤同じ漢字が重なる場合は、二字目を踊り字（々）で書いても構いません。

! 同じ見開き内の漢字について、注意点や意味、特別な読み方などをまとめています。

コラム 漢字の学習に役立つコラムです。

音訓索引

★本書に収められている1130字を、五十音順に配列しています。同じ音訓の場合は、総画数順に並べてあります。
★カタカナは音読み、ひらがなは訓読み、青い字は送りがなです。
★漢字の下の数字は、本書のページ数です。

あ

ア	アイ	あい	あう	あおぐ	あかす	あかつき	あがる	あきらめる	あきる	アク	あげる	あご		
亜	哀	挨	曖	藍	遭	仰	飽	暁	揚	諦	握	飽	揚	顎
34	34	34	322	34	202	93	290	93	316	233	290	35	316	66

※ 上の行は13項目だが実際は15字

あこがれる	あざける	あざむく	あざやか	あし	あせ	あせる	あつかう	あたえる	あたためる	あてる	あと	あなどる	あぶら	あま		
憧	嘲	欺	鮮	脚	汗	焦	扱	与	宛	充	痕	跡	侮	脂	尼	
167	300	225	83	194	86	70	166	314	35	154	35	126	189	278	141	251

あまい	あまえる	あまやかす	あやうい	あやしい	あやしむ	あみ	あらい	あらし	あらす	あれる	あわい	あわせる	あわただしい	あわてる		
甘	甘	甘	網	妖	怪	怪	荒	粗	嵐	荒	荒	泡	淡	併	慌	慌
70	70	70	308	315	59	59	119	196	35	119	119	288	216	282	120	120

い

イ									あわれ	あわれむ				
哀	哀	依	威	為	畏	唯	尉	萎	偉	椅	彙	違	維	慰
34	34	36	36	36	312	36	37	37	37	38	38	38	38	39

イチ	イツ	いえる	いかる	いく	いきどおる	いき	いこい	いこう	いしずえ	いそがしい	いたす	いただく	いたむ		
壱	逸	井	癒	怒	粋	憤	幾	逝	憩	憩	礎	忙	致	抱	悼
39	39	39	184	238	180	281	81	186	104	104	198	291	287	218	240

いつくしむ 慈 143
いつわる 偽 83
いどむ 挑 223
いな 稲 242
いね 稲 242
いのる 祈 79
いばら 茨 40
いましめる 戒 58
いまわしい 忌 79
いむ 忌 79
いも 芋 40
いや 嫌 108
いやしい 卑 268
いやしむ 卑 268
いやしめる 卑 268
いやす 癒 312
いる 煎 191
いる 鋳 222
いろどる 彩 132
イン 咽 40
姻 40
淫 41
陰 41
隠 41
韻 41

う

うい 憂 314
うえる 飢 80
うかがう 伺 139
うかぶ 浮 276
うかべる 浮 276
うかれる 浮 276
うく 浮 276
うける 請 187
うす 臼 87
うず 渦 55
うすい 薄 260
うすまる 薄 260
うすめる 薄 260
うすらぐ 薄 260
うすれる 薄 260
うた 唄 42
うたい 謡 318
うたう 謡 318
ウツ 鬱 42
うつ 撃 105
うったえる 訴 197
うで 腕 341
うとい 疎 197
うとむ 疎 197
うながす 促 204
うね 畝 42
うばう 奪 214
うまる 埋 301
うめる 埋 301
うもれる 埋 301
うやうやしい 恭 92
うら 浦 42
うらなう 占 190
うらむ 恨 126
うらめしい 恨 126
うらやましい 羨 192
うらやむ 羨 192
うるおう 潤 159
うるおす 潤 159
うるし 漆 146
うるむ 潤 159
うるわしい 麗 332
うれい 愁 153
憂 314
うれえる 愁 153
憂 314

え

エ 依 36
恵 100
え 江 116
柄 282
餌 143
エイ 詠 43
影 43
鋭 43
えがく 描 273
エキ 疫 44
えさ 餌 143
エツ 悦 44
越 44
謁 44
閲 45
えらい 偉 37
えり 襟 96
える 獲 65
エン 炎 45
怨 45
宴 45
媛 46
援 46
煙 46
猿 46
鉛 47
縁 47
艶 47

お

オ 汚 47
お 尾 270
雄 313
緒 160
オウ 凹 48
押 48
旺 48
欧 48
殴 49
翁 49

奥 49
おうぎ 扇 191
おおう 覆 279
おおせ 仰 93
おか 丘 86 岡 50
おかす 侵 174 冒 292
おき 沖 221
オク 憶 50 臆 50
おく 奥 49
おくらす 遅 218
おくる 贈 204
おくれる 遅 218
おこたる 怠 209
おこる 怒 238
おさえる 抑 318
おさえる 押 48
おしい 惜 188
おしむ 惜 188
おす 雄 313
おす 押 48
おそい 遅 218
おそう 襲 154
おそれ 虞 50
おそれる 畏 36 恐 91
おそろしい 恐 91
おだやか 穏 51
おちいる 陥 71
オツ 乙 51
おどかす 脅 92
おとしいれる 陥 71
おどす 脅 92
おどり 踊 317
おとる 劣 333
おどる 踊 317 躍 310
おとろえる 衰 181
おどろかす 驚 93
おどろく 驚 93
おに 鬼 80
おびやかす 脅 92
おぼれる 溺 234
おもむき 趣 150
おもむく 赴 276
および 及 86
およぶ 及 86
およぼす 及 86
おれ 俺 51
おろか 愚 97
おろし 卸 51
おろす 卸 51
オン 怨 45 穏 51
おん 御 89

か

カ 佳 54 苛 54 架 54 華 54 菓 55 渦 55 嫁 55 暇 55 禍 56 靴 56 寡 56 箇 56 稼 57
か 香 119 蚊 57 鹿 144
ガ 牙 57 瓦 57 雅 58 餓 58
カイ 介 58 戒 58 怪 59 拐 59 悔 59 皆 59 塊 60 楷 60 潰 60 壊 60 懐 61 諧 61
ガイ 劾 61 崖 62 涯 62 慨 62 蓋 62 該 63 概 63 骸 63
かえりみる 顧 113
かえる 換 73 替 211
かおり 香 119
かおる 香 119 薫 99
かかえる 抱 287
かかげる 掲 101
かがやく 輝 82
かかり 掛 66
かかる 架 54 掛 66 懸 110
かき 垣 63 柿 64
かぎ 鍵 109

音訓索引

ギ

擬	戯	儀	欺	偽	宜	騎	輝	畿	毀	棄	棋	幾	亀	鬼	飢	既	軌	祈	奇	忌	岐	伎
84	83	83	83	83	83	82	82	82	82	82	81	81	81	81	80	80	80	79	79	79	78	78

| キョ | | | | | キュウ | | ギャク | | キャク | きも | きば | きたない | | キチ | キツ | | | | | きく | きえる | キク |

巨	窮	嗅	糾	臼	朽	丘	及	虐	脚	却	脚	肝	牙	詰	喫	吉	吉	汚	鍛	聴	菊	犠
88	88	87	87	87	87	87	86	86	86	86	86	85	71	57	85	85	84	47	217	225	84	84

| | | | | | | | | | | | ギョウ | | キョウ | | | | ギョ | キョ | | | | |

凝	暁	仰	驚	響	矯	脅	恭	恐	香	狭	挟	峡	況	享	狂	叫	凶	御	距	虚	拠	拒
93	93	93	93	93	92	92	92	92	119	91	91	91	91	90	90	90	89	89	89	89	88	88

| グウ | くいる | | グ | ク | | ギン | | | | | | | | | キン | きる | きわまる | きわめる | | | | きらう | きり |

偶	悔	愚	惧	駆	貢		吟	襟	謹	錦	緊	僅	琴	菌	斤	巾	窮	窮	斬	霧	嫌
97	59	97	96	96	119		96	96	95	95	95	94	94	94	94	94	88	88	138	304	108

| くつがえす | | | クツ | | くちる | | くだける | くだく | くせ | くずれる | くずす | くじら | くし | くされる | くさる | くさり | くさらす | くさい | き |

覆	靴	窟	掘	屈	朽	唇	砕	砕	癖	崩	崩	葛	鯨	串	腐	腐	鎖	腐	臭	茎	隅	遇
279	56	98	98	98	87	175	131	131	284	289	289	68	104	98	277	277	131	277	152	100	97	97

9

くつがえる 覆 279
くま 熊 99
くむ 酌 148
くもる 曇 247
くやしい 悔 59
くやむ 悔 59
くる 繰 99
くるう 狂 90
くるおしい 狂 90
くわ 桑 199
くわしい 詳 167
くわだてる 企 78
クン 勲 99
薫 99

け

ケ 華 54
懸 110
ゲ 牙 57
ケイ 刑 100
茎 100
契 100
恵 100
啓 101
掲 101
渓 101
蛍 102
傾 102
携 102
継 102
詣 103
慶 103
憬 103
稽 103
憩 104
鶏 104
ゲイ 迎 104
鯨 104
けがす 汚 47
けがらわしい 汚 47
けがれる 汚 47
ゲキ 隙 105
撃 105
けずる 削 135
けた 桁 105
ケツ 傑 105
けむい 煙 46
けむり 煙 46
けむる 煙 46
けもの 獣 156
ける 蹴 154
ケン 肩 106
倹 106
兼 106
剣 106
拳 107
軒 107
圏 107
堅 107
嫌 108
献 108
遣 108
賢 108
謙 109
鍵 109
繭 109
顕 110
懸 110
ゲン 幻 110
玄 110
弦 111
舷 111
嫌 108

こ

コ 拠 88
股 111
虎 111
孤 112
弧 112
枯 112
虚 89
雇 112
誇 113
鼓 113
錮 113
顧 113
ゴ 互 114
呉 114
娯 114
悟 114
御 89
碁 115
こい 恋 334
こい 濃 254
こいしい 恋 334
コウ 勾 115
孔 115
巧 115
甲 116
仰 93
江 116
坑 116
抗 116
攻 117
更 117
拘 117
肯 118
侯 118
恒 118
洪 118
荒 119
郊 119
香 119
耗 307

音訓索引

読み	漢字	ページ
こえる	越	44
こうむる	被	269
ゴウ	豪	124
ゴウ	傲	124
ゴウ	剛	123
こう	拷	123
こう	請	187
こう	恋	334
こう	乞	123
こう	購	123
こう	衡	122
こう	稿	122
こう	酵	122
こう	綱	122
こう	溝	121
こう	項	121
こう	絞	121
こう	硬	121
こう	慌	120
こう	喉	120
こう	梗	120
こう	控	120
こう	貢	119
こよみ	暦	333
こもる	籠	337
こむ	込	125
こま	駒	125
こぶし	拳	107
こばむ	拒	88
ことぶき	寿	150
こと	琴	94
コツ	殊	149
こす	滑	68
こす	超	224
こし	越	44
こごえる	腰	316
こげる	凍	239
ゴク	焦	166
コク	獄	125
コク	酷	124
コク	克	124
こがす	焦	166
こがれる	焦	166
こおる	凍	239
こえる	超	224
こらしめる	懲	226
こらす	凝	93
こりる	懲	226
ころ	頃	125
ころ	凝	93
こわい	怖	275
こわす	壊	60
こわれる	壊	60
コン	昆	126
コン	恨	126
コン	婚	126
コン	痕	127
コン	紺	127
コン	献	108
コン	魂	127
コン	墾	127
コン	懇	127

サ さ

読み	漢字	ページ
サ	唆	130
サ	沙	130
サ	佐	130
サク	咲	136
さえぎる	遮	147
さがす	捜	199
さかずき	杯	257
さかのぼる	遡	197
さき	崎	135
ザイ	剤	134
ザイ	載	134
サイ	歳	134
サイ	塞	133
サイ	催	133
サイ	債	133
サイ	斎	132
サイ	彩	132
サイ	栽	131
サイ	宰	131
サイ	砕	131
サイ	采	131
サイ	挫	130
サ	鎖	130
サ	詐	130
さく	柵	135
さける	削	135
さけぶ	崎	135
さけ	遡	197
さす	杯	257
さする	捜	199
サツ	遮	147
さそう	剤	134
さとす	埼	134
さとる	載	134
さびしい	歳	134
さびれる	塞	133
	催	133
	債	133
	斎	132
	彩	132
	栽	131
	宰	131
	碎	131
	采	131
	挫	131
	鎖	130
	詐	130
寂	寂	149
寂	寂	149
寂	寂	149
悟	悟	114
諭	諭	311
擦	擦	137
撮	撮	137
拶	拶	137
刹	刹	137
誘	誘	314
挿	挿	199
刺	刺	270
刺	刺	270
避	避	270
裂	裂	333
叫	叫	90
蔑	蔑	284
裂	裂	333
咲	咲	136
錯	錯	136
搾	搾	136
酢	酢	135
索	索	135

11

音訓索引

| | | ショウ | ジョ | ショ | | | | ジュン | | |

尚 姓 肖 抄 床 匠 召 升 井 徐 叙 如 緒 庶 遵 潤 循 殉 准 盾 巡 旬 瞬
162 185 162 162 162 161 161 161 184 161 160 160 160 160 159 159 159 158 158 158 158 157 157

鐘 礁 償 衝 憧 彰 詳 奨 詔 粧 硝 焦 晶 掌 訟 紹 渉 称 祥 症 宵 沼 昇
168 168 168 168 167 167 167 167 166 166 166 166 165 165 165 164 164 164 164 163 163 163 163

| | | シン | しる | しり | ジョク | | | ショク | | | | | | | | | | | | ジョウ | | |

侵 辛 芯 伸 汁 尻 辱 嘱 触 飾 殖 拭 醸 譲 錠 嬢 壊 縄 畳 剰 浄 冗 丈
174 174 174 173 154 173 173 173 172 172 172 172 171 171 171 170 170 170 170 169 169 169 169

ス　す　　　　　　　　ジン

須　　　腎 尋 陣 甚 迅 尽 刃 薪 震 請 審 慎 寝 診 紳 浸 振 娠 唇 津
179　　　179 179 179 178 178 178 178 177 177 187 177 176 176 176 175 175 175 175 174
すず　すずむ　すずしい　すける　すく　すぎ　すき　すかす　すえる　スウ　ズイ　　　　　　　　　　　　　　スイ　す

涼 涼 鈴 透 透 杉 隙 透 据 崇 枢 髄 随 穂 睡 遂 酔 衰 粋 帥 炊 吹 酢
326 326 331 240 240 183 105 240 183 183 182 182 181 181 181 180 180 180 180 180 180 180 136

13

読み	漢字	ページ
すすめる	勧	74
	薦	193
すそ	裾	184
すたる	廃	257
すたれる	廃	257
すでに	既	80
すべからく	須	179
すべる	滑	68
すます	澄	225
すみ	隅	97
	墨	295
すむ	澄	225
する	擦	137
するどい	鋭	43
すれる	擦	137
すわる	据	183
せ		
セ	施	140
せ	瀬	184
ゼ	是	184
セイ	井	184
	姓	185
	征	185
	斉	185
	牲	185
	凄	186
	逝	186
	婿	186
	歳	134
	誓	186
	請	187
	醒	187
セキ	斥	187
	析	187
	脊	188
	隻	188
	寂	149
	惜	188
	戚	188
	跡	189
	籍	189
セツ	刹	137
	拙	189
	窃	190
	摂	190
せばまる	狭	91
せばめる	狭	91
せまい	狭	91
せまる	迫	259
せめる	攻	117
セン	仙	190
	占	190
	扇	191
	栓	191
	旋	191
	煎	191
	羨	192
	腺	192
	詮	192
	践	192
	箋	193
	潜	193
	遷	193
	薦	193
	繊	194
	鮮	194
ゼン	禅	194
	漸	194
	膳	195
	繕	195
そ		
ソ	狙	195
	阻	196
	租	196
	措	196
	粗	196
	疎	197
	訴	197
	塑	197
	遡	197
	礎	198
ゾ	曽	200
ソウ	双	198
	壮	198
	荘	198
	捜	199
	挿	199
	桑	199
	掃	200
	曹	200
	曽	200
	爽	200
	喪	201
	痩	201
	葬	201
	僧	201
	遭	202
	槽	202
	踪	202
	燥	202
	霜	203
	贈	204
	騒	203
	藻	203
そう	添	235
ゾウ	憎	203
	贈	204
そえる	添	235
ソク	即	204
	促	204
	捉	204
	塞	133
ゾク	俗	205

音訓索引

そ そでかす	そで	ソン	**た**	タ	ダ	タイ

賊	咳	袖	遜		汰	妥	唾	蛇	堕	惰	駄	耐	息	胎	泰	堆	袋	逮	替	滞	戴
205	130	152	205		208	208	208	148	209	209	209	210	210	210	210	210	211	211	211	211	211

たえる　　タク　　　　たき　たがい たおれる たえる

ダク　たくみ たくわえる たけ たずさえる たずさわる

耐	堪	倒	倒	互	滝	薪	択	沢	卓	拓	託	濯	炊	諾	濁	抱	巧	蓄	丈	岳	携	携
209	73	239	239	114	212	177	212	212	212	213	213	213	214	213	287	115	220	169	66	102	102	

たずねる たたかう ただし ただみ たたむ たたよう たつ ダツ たて たてまつる たま たましい ためる たもる たよる ためる たよれ たわむれる

尋	闘	但	畳	畳	漂	竜	脱	奪	盾	奉	棚	頼	頼	弾	霊	魂	黙	賜	矯	頼	誰	戯
179	243	214	170	170	272	324	214	214	158	287	215	321	321	217	332	127	308	142	92	321	215	83

タン　　　　　　ダン　　　　　**ち**　　チ　　　　　　　ちかう ちがう ちがえる

丹	旦	胆	淡	嘆	端	綻	壇	鍛	旦	弾	壇		恥	致	遅	痴	稚	緻	誓	違	違
215	216	216	216	216	217	217	217	217	216	217	218		218	218	219	219	219	219	186	38	38

ちぎる チク チツ チャク チュウ チョ チョウ

契	畜	逐	蓄	秩	窒	嫡	沖	抽	衷	酎	鋳	駐	緒	弔	挑	彫	眺	釣	貼	超	跳	徴
100	219	219	220	220	221	221	221	220	221	222	222	222	160	225	225	223	223	223	223	224	224	224

読み	漢字	ページ
	嘲	225
	澄	225
	聴	225
	懲	226
チョク	勅	226
	捗	226
チン	沈	226
	珍	227
	朕	227
	陳	227
	鎮	227

つ

読み	漢字	ページ
つ	津	174
ツイ	椎	228
	墜	228
つか	塚	228
つかう	遣	108
つかす	尽	178
つかまえる	捕	285
つかまる	捕	285
つかる	漬	228
つかれる	疲	269
つかわす	遣	108
つきる	尽	178
つく	突	246
つぐ	継	102
つくす	尽	178
つぐなう	償	168
つくろう	繕	195
つける	漬	228
つたない	拙	189
つちかう	培	258
つつ	筒	242
つつしむ	慎	176
	謹	95
つつみ	堤	232
つづみ	鼓	113
つな	綱	122
つのる	募	286
つば	唾	208
つばさ	翼	318
つぶ	粒	325
つぶす	潰	60
つぶれる	潰	60
つぼ	坪	229
つま	爪	229
つまる	詰	85
つむ	詰	85
	摘	233
つむぐ	紡	293
つめ	爪	229
つめる	詰	85
つや	艶	47
つゆ	露	335
つらぬく	貫	72
つる	弦	111
	鶴	229
つる	釣	223
つるぎ	剣	106

て

読み	漢字	ページ
テイ	呈	229
	廷	230
	抵	230
	邸	230
	亭	230
	貞	231
	帝	231
	訂	231
	逓	231
	偵	232
	堤	232
	艇	232
	締	232
	諦	233
デイ	泥	233
テキ	摘	233
	滴	233
デキ	溺	234
テツ	迭	234
	哲	234
	徹	234
	撤	235
テン	添	235
	塡	235
デン	殿	236
	殿	236

と

読み	漢字	ページ
ト	斗	236
	吐	236
	妬	236
	途	237
	渡	237
	塗	237
	賭	237
ド	奴	238
	怒	238
トウ	到	238
	逃	238
	倒	239
	凍	239
	唐	239
	桃	239
	透	240
	悼	240
	盗	240
	陶	240
	塔	241
	搭	241
	棟	241
	痘	241
	筒	242
	稲	242

な

に

ぬ

音訓索引

								ヒ	ひ							バン					
碑	扉	被	疲	卑	泌	披	彼	妃		盤	蛮	伴	藩	繁	範	頒	煩	搬	斑	販	般
269	269	269	269	269	268	272	268	268		267	267	246	267	267	266	266	266	266	265	265	265
ヒョウ	ひめ	ひま	ひびく	ひとみ	ヒツ	ひたる	ひたす	ひそむ	ひじ	ひざ	ひく	ひき	ひいでる	ひかえる		ビ					

漂	拍	媛	姫	暇	響	瞳	泌	匹	浸	浸	潜	肘	膝	弾	匹	控	秀	微	眉	尾	避	罷
272	259	46	272	55	92	244	272	272	175	175	193	271	271	217	272	120	152	271	270	270	270	270
							フ	ふ		ビン		ヒン	ひるがえす	ひるがえる							ビョウ	

敷	腐	普	符	浮	赴	訃	附	阜	怖	扶		瓶	敏	頻	賓	浜	翻	翻	猫	描	苗
277	277	277	277	276	277	276	277	277	276	275		274	274	274	297	274	297	297	273	273	273
ふさがる	ふさ	ふける	ふくろ	ふくれる	ふくらむ	ふくめる	ふくむ				ふく		フク	ふえる	ふかす		フウ			ブ	

塞	房	更	袋	膨	膨	含	含	噴	拭	吹	覆	幅	伏	更	殖	封	舞	奉	侮	譜	賦	膚
133	292	117	210	294	294	77	77	281	172	180	279	279	117	279	279	287	286	278	278	278	277	
ふれる		ふるう	ふるえる	ふるう		ふやす			ふもと	ふまえる		ふな	ふね			フツ	ぶち	ぶた	ふせる	ふじ		ふさぐ

触	振	震	振	震	振	殖	麓	踏	踏	舟	舟	懐	沸	払	縁	豚	蓋	双	伏	伏	藤	塞
172	175	177	175	177	175	172	337	242	242	152	61	280	280	47	246	62	198	279	243	133		

19

読み	漢字	ページ
フン	紛	280
	雰	280
	噴	281
	墳	281
	憤	281

へ

読み	漢字	ページ
ヘイ	丙	282
	併	282
	柄	282
	塀	282
	幣	283
	弊	283
	蔽	283
	餅	283
ヘキ	壁	284
	璧	284
	癖	284
へだたる	隔	65
へだてる	隔	65
ベツ	蔑	284
へび	蛇	148
ヘン	偏	285
	遍	285

ほ

読み	漢字	ページ
ホ	哺	285
	捕	285
	舗	286
ほ	帆	264
	穂	182
ボ	募	286
	墓	286
	簿	286
ホウ	芳	287
	邦	287
	奉	287
	抱	287
	泡	288
	封	279
	胞	288
	俸	288
	倣	288
	峰	289
	砲	289
	崩	289
	蜂	290
	飽	290
	褒	290
	縫	290
ボウ	乏	291
	妄	306
	忙	291
	坊	291
	妨	291
	房	292
	肪	292
	某	292
	冒	292
	剖	293
	紡	293
	傍	293
	帽	293
	貌	294
	膨	294
	謀	294
ほうむる	葬	201
ほお	頬	294
ボク	朴	295
	睦	295
	僕	295
	墨	295
	撲	296
ほこ	矛	304
ほこる	誇	113
ほころびる	綻	217
ほたる	蛍	102
ボッ	坊	291
ボツ	没	296
	勃	296
ほどこす	施	140
ほのお	炎	45
ほまれ	誉	315
ほめる	褒	290
ほら	洞	243
ほり	堀	296
ほる	彫	223
	掘	98
ほろびる	滅	305
ほろぼす	滅	305
ホン	奔	297
	翻	297
ボン	凡	297
	盆	297
	煩	266

ま

読み	漢字	ページ
マ	麻	300
	摩	300
	磨	300
	魔	300
マイ	昧	301
	埋	301
まい	舞	278
まう	舞	278
まかなう	賄	340
まぎらす	紛	280
まぎらわしい	紛	280
まぎらわす	紛	280
まぎれる	紛	280
マク	膜	301
まくら	枕	301
ます	升	161
また	又	302
	股	111

わ

総画索引

そうかくさくいん

★本書に収められている1130字を、画数順に配列しています。同じ画数の場合は、部首の画数順に並べてあります。

★漢字の下の数字は、本書のページ数です。

★※は、許容字体・異体字のうち、総画数が見出しの漢字と異なるものです。（「謎」（17画）と「謎」（16画）など）

剛	剣	凍	凄	准	冥	兼	倫	俸	倣	倒	倹	俺	10画	香	軌	赴
123	106	239	186	158	305	106	329	288	288	239	106	51		119	79	276
宰	宴	娘	姫	娠	娯	埋	哺	唐	哲	唇	唆	唄	匿	剖	剝	剤
132	45	305	272	175	114	301	285	239	234	175	130	42	244	293	260	134
恋	恥	恣	恵	恭	恐	陣	陥	透	途	逓	逐	逝	華	徐	峰	宵
334	218	140	100	92	91	179	71	240	237	231	220	186	54	161	289	163
桁	核	朕	敏	捕	捗	捉	挿	捜	振	挫	挨	拳	扇	悩	悟	悦
105	64	227	274	285	226	204	199	199	175	131	34	107	191	254	114	44
畝	珠	烈	浪	涙	浮	浜	浸	浦	泰	殉	殊	桃	桑	栓	桟	栽
42	150	333	336	330	276	273	175	42	210	158	149	239	199	191	138	132
紋	紡	紛	索	粋	既	秩	租	称	祥	砲	眠	疲	症	疾	畔	畜
308	293	280	135	180	80	220	196	164	164	289	304	269	163	145	265	219
辱	軒	貢	託	被	袖	衰	蚊	般	致	脇	胴	脊	脂	脅	耗	翁
173	107	119	213	269	152	181	57	265	218	340	244	188	141	92	307	49
啓	喝	勘	剰	偏	偵	偶	偽	乾	11画	竜	鬼	飢	隻	釜	酎	酌
101	67	72	170	285	232	97	83	71		324	80	80	188	69	222	148
庸	庶	崩	崇	崎	崖	尉	寂	婆	婚	堀	培	堆	執	埼	唯	唾
315	160	289	183	135	62	37	149	256	126	296	258	210	145	134	312	208
患	陵	隆	陪	陶	陳	陰	郭	逮	逸	葛※	菌	菊	菓	萎	彫	彩
72	327	325	258	240	227	41	64	211	39	68	94	84	55	37	223	132
描	排	捻	掃	措	据	控	掲	掘	掛	捗※	戚	悼	惜	惨	惧	悠
273	257	254	200	196	183	120	101	98	66	226	188	240	188	138	96	312
添	淡	渉	淑	渋	渓	渇	涯	淫	殻	梨	梗	曽	曹	旋	斬	斜
235	216	164	156	155	101	67	62	41	64	250	120	200	200	191	138	146

煩	煎	煙	溶	滅	漠	溺	滝	滞	溝	滑	殿	毀	歳	楼	棄	楷
266	191	46	316	305	260	234	212	211	121	68	236	81	134	336	81	60
腰	腺	腎	腫	羨	継	窟	稚	禅	禍	碁	睦	督	睡	痴	猿	献
316	192	179	150	192	102	98	219	194	56	115	295	245	182	219	46	108
賂	賊	誉	詮	詳	誇	詣	詰	該	触	裸	裾	褐	蜂	虜	虞	艇
335	205	315	192	167	113	103	85	63	172	320	184	68	290	326	50	232
頓	頑	靴	零	雷	雅	鈴	鉢	鉛	酪	酬	載	較	跳	践	跡	賄
246	78	56	331	320	58	331	262	47	321	153	134	65	224	192	189	340
遡	蔑	徴	彰	寧	寡	嫡	奪	墨	塾	僚	僕	14画	鼓	飽	飾	頒
197	284	224	167	253	56	221	214	295	157	327	295		113	290	172	266
漏	漫	漂	滴	漬	漸	漆	概	暦	摘	慢	憎	慕	隠	遭	遮	遜
337	302	272	233	228	194	146	63	333	233	302	203	286	41	202	147	205
腐	網	綻	緒	綱	維	箸※	箋	箇	罰	端	稲	碑	瘍	瑠	獄	熊
277	308	217	160	122	38	261	193	56	263	217	242	269	317	329	125	99
餅※	餌※	需	雌	閥	銘	銃	酷	酵	辣	踊	貌	豪	誘	誓	蜜	膜
283	143	151	141	263	305	155	124	122	321	317	294	124	314	186	303	301
幣	履	寮	審	墳	墜	噴	嘲	嘱	勲	舗	儀	15画	魂	髪	駄	駆
283	323	328	177	281	228	281	225	173	99	286	83		127	262	209	96
摩	摯	撃	戯	憤	憧	憬	慮	憂	慶	慰	遷	遵	蔽	徹	影	弊
300	142	105	83	281	167	103	326	314	103	39	193	159	283	234	43	283
稼	盤	監	畿	璃	澄	潜	潤	潟	潰	歓	槽	暫	敷	撲	撤	撮
57	267	75	82	323	225	193	159	67	60	75	202	139	277	296	235	137
衝	膚	膝	締	縄	緊	緩	縁	範	箸	罷	罵	窯	窮	穂	稿	稽
168	277	271	232	170	95	75	47	266	261	270	256	317	88	182	122	103

部首の名前

★部首とは、漢字を仲間分けするときの目印となるものです。
★部首と部首の名前は、辞典によって異なる場合があります。本書では、『現代標準漢和辞典　改訂第2版』（学研）をもとにしています。

▼部首	▼名前	▼漢字の例
一	いち	与・丘
丨	ぼう・たてぼう	串
丶	てん	丹・井
丿	の・はらいぼう	及・乏
乙・乚	おつ・おつにょう	乞・乾
亅	はねぼう	了
二	に	巨・亜
亠	なべぶた	享・亭
人・𠆢・亻	ひと・ひとやね・にんべん	介・伸
儿	にんにょう・ひとあし	充・免
冖	わかんむり	冗・冠
冫	にすい	准・凍
几	つくえ	凡
凵	うけばこ(かんにょう)	凶・凸
刀・刂	かたな・りっとう	刃・到
力	ちから	勘・募
勹	つつみがまえ	勾・匂
匚	かくしがまえ	匹・匿
十	じゅう	升・卓
卜	ぼく	占
卩・㔾	ふしづくり	却・即
厂	がんだれ	厄・厘
又	また	双・叙
口・口	くち・くちへん	召・叱
囗	くにがまえ	囚・圏
土・土	つち・つちへん	堅・壊
士	さむらい	壮・壱
大	だい	奈・奉
女・女	おんな・おんなへん	妥・娘
子・子	こ・こへん	孔・孤
宀	うかんむり	宛・寝
寸	すん	寿・封
小・⺌	しょう	尚
尸	しかばね	尽・履
屮	てつ	屯
山	やま・やまへん	岳・岬
工	こう(え)	巧
巾・巾	はば・きんべん・はばへん	帝・幅
幺	いとがしら	幻・幾
广	まだれ	床・庶
廴	えんにょう	廷
廾	にじゅうあし(こまぬき)	弄・弊
弋	しきがまえ(よく)	式
弓・弓	ゆみ・ゆみへん	弔・弾
彑	けい・けいがしら	彙
彡	さんづくり	彩・彰
彳	ぎょうにんべん	彼・徹
艹	くさかんむり	芝・蓄
辶・⻌	しんにょう・しんにゅう	込・違

部首	名前	例
阝(右)	おおざと	那・邸
阝(左)	こざとへん	陥・随
心・忄	こころ・りっしんべん	忍・悩
戈	ほこ・ほこづくり・ほこがまえ	戒・戚
戸	と・とかんむり	戻・扉
手・扌	て・てへん	拳・挑
攵	ぼくにょう・のぶん（ぼくづくり）	攻・敢
文	ぶん（ぶんにょう）	斑
斗	と・とます	斗・斜
斤	おの（きん）・おのづくり	斥・斬
方・方	ほう・かたへん	施・旋
日・日	ひ・ひへん	昇・暇
曰	ひらび（いわく）	更・替
月・月	つき・つきへん・ふなづき	朕
木・木	き・きへん	柔・棟
欠	けつ・あくび（かける・けんづくり）	欺・歓
止	とまる・とめへん	歳
歹	かばねへん（いちたへん）	殊・殖
殳	るまた	殻・殿
水・氺・氵	みず（したみず）・さんずい	泰・浮
火・火・灬	ひ・ひへん・れんが・れっか	煙・烈
爪・爫	つめ・つめかんむり	爪・采
爻	こう	爽
牙・牙	きば・きばへん	牙
牛・牜	うし・うしへん	牲・犠
犬・犭	いぬ・けものへん	献・猶
玄	げん	玄
玉・王・𤣩	たま・おう・おうへん	璧・環
瓦	かわら	瓦・瓶
甘	あまい	甘・甚
田・田	た・たへん	畝・畔
疋・𤴔	ひき・ひきへん	疎
疒	やまいだれ	症・療
白	しろ	皆
皿	さら	盆・監
目・目	め・めへん	冒・眠
矛	ほこ	矛
矢・矢	や・やへん	矯
石・石	いし・いしへん	磨・礎
示・礻	しめす・しめすへん	祈・禅
禾・禾	のぎ・のぎへん	秀・穏
穴・穴	あな・あなかんむり	突・窮
立・立	たつ・たつへん	端
罒	あみがしら・よこめ	罰・罵
旡	む・むにょう	既
竹・⺮	たけ・たけかんむり	符・筒
米・米	こめ・こめへん	粋・粗
糸・糸	いと・いとへん	索・紹
缶	ほとぎ	缶
羊・⺷	ひつじ	羞・羨
羽	はね	翼・翻
而	しこうして	耐
耒・耒	すき・すきへん	耗
耳・耳	みみ・みみへん	聴
聿	ふでづくり	粛
肉・月	にく・にくづき	肩・胴
自	みずから	臭
至・至	いたる・いたるへん	致
臼	うす	臼
舟・舟	ふね・ふねへん	般・艇
色	いろ	艶
虍	とらかんむり・とらがしら	虎・虚
虫	むし・むしへん	蛍・蛇

部首	名前	例
行	ぎょうがまえ・ゆきがまえ（いく）	衝・衡
衣・衤	ころも・ころもへん	裂・裕
西・覀	にし・おおいかんむり	覆・覇
角・⻆	つの（かく）・つのへん	触
言・訁	いう・ごんべん	詰・誉
豕	いのこ（ぶた）・いのこへん	豪・豚
豸	むじな・むじなへん	貌
貝・貝	こがい・かい・かいへん	貢・販
赤	あか	赦
走・走	はしる・そうにょう	赴・超
足・⻊	あし・あしへん	距・跳
車・車	くるま・くるまへん	輝・轄
辛	からい（しん）	辛・辣
辰	しんのたつ	辱
酉	とりへん・ひよみのとり	酪・酷
釆・釆	のごめ・のごめへん	釈
舛	まいあし	舞
麦	むぎ	麺
金・釒	かね・かねへん	釜・鉛
門	もん・もんがまえ・かどがまえ	閲・闘
隶	れいづくり	隷
隹	ふるとり	雇・雄
雨・⻗	あめ・あめかんむり	雷・需
斉	せい	斉・斎
革	かくのかわ（かわへん）	靴
音	おと	韻・響
頁	おおがい・いちのかい	頃・頼
食・飠	しょく・しょくへん	飾・飽
香	か・かおり	香
馬・馬	うま・うまへん	駆・驚
骨	ほね・ほねへん	骸・髄
髟	かみがしら	髪
鬯	においざけ	鬱
鬼	おに・きにょう	魂・魅
韋	なめしがわ	韓
魚	うお・うおへん	鮮・鯨
鳥	とり	鶏・鶴
鹿	しか	麗・麓
麻	あさ・あさかんむり	麻
黒	くろ	黙
歯	は・はへん	齢
鼓	つづみ	鼓

ア行の漢字

亜

準2級

部首 二（に） 7画

音 ア
訓 ―

筆順 亜亜亜亜亜亜亜（つらぬく・長めに書く）

用例
亜鉛（あえん）
亜熱帯（あねったい）
亜流（ありゅう）*
白亜紀（はくあき）

問題
□［あえん］を含む医薬品。
□［あねったい］で育つ植物。
□［ありゅう］の作家を批判する。
□［はくあき］の化石を調べる。

哀

3級

部首 口（くち） 9画

音 アイ
訓 あわれ・あわれむ

筆順 哀哀哀哀哀哀哀哀哀（立てる・つける・折ってはらう・はらう）

用例
哀願（あいがん）
哀愁（あいしゅう）
哀悼（あいとう）
悲哀（ひあい）

問題
□期間の延長を［あいがん］する。
□［あいしゅう］に満ちた曲調。
□謹（つつし）んで［あいとう］の意を表す。
□人生の［ひあい］を味わう。

挨

2級

部首 扌（てへん） 10画

音 アイ
訓 ―

筆順 挨挨挨挨挨挨挨挨挨挨（はねる・短くとめる・つき出さない・はらう）

用例
挨拶（あいさつ）

問題
□毎朝の［あいさつ］を欠かさず行うように指導する。

曖

2級

部首 日（ひへん） 17画

音 アイ
訓 ―

筆順 曖曖曖曖曖曖曖曖曖曖曖曖曖曖曖曖曖（左下にはらう・はらう・折ってはらう）

用例
曖昧（あいまい）

問題
□ルールが［あいまい］なので、対処に困る。

*亜流＝独創性がなく，まねしただけのもの。

4級

握

12画

部首 扌（てへん）

音 アク
訓 にぎる

はねる　はらう　短く止める　上の横棒より長く

握手（あくしゅ）
握力（あくりょく）
掌握（しょうあく）＊
把握（はあく）

□有名人と〔あくしゅ〕する。
□〔あくりょく〕を測定する。
□反乱軍を〔しょうあく〕する。
□文章の内容を〔はあく〕する。

4級

扱

6画

部首 扌（てへん）

音 —
訓 あつかう

はねる　一画で書く　はらう

扱（あつか）う
客扱（きゃくあつか）い
取（と）り扱（あつか）う

□薬品を注意深く〔あつか〕う。
□丁重（ていちょう）に〔きゃくあつか〕いされる。
□新製品を取り〔あつか〕う。

2級

宛

8画

部首 宀（うかんむり）

音 —
訓 あてる

立てる　はらう　折ってはらう　曲げてはねる

宛先（あてさき）
宛名（あてな）
宛（あ）てる

□〔あてさき〕を間違（まちが）える。
□〔あてな〕を正しく書く。
□友人に〔あ〕てた手紙。

2級

嵐

12画

部首 山（やま）

音 —
訓 あらし

はねる　はらう　忘れない

嵐（あらし）
砂嵐（すなあらし）
山嵐（やまあらし）

□〔あらし〕のような拍手（はくしゅ）。
□〔すなあらし〕に巻かれる。
□〔やまあらし〕が吹（ふ）きすさぶ。

＊掌握＝思いどおりに動かせるように，すっかり自分のものにすること。

4級

依

部首 亻（にんべん） 8画

音 イ（エ）
訓 ―

筆順 依 立てる 折ってはらう はらう

用例
依願（いがん）
依然（いぜん）
依存（いそん）※
依頼（いらい）

問題
□退職を（いがん）する。
□（いぜん）として変化がない。
□食材を輸入に（いそん）する。
□品質の調査を（いらい）する。

4級

威

部首 女（おんな） 9画

音 イ
訓 ―

筆順 威 はらう 忘れない はねる 忘れない

用例
威圧（いあつ）
威力（いりょく）
脅威（きょうい）
猛威（もうい）

問題
□（いあつ）的な態度をとる。
□シュートが（いりょく）を増す。
□（きょうい）にさらされる。
□台風が（もうい）を振（ふ）るう。

4級

為

部首 灬（れんが・れっか） 9画

音 イ
訓 ―

筆順 為 長くはらう 折ってはねる

用例
為政者（いせいしゃ）＊
行為（こうい）
作為（さくい）
人為（じんい）

問題
□決断力がある（いせいしゃ）。
□不謹慎（ふきんしん）な（こうい）を慎（つつし）む。
□（さくい）の跡（あと）が感じられる。
□（じんい）的に雪を降らせる。

2級

畏

部首 田（た） 9画

音 イ
訓 おそれる

筆順 畏 縦棒が先 長めに書く 折ってはらう はらう

用例
畏敬（いけい）
畏縮（いしゅく）
畏怖（いふ）
畏（おそ）れ

問題
□（いけい）の念を抱（いだ）く。
□社長の面前で（いしゅく）する。
□厳しい師匠（ししょう）を（いふ）する。
□神仏に（おそ）れを感じる。

※「いぞん」とも読む。　＊為政者＝政治を執（と）り行う人物。

準2級

尉

11画

部首 寸（すん）

音 イ

訓 —

上の横棒より長く　はらう　はねる　忘れない

尉官（いかん）　大尉（たいい）

□（いかん）が軍隊を指揮する。

□陸軍の（たいい）に昇進（しょうしん）する。

2級

萎

11画

部首 艹（くさかんむり）

音 イ

訓 なえる

左下にはらう　曲げて止める　長めに書く

萎縮（いしゅく）　萎（な）える*

□気持ちが（いしゅく）する。

□やる気が（な）える。

4級

偉

12画

部首 亻（にんべん）

音 イ

訓 えらい

ななめに書く　筆順に注意

偉観（いかん）　偉業（いぎょう）　偉人（いじん）　偉大（いだい）

□（いかん）を誇（ほこ）る建物。

□（いぎょう）を成し遂（と）げる。

□（いじん）の伝記を読む。

□（いだい）な画家の作品。

「いぜん」の意味

以前…ある出来事などを境として、それより前。

依然…ある状態が変化せずに続く様子。

似ている漢字に注意

偉（イ・にんべん）―違（イ・しんにょう）―緯（イ・いとへん）

「いしゅく」の意味

畏縮…相手に対して畏（おそ）れ入って、小さくなること。

萎縮…元気がなくなり縮こまること。

*萎える＝体や気持ちが衰（おとろ）えて，ぐったりすること。

椅 2級

部首 木（きへん） 12画

音 イ
訓 ―

筆順：はらう／止める／はねる

用例：椅子（いす）　車椅子（くるまいす）　座椅子（ざいす）

問題
□（いす）の高さを調節する。
□（くるまいす）を押す。
□和室に（ざいす）を置く。

彙 ※ 2級

部首 彑（けいがしら） 13画

音 イ
訓 ―

筆順：筆順に注意／「冖」を「宀」としない／長めに書く

用例：語彙（ごい）＊

問題
□（ごい）が豊富な人に、言葉の意味を教わる。

違 4級

部首 辶（しんにょう・しんにゅう） 13画

音 イ
訓 ちがう　ちがえる

筆順：ななめに書く／筆順に注意／一画で書く

用例：違反（いはん）　違法（いほう）　違和感（いわかん）　相違（そうい）

問題
□校則に（いはん）する。
□（いほう）な行為（こうい）を防止する。
□報道に（いわかん）を覚える。
□事実に（そうい）ない。

維 4級

部首 糸（いとへん） 14画

音 イ
訓 ―

筆順：折る／縦棒が先／はらう

用例：維持（いじ）　維新（いしん）　繊維（せんい）

問題
□健康を（いじ）する。
□（いしん）の志士たち。
□天然の（せんい）を輸入する。

※「彙」も可。　＊語彙＝ある言語の語全体。または，ある人が用いる語句全体。

慰
3級
部首 心（こころ） 15画
音 イ
訓 なぐさめる なぐさむ

はらう　上の横棒より長く　短く止める　忘れない

慰安（いあん）　慰謝料（いしゃりょう）　慰問（いもん）　慰留（いりゅう）

□（いあん）旅行を計画する。
□（いしゃりょう）を請求する。
□（いもん）の物資が届く。
□辞める部下を（いりゅう）する。

緯
4級
部首 糸（いとへん） 16画
音 イ
訓 ―

折る　ななめに書く　筆順に注意

緯度（いど）　経緯（けいい）　北緯（ほくい）

□経度と（いど）を調べる。
□事件の（けいい）を知る。
□北極点は（ほくい）九十度の地点だ。

壱
4級
部首 士（さむらい） 7画
音 イチ
訓 ―

上の横棒より短く　曲げてはねる

壱万円（いちまんえん）※

□銀行で（いちまんえん）札を千円札に両替（りょうがえ）する。

逸
準2級
部首 辶（しんにょう・しんにゅう） 11画
音 イツ
訓 ―

折ってはらう　曲げてはねる　一画で書く

逸材（いつざい）＊　逸品（いっぴん）　散逸（さんいつ）　秀逸（しゅういつ）

□無名の（いつざい）を起用する。
□（いっぴん）をせり落とす。
□貴重な資料が（さんいつ）する。
□とても（しゅういつ）な作品だ。

※「一万円」とも書く。　＊逸材＝とても優れた才能（を持った人）。

茨 ※
2級
9画
部首 艹（くさかんむり）
音 ―
訓 いばら

筆順
茨茨茨茨茨茨茨茨茨
右上にはらう
はらう

用例
茨（いばら）
茨城県（いばらきけん）

問題
□［いばら］の道を歩む。
□納豆（なっとう）は、［いばらきけん］の特産品の一つだ。

芋
4級
6画
部首 艹（くさかんむり）
音 ―
訓 いも

筆順
芋芋芋芋芋芋
上の横棒より長く
つき出さない

用例
芋（いも）がゆ
芋虫（いもむし）
里芋（さといも）
焼（や）き芋（いも）

問題
□［いも］がゆを作る。
□［いもむし］がさなぎになる。
□［さといも］の皮をむく。
□焼き［いも］を食べる。

咽
2級
9画
部首 口（くちへん）
音 イン
訓 ―

筆順
咽咽咽咽咽咽咽咽咽
「口」は小さめに
折る

用例
咽喉（いんこう）*
咽頭（いんとう）

問題
□耳鼻（じび）［いんこう］科に通う。
□［いんとう］が炎症（えんしょう）を起こす。

姻
準2級
9画
部首 女（おんなへん）
音 イン
訓 ―

筆順
姻姻姻姻姻姻姻姻姻
筆順に注意
折る

用例
姻戚関係（いんせきかんけい）
婚姻届（こんいんとどけ）

問題
□［いんせきかんけい］を頼（たよ）る。
□区役所に［こんいんとどけ］を提出する。

※「茨」も可。　＊咽喉＝咽頭と喉頭。のど。

2級

淫

※

11画

部首 氵（さんずい）

音 イン
訓 （みだら）

左下にはらう
左下にはらう
上の横棒より短めに

淫行（いんこう）

□（いんこう）を取り締まる条例について調べる。

4級

陰

11画

部首 阝（こざとへん）

音 イン
訓 かげ
かげる

三画で書く
上の横棒より長く
折ってはらう

陰気（いんき）
陰性（いんせい）
光陰（こういん）
日陰（ひかげ）

□（いんき）な性格を改める。
□（いんせい）の反応を示す。
□（こういん）矢のごとし。
□（ひかげ）で休憩（きゅうけい）する。

4級

隠

14画

部首 阝（こざとへん）

音 イン
訓 かくす
かくれる

三画で書く
つき出さない

隠居（いんきょ）
隠匿（いんとく）
隠忍自重（いんにんじちょう）*
雲隠（くもがく）れ

□退職して（いんきょ）する。
□犯罪を（いんとく）する。
□（いんにんじちょう）して待つ。
□敵が（くもがく）れする。

準2級

韻

19画

部首 音（おと）

音 イン
訓 ―

立てる
折る
はらう

韻（いん）
韻文（いんぶん）
韻律（いんりつ）
音韻（おんいん）

□詩で（いん）を踏（ふ）む。
□古典の（いんぶん）を読む。
□（いんりつ）に注意して読む。
□言語の（おんいん）を研究する。

※「滛」も可。 ＊隠忍自重＝じっと我慢（がまん）して軽はずみに行動しないこと。

唄 （2級）

部首：口（くちへん）　10画

音：—
訓：うた

筆順

「口」は小さめに／はらう

用例

小唄（こうた）
長唄（ながうた）
子守唄（こもりうた）

問題

□（こうた）の稽古（けいこ）をする。
□（ながうた）を鑑賞する。
□地方に伝わる（こもりうた）を集める。

鬱 （2級）

部首：鬯（においざけ）　29画

音：ウツ
訓：—

筆順

筆順に注意／曲げてはねる

用例

鬱血（うっけつ）*
鬱蒼（うっそう）
鬱憤（うっぷん）
憂鬱（ゆううつ）

問題

□足の（うそうっ）を防ぐ。
□（うっ）蒼（そう）と木々が生い茂（しげ）る。
□日頃（ひごろ）の（うっぷん）を晴らす。
□（ゆううつ）な気分を紛（まぎ）らす。

畝 （準2級）

部首：田（た）　10画

音：—
訓：うね

筆順

立てる／縦棒が先／「田」は縦長に

用例

畝（うね）

問題

□畑の（うね）の間に生えた雑草を取る。

浦 （準2級）

部首：氵（さんずい）　10画

音：—
訓：うら

筆順

折ってはねる／つき出す／「忘れない」

用例

浦（うら）
浦里（うらざと）*
津津浦浦（つつうらうら）

問題

□（うら）に架（か）かる橋。
□（うらざと）に生まれ育つ。
□立候補者が（つつうらうら）を遊説（ゆうぜい）して回る。

*鬱血＝血が体の一部分にたまること。　*浦里＝海の近くにある村。

詠

3級
12画
部首 言（ごんべん）
音 エイ
訓 （よむ）

詠詠詠詠詠詠詠詠詠詠詠詠

折ってはねる
はらう

詠唱＊（えいしょう）　詠嘆＊（えいたん）　朗詠（ろうえい）

□巡礼歌（じゅんれいか）を〔えいしょう〕する。
□絶景を眺（なが）め、〔えいたん〕する。
□結婚を祝福して、漢詩を〔ろうえい〕する。

影

4級
15画
部首 彡（さんづくり）
音 エイ
訓 かげ

影影影影影影影影影影影影影影影

「日」は平たく
「彡」の間は均等に書く

影響（えいきょう）　陰影（いんえい）　撮影（さつえい）　影絵（かげえ）

□温暖化の〔えいきょう〕が広がる。
□細かい〔いんえい〕を描（えが）き込（こ）む。
□映画の〔さつえい〕をする。
□〔かげえ〕で劇を作る。

鋭

4級
15画
部首 金（かねへん）
音 エイ
訓 するどい

鋭鋭鋭鋭鋭鋭鋭鋭鋭鋭鋭鋭鋭鋭鋭

右上にはらう
曲げてはねる

鋭角（えいかく）　鋭敏（えいびん）　鋭利（えいり）　精鋭（せいえい）

□三角形の〔えいかく〕。
□〔えいびん〕な音感を持つ。
□動物の〔えいり〕な爪（つめ）。
□〔せいえい〕を集めたチーム。

書き方に注意

鬱

「必」としないように。

似ている漢字に注意

浦（うら）さんずい ― 捕（ホ）てへん ― 補（ホ）ころもへん

送りがなに注意

○ 鋭（する）い
× 鋭どい
× 鋭るどい

＊詠唱＝節をつけて歌を歌うこと。　＊詠嘆＝深く感動して声に出すこと。

疫

準2級

9画

部首 疒（やまいだれ）

音 エキ（ヤク）

訓 —

筆順 疫 疫 疫 疫 疫 疫 疫 疫 疫（はらう・曲げてはねる・折ってはらう）

用例 疫病（えきびょう）　検疫（けんえき）　防疫（ぼうえき）　免疫（めんえき）

問題
□（えきびょう）にかかる。
□空港で（けんえき）を実施する。
□伝染病の（ぼうえき）対策をとる。
□（めんえき）力を高める。

悦

3級

10画

部首 忄（りっしんべん）

音 エツ

訓 —

筆順 悦 悦 悦 悦 悦 悦 悦 悦 悦 悦（筆順に注意・はらう）

用例 悦（えつ）　悦楽（えつらく）*　愉悦（ゆえつ）

問題
□うまくできて（えつ）に入る。
□（えつらく）に浸る。
□満天の星空を眺め、（ゆえつ）を味わう。

越

4級

12画

部首 走（そうにょう）

音 エツ

訓 こす　こえる

筆順 越 越 越 越 越 越 越 越 越 越 越 越（はらう・忘れない）

用例 越境（えっきょう）　超越（ちょうえつ）　優越感（ゆうえつかん）　年越し（としこし）

問題
□（えっきょう）して入学する。
□（ちょうえつ）した才能の持ち主。
□（ゆうえつかん）に浸る。
□（としこ）しの準備をする。

謁

準2級

15画

部首 言（ごんべん）

音 エツ

訓 —

筆順 謁 謁 謁 謁 謁 謁 謁 謁 謁 謁 謁 謁 謁 謁 謁（折ってはねる・左下にはらう・曲げてはねる）

用例 謁見（えっけん）*　拝謁（はいえつ）

問題
□国王に（えっけん）する。
□天皇陛下に（はいえつ）する機会に恵まれる。

*悦楽＝満足して喜び楽しむこと。　*謁見＝身分の高い人に会うこと。

閲

3級　15画

部首 門（もんがまえ・かどがまえ）

音 エツ
訓 —

縦棒から書く　一画で書く　曲げてはねる

閲読（えつどく）
閲覧（えつらん）
検閲（けんえつ）
校閲（こうえつ）*

□参考資料を（えつどく）する。
□ファイルを（えつらん）する。
□（けんえつ）は禁止されている。
□文章を（こうえつ）する。

炎

3級　8画

部首 火（ひ）

音 エン
訓 ほのお

止める　はらう

炎症（えんしょう）
炎上（えんじょう）
炎天下（えんてんか）
火炎（かえん）

□皮膚（ひふ）が（えんしょう）を起こす。
□天守閣が（えんじょう）する。
□（えんてんか）を避（さ）ける。
□（かえん）が噴（ふ）き上がる。

怨

2級　9画

部首 心（こころ）

音 （エン）オン
訓 —

はらう　折ってはらう　曲げてはねる

怨敵（おんてき）*
怨念（おんねん）
怨霊（おんりょう）

□（おんてき）を退散させる。
□武士の（おんねん）を描（えが）いた劇。
□（おんりょう）を封（ふう）じ込めたという言い伝えがある場所。

宴

3級　10画

部首 宀（うかんむり）

音 エン
訓 —

立てる　「日」は平たく　折る　長めに書く

宴（えん）
宴会（えんかい）
宴席（えんせき）
酒宴（しゅえん）

□（えん）たけなわとなる。
□（えんかい）を取り仕切る。
□（えんせき）の司会を務める。
□（しゅえん）を盛り上げる。

*校閲＝原稿（げんこう）などの間違（まちが）いを探し，正すこと。　*怨敵＝恨（うら）みのある敵。

媛 2級

※ 媛　12画　部首 女（おんなへん）

音 エン
訓 ―

筆順：媛（折る／はらう／上の横棒より長く）

用例：才媛（さいえん）＊

問題
□（さいえん）の誉（ほま）れ高い女優が主役を務める映画を見る。

援 4級

援　12画　部首 扌（てへん）

音 エン
訓 ―

筆順：援（はねる／はらう／上の横棒より長く）

用例：援護（えんご）　援助（えんじょ）　応援（おうえん）　声援（せいえん）

問題
□味方を（えんご）する。
□費用を（えんじょ）してもらう。
□新人選手を（おうえん）する。
□（せいえん）に支えられる。

煙 4級

煙　13画　部首 火（ひへん）

音 エン
訓 けむる　けむり　けむい

筆順：煙（短く止める／「西」を「西」としない／上の横棒より長く）

用例：煙突（えんとつ）　煙霧（えんむ）　禁煙（きんえん）　噴煙（ふんえん）

問題
□（えんとつ）が立ち並ぶ。
□深い（えんむ）に巻かれる。
□映画館の館内は（きんえん）だ。
□火口から（ふんえん）が上がる。

猿 準2級

猿　13画　部首 犭（けものへん）

音 エン
訓 さる

筆順：猿（左下にはらう／折ってはらう／はらう）

用例：犬猿（けんえん）の仲（なか）　野猿（やえん）　類人猿（るいじんえん）　猿（さる）

問題
□二人は（けんえん）の仲だ。
□（やえん）を捕獲（ほかく）する。
□（るいじんえん）の進化をたどる。
□（さる）も木から落ちる。

※音訓はないが，「愛媛県（えひめけん）」と書く際にも使う。　＊才媛＝教養の高い女性。

鉛

4級　13画　部首：金（かねへん）

音：エン
訓：なまり

短く止める
右上にはらう
付けない

鉛筆（えんぴつ）
黒鉛（こくえん）
鉛（なまり）
鉛色（なまりいろ）

□（えんぴつ）を削る。
□（こくえん）を加工する。
□（なまり）は溶けやすい金属だ。
□（なまりいろ）の空を仰ぎ見る。

縁

4級　15画　部首：糸（いとへん）

音：エン
訓：ふち

折る
はねる
長めに書く

縁側（えんがわ）
縁故（えんこ）*
縁日（えんにち）
額縁（がくぶち）

□猫が（えんがわ）で寝ている。
□（えんこ）を頼りに上京する。
□（えんにち）の屋台を見歩く。
□賞状を（がくぶち）に入れる。

艶

2級　19画　部首：色（いろ）

音：（エン）
訓：つや

筆順に注意
「豊」は縦長に書く
曲げてはねる

艶（つや）
艶消し（つやけし）
艶やか（つややか）

□石を磨いて（つや）を出す。
□（つやけ）しの銀の食器。
□（つや）やかな黒髪をとかす。

汚

4級　6画　部首：氵（さんずい）

音：オ
訓：（けがす）（けがれる）（けがらわしい）よごす　よごれる　きたない

上の横棒より長く
一画で書く
左上にはらう

汚職（おしょく）
汚染（おせん）
汚点（おてん）
汚名（おめい）

□（おしょく）で告発される。
□大気が（おせん）される。
□歴史に（おてん）を残す。
□（おめい）をすすぐ。

*縁故＝血縁（けつえん）など，人と人とのつながり。

凹

準2級

5画

部首 凵（うけばこ）

音 オウ

訓 ―

筆順

筆順に注意

折る

用例

凹凸（おうとつ）

凹面鏡（おうめんきょう）

凹レンズ（おう）

問題

□（おうとつ）のある斜面（しゃめん）。

□（おうめんきょう）に姿を映す。

□（おう）レンズを加工する。

押

4級

8画

部首 扌（てへん）

音 （オウ）

訓 おす　おさえる

筆順

はねる

つき出さない

用例

押（お）し入（い）れ

押（お）し花（ばな）

押（お）す

手押（てお）し車（ぐるま）

問題

□（お）し入れにしまう。

□（お）し花をしおりにする。

信号のボタンを□（お）す。

□（てお）し車に荷物を積む。

旺

2級

8画

部首 日（ひへん）

音 オウ

訓 ―

筆順

「日」は縦長に

上の横棒より長く

用例

旺盛（おうせい）*

問題

すっかり病気が回復して、食欲が□（おうせい）になる。

欧

3級

8画

部首 欠（けつ・あくび）

音 オウ

訓 ―

筆順

筆順に注意

はらう

はらう

用例

欧州（おうしゅう）

欧文（おうぶん）

欧米（おうべい）

北欧（ほくおう）

問題

□（おうしゅう）の国々を旅する。

□（おうぶん）で書く。

□（おうべい）の文化に精通する。

□（ほくおう）の歴史を学ぶ。

*旺盛＝活力にあふれていること。

3級

殴

8画

部首 殳(るまた)

音 (オウ)

訓 なぐる

筆順に注意 殴殴殴殴殴殴殴殴

曲げてはねる

殴る(なぐ)

□サンドバッグを力いっぱい(なぐ)る。

準2級

翁

10画

部首 羽(はね)

音 オウ

訓 ―

はらう 付けない 折ってはねる

翁翁翁翁翁翁翁翁翁翁

老翁(ろうおう)

□(ろうおう)の能面をかぶった役者が登場する。

4級

奥

12画

部首 大(だい)

音 (オウ)

訓 おく

はらう ななめに書く

奥奥奥奥奥奥奥奥奥奥奥奥

奥様(おくさま)
奥底(おくそこ)
奥の手(おくのて)*
奥歯(おくば)

□恩師の(おくさま)に会う。
□心の(おくそこ)を打ち明ける。
□ついに(おく)の手を使う。
□(おくば)を丁寧(ていねい)に磨(みが)く。

「凹凸(おうとつ)」の意味

凹凸…①物の表面の出っ張ったところとへこんだところ。②不ぞろいで釣(つ)り合いが取れていないこと。

似ている漢字に注意

欧(オウ)(あくび)―殴(なぐる)(るまた)

書き方に注意

奥 「ク」としないように。

*奥の手＝とっておきの手段。

岡 2級

部首 山（やま） 8画

音 ―
訓 おか

筆順 岡岡岡岡岡岡岡岡（折ってはねる・止める・忘れない）

用例
岡持（おかも）ち
岡山県（おかやまけん）
静岡県（しずおかけん）
福岡県（ふくおかけん）

問題
□〔おかも〕ちで出前する。
□〔おかやまけん〕に行く。
□〔しずおかけん〕の特産品。
□〔ふくおかけん〕に住む友人。

憶 4級

部首 忄（りっしんべん） 16画

音 オク
訓 ―

筆順 憶憶憶憶憶憶憶憶憶憶憶憶憶憶憶憶（筆順に注意・立てる・「日」は平たく）

用例
記憶（きおく）
追憶（ついおく）

問題
□〔きおく〕を呼び覚ます。
□遠い昔に過ぎ去った日々を〔ついおく〕する。

臆 2級

部首 月（にくづき） 17画

音 オク
訓 ―

筆順 臆臆臆臆臆臆臆臆臆臆臆臆臆臆臆臆臆（立てる・上の横棒より長く）

用例
臆（おく）する*
臆測（おくそく）
臆病（おくびょう）
臆面（おくめん）

問題
□〔おく〕せずに考えを述べる。
□ただの〔おくそく〕※に過ぎない。
□〔おくびょう〕風に吹（ふ）かれる。
□〔おくめん〕もなく出しゃばる。

虞 準2級

部首 虍（とらかんむり） 13画

音 ―
訓 おそれ

筆順 虞虞虞虞虞虞虞虞虞虞虞虞虞（はらいが先・一画で書く）

用例
虞（おそれ）

問題
□非常に強い勢力の台風が上陸する〔おそれ〕※がある。

*臆する＝おどおどして，おじけづく。　※「憶測」とも書く。　※「恐（おそ）れ」とも書く。

乙
3級　1画
部首　乙（おつ）
音　オツ
訓　—

乙（おつ）
甲乙（こうおつ）＊

□（おつ）な味わいの小説だ。
□いずれも（こうおつ）つけがたい傑作（けっさく）だ。

俺
2級　10画
部首　亻（にんべん）
音　—
訓　おれ

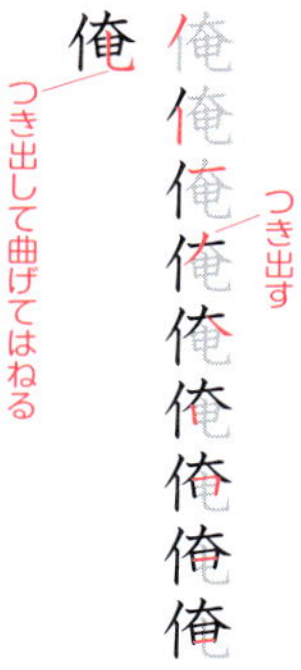

俺（おれ）
俺様（おれさま）

□（おれ）の話も聞いてほしい。
□困ったときこそ、（おれさま）の出番だ。

卸
3級　9画
部首　卩（ふしづくり）
音　—
訓　おろす
おろし

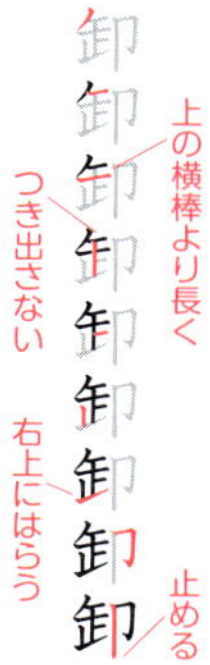

卸（おろ）し金（がね）
卸（おろ）す
卸売（おろしう）り
卸値（おろしね）

□（おろ）し金で大根をおろす。
□問屋に品物を（おろ）す。
□（おろしう）りの業者。
□商品を（おろしね）で買う。

穏
3級　16画
部首　禾（のぎへん）
音　オン
訓　おだやか

穏健（おんけん）
穏便（おんびん）
不穏（ふおん）
平穏（へいおん）

□（おんけん）な性格の人物。
□（おんびん）に済ませる。
□（ふおん）な動きがある。
□（へいおん）な日々を過ごす。

＊甲乙＝優（すぐ）れているものと劣（おと）っているもの。

コラム 1

漢字の音訓

漢字はもともと古代中国で作られた文字である。文字がなかった日本へ五世紀頃(ごろ)に中国の書物と一緒(いっしょ)に盛(さか)んに入ってくるようになった。そして、次第(しだい)に漢字の音(おん)を使って日本語を書き表すようになり、漢字は日本の文字として定着していったのである。

漢字の「音読み」と「訓読み」

音(おん)…漢字が中国から伝えられたときの中国語の発音をもとにした読み方。 例 北(ホク)

訓(くん)…漢字の意味に当たる日本古来の大和言葉(やまとことば)(和語)を当てはめた読み方。 例 北(きた)

音読みは読み方だけでは意味がわかりにくいが、訓読みは読み方から意味がわかることが多い。 例 山(サン・やま) 川(セン・かわ) 海(カイ・うみ) 朝(チョウ・あさ) 耳(ジ・みみ)

熟語の読み方

熟語は、全体が音読みか、訓読みになるのが普通(ふつう)である。しかし、音読みと訓読みをまぜる読み方もある。上の字を音で、下の字を訓で読む読み方を**重箱読み**(じゅうばこよみ)、その逆に、上の字を訓で、下の字を音で読む読み方を**湯桶読み**(ゆとうよみ)という。

①音＋音 例 読書(ドクショ) 歩行(ホコウ) 学習(ガクシュウ) 甘味(カンミ)
②訓＋訓 例 田畑(たはた) 塩味(しおあじ) 足音(あしおと) 村人(むらびと)
③音＋訓 例 重箱(ジュウばこ) 台所(ダイどころ) 縁側(エンがわ) 反物(タンもの)
④訓＋音 例 湯桶(ゆトウ) 荷物(にモツ) 見本(みホン) 強気(つよキ)

音読みと訓読みでは意味が異なる熟語

例 生物 { セイブツ（生きもの） / なまもの（生のままの食べ物） }

例 初日 { ショニチ（物事の最初の日） / はつひ（一月一日の朝日） }

カ行の漢字

佳

3級　8画

部首　亻（にんべん）

音　カ
訓　―

筆順　佳（止める／上の横棒より長く）

用例　佳作（かさく）　佳人（かじん）　絶佳（ぜっか）＊

問題
□（かさく）に選ばれる。
□（かじん）を描（えが）いた絵画。
□風光（ぜっか）の土地を訪（おとず）れる。

苛

2級　8画

部首　艹（くさかんむり）

音　カ
訓　―

筆順　苛（長めに書く／「ロ」は小さめに／はねる）

用例　苛酷（かこく）　苛政（かせい）＊　苛烈（かれつ）

問題
□（かこく）な条件で働く。
□（かせい）は虎（とら）よりも猛（たけ）し。
□トーナメントの（かれつ）な戦いを勝ち抜（ぬ）く。

架

3級　9画

部首　木（き）

音　カ
訓　かける　かかる

筆順　架（つき出す／「ロ」は小さめに／止める／はらう）

用例　架空（かくう）　書架（しょか）　担架（たんか）　架（か）ける

問題
□（かくう）の話を考える。
□本を（しょか）に整理する。
□（たんか）に乗せて運ぶ。
□つり橋を（か）ける。

華

3級　10画

部首　艹（くさかんむり）

音　カ（ケ）
訓　はな

筆順　華（上の横棒より長く／ななめに書く／つき出さない）

用例　華美（かび）　栄華（えいが）　豪華（ごうか）　繁華街（はんかがい）

問題
□（かび）な装飾（そうしょく）を避（さ）ける。
□一門が（えいが）を極（きわ）める。
□（ごうか）な設備に驚（おどろ）く。
□（はんかがい）で買い物をする。

＊絶佳＝風景がすぐれて美しいこと。　＊苛政＝人々を苦しめる政治。

4級
菓
11画
部首 艹（くさかんむり）
音 カ
訓 ―

菓子（かし）
茶菓（さか）※
製菓（せいか）
洋菓子（ようがし）

長めに書く
つき出さない

□おいしい〔　　　〕（かし）を作る。
□〔　　　〕（さか）をいただく。
□〔　　　〕（せいか）工場を見学する。
□有名な〔　　　〕（ようがし）の店。

準2級
渦
12画
部首 氵（さんずい）
音 （カ）
訓 うず

筆順に注意
右上にはらう
折ってはねる

渦（うず）
渦潮（うずしお）
渦巻く（うずまく）

□指紋の〔　　　〕（うず）を確かめる。
□大きな〔　　　〕（うずしお）を見る。
□集中豪雨で〔　　　〕（うずま）く濁流に橋が流される。

3級
嫁
13画
部首 女（おんなへん）
音 （カ）
訓 よめ　とつぐ

折る
立てる
はらう
はねる

嫁入り（よめいり）
花嫁（はなよめ）
嫁ぎ先（とつぎさき）
嫁ぐ（とつぐ）

□〔　　　〕（よめい）りの支度をする。
□着飾った〔　　　〕（はなよめ）の写真。
□〔　　　〕（とつ）ぎ先に結納品を送る。
□一人娘が〔　　　〕（とつ）ぐ。

4級
暇
13画
部首 日（ひへん）
音 カ
訓 ひま

筆順に注意
はらう

休暇（きゅうか）
寸暇（すんか）＊
余暇（よか）
暇（ひま）

□しばらく〔　　　〕（きゅうか）を取る。
□〔　　　〕（すんか）を惜しんで働く。
□故郷で〔　　　〕（よか）を過ごす。
□〔　　　〕（ひま）を持て余す。

※「ちゃか」とも読む。　＊寸暇＝僅（わず）かの暇（ひま）。

禍

準2級

13画　部首　ネ（しめすへん）

音　カ
訓　―

筆順：折ってはねる／筆順に注意

用例：禍根（かこん）＊　禍福（かふく）

問題
- □行く末に（かこん）を残す。
- □（かふく）はあざなえる縄（なわ）のごとし。

靴

準2級

13画　部首　革（かくのかわ）

音　（カ）
訓　くつ

筆順：筆順に注意／つき出す／「化」は縦長に

用例：靴下（くつした）　靴磨き（くつみがき）　革靴（かわぐつ）　長靴（ながぐつ）

問題
- □（くつした）を洗濯（せんたく）する。
- □布で（くつみが）きをする。
- □新しい（かわぐつ）を買う。
- □（ながぐつ）を履（は）いて出かける。

寡

準2級

14画　部首　宀（うかんむり）

音　カ
訓　―

筆順：立てる／短くはらう／長めに書く／つき出さない

用例：寡作（かさく）　寡聞（かぶん）＊　寡黙（かもく）　多寡（たか）

問題
- □極（きわ）めて（かさく）な画家。
- □（かぶん）にして知らない。
- □常に（かもく）な人だ。
- □金額の（たか）は問わない。

箇

4級

14画　部首　⺮（たけかんむり）

音　カ
訓　―

筆順：止める／はらう／「⺮」は平たく

用例：箇所（かしょ）　箇条書き（かじょうがき）

問題
- □間違（まちが）えた（かしょ）を直す。
- □意見を（かじょうが）きにして示す。

＊禍根＝災（わざわ）いの起こるもと。　＊寡聞＝見聞が狭（せま）くて知識が少ないこと。

稼

準2級　15画

音 （カ）
訓 かせぐ

部首 禾（のぎへん）

稼ぎ手（かせぎて）
稼ぐ（かせぐ）
出稼ぎ（でかせぎ）

□一家の（かせ）ぎ手となる。
□高い視聴率（しちょうりつ）を（かせ）ぐ。
□東京（とうきょう）に（でかせ）ぎに行く。

蚊

準2級　10画

音 —
訓 か

部首 虫（むしへん）

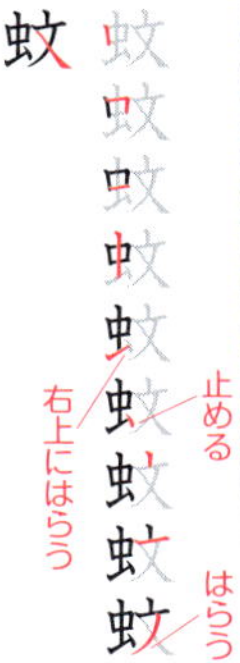

蚊（か）
蚊柱（かばしら）

□（か）を煙（けむり）でいぶし出す。
□夏の夕方、河原に大きな（かばしら）が立つ。

牙

2級　※4画

音 （ガ）ゲ
訓 きば

部首 牙・牙（きば）

象牙（ぞうげ）
牙（きば）

□（ぞうげ）の古い工芸品。
□襲（おそ）いかかってくる敵に対して（きば）を剥（む）く。

瓦

2級　5画

音 （ガ）
訓 かわら

部首 瓦（かわら）

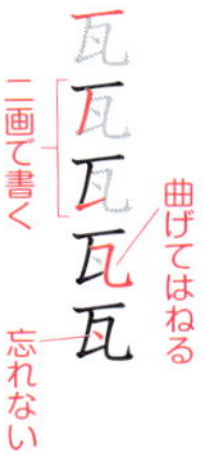

瓦（かわら）
瓦版（かわらばん）
瓦屋根（かわらやね）

□丈夫（じょうぶ）な（かわら）を焼く。
□江戸時代（えどじだい）の（かわらばん）。
□古い（かわらやね）の屋敷（やしき）を写生する。

※「牙」(5画)も可。

雅　4級

部首　隹（ふるとり）　13画

音　ガ
訓　―

筆順

用例

雅楽（ががく）　雅趣（がしゅ）　風雅（ふうが）　優雅（ゆうが）

問題

□（ががく）の演奏を楽しむ。
□（がしゅ）を凝らした調度品。
□（ふうが）の道を極める。
□（ゆうが）な舞を披露する。

餓　3級

部首　食（しょくへん）　15画

音　ガ
訓　―

筆順

用例

餓死（がし）　飢餓（きが）

問題

□（がし）寸前の動物を救う。
□（きが）に苦しむ。

介　4級

部首　人（ひと）　4画

音　カイ
訓　―

筆順

用例

介護（かいご）　介入（かいにゅう）　介抱（かいほう）　紹介（しょうかい）

問題

□高齢者（こうれいしゃ）を（かいご）する。
□他国の紛争（ふんそう）に（かいにゅう）する。
□急病人を（かいほう）する。
□家族に友人を（しょうかい）する。

戒　4級

部首　戈（ほこがまえ）　7画

音　カイ
訓　いましめる

筆順

用例

戒心（かいしん）*　戒律（かいりつ）　警戒（けいかい）　懲戒（ちょうかい）

問題

□（かいしん）して事に当たる。
□宗教上の（かいりつ）を守る。
□周囲を（けいかい）する。
□（ちょうかい）処分を受ける。

*戒心＝心を引き締（し）めて用心すること。

怪

3級

部首 忄（りっしんべん） 8画

音 カイ
訓 あやしい・あやしむ

筆順に注意
上の横棒より長く

怪談（かいだん）
怪物（かいぶつ）
怪力（かいりき）
奇怪（きかい）※

□恐ろしい（かいだん）を聞く。
□（かいぶつ）を退治した勇者。
□（かいりき）を発揮する。
□（きかい）な出来事が起こる。

拐

準2級

部首 扌（てへん） 8画

音 カイ
訓 ―

はねる
折ってはねる
つき出さない

誘拐（ゆうかい）

□政府の要人を（ゆうかい）した犯人が逮捕（たいほ）された。

悔

3級

部首 忄（りっしんべん） 9画

音 カイ
訓 くいる・くやむ・くやしい

筆順に注意
折って止める
折ってはねる

悔恨（かいこん）
後悔（こうかい）
悔し涙（くやしなみだ）

□（かいこん）の念に駆（か）られる。
□勉強不足を（こうかい）する。
□試合に負けて（くや）し涙（なみだ）を流す。

皆

4級

部首 白（しろ） 9画

音 カイ
訓 みな

折る
はらう
曲げてはねる
「白」は小さめに

皆勤（かいきん）
皆無（かいむ）
皆（みな）

□三年間（かいきん）する。
□賛同者は（かいむ）に等しい。
□誰（だれ）もが（みな）、彼に好感を抱（いだ）く。

※「きっかい」とも読む。

塊
3級

13画　部首 土（つちへん）

音 カイ
訓 かたまり

筆順

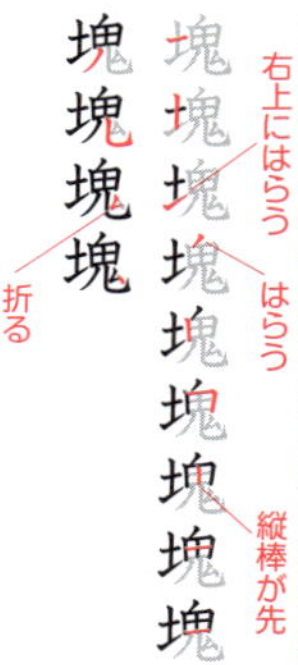

用例
金塊(きんかい)
団塊(だんかい)
塊(かたまり)

問題
□（きんかい）の相場を調べる。
□（だんかい）の世代に属する。
□砂糖の（かたまり）を砕(くだ)く。

楷
2級

13画　部首 木（きへん）

音 カイ
訓 ―

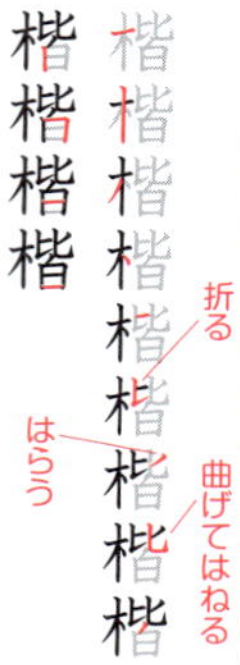

用例
楷書(かいしょ)*

問題
□丁寧(ていねい)な（かいしょ）で、文章を書き写す。

潰
2級

15画　部首 氵（さんずい）

音 カイ
訓 つぶす　つぶれる

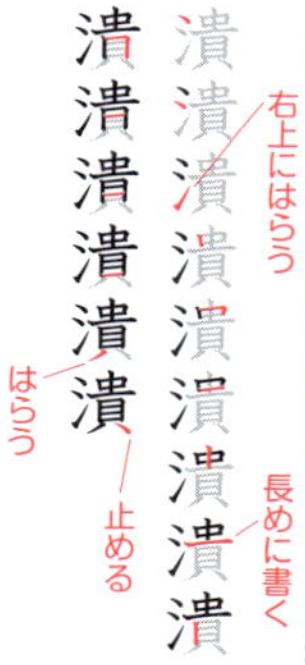

用例
潰瘍(かいよう)
胃潰瘍(いかいよう)
潰(つぶ)れる

問題
□腸に（かいよう）ができる。
□（いかいよう）の手術をする。
□不況(ふきょう)で会社が（つぶ）れる。

壊
4級

16画　部首 土（つちへん）

音 カイ
訓 こわす　こわれる

用例
壊滅(かいめつ)
倒壊(とうかい)
破壊(はかい)
崩壊(ほうかい)

問題
□都市が※（かいめつ）する。
□（とうかい）したビルの再建。
□古い制度を（はかい）する。
□システムが（ほうかい）する。

*楷書＝点画を崩(くず)さないで書く書体。　※「潰滅」とも書く。

準2級

懐

部首 忄(りっしんべん) 16画

音 カイ
訓 (ふところ) (なつかしい) (なつかしむ) (なつく) (なつける)

筆順に注意 横棒が先 立てる 折ってはらう

懐疑(かいぎ) 懐柔(かいじゅう) 懐中(かいちゅう) 述懐(じゅっかい)

□(かいぎ)の念を抱(いだ)く。
□敵を(かいじゅう)する作戦。
□(かいちゅう)に財布(さいふ)をしまう。
□昔の生活を(じゅっかい)する。

2級

諧

部首 言(ごんべん) 16画

音 カイ
訓 —

折ってはらう 曲げてはねる

俳諧(はいかい)

□(はいかい)は、松尾芭蕉(まつおばしょう)によって芸術性が高められた。

準2級

劾

部首 力(ちから) 8画

音 ガイ
訓 —

立てる はらう 止める つき出す

弾劾(だんがい)*

□公務員の悪質な違反行為(いはんこうい)を(だんがい)する。

似ている漢字に注意
楷(カイ)きへん — 諧(カイ)ごんべん — 階(カイ)こざとへん

似ている漢字に注意
壊(カイ)つちへん — 懐(カイ)りっしんべん

似ている漢字に注意
劾(ガイ)ちから — 刻(コク)りっとう — 核(カク)きへん

*弾劾＝犯罪や不正について，責任を追及(ついきゅう)することＯ

崖　2級

11画　部首：山（やま）

音：ガイ　訓：がけ

筆順：横棒が先／上の横棒より長く

用例：断崖（だんがい）／崖崩れ（がけくずれ）／崖っ縁（がけっぷち）

問題

□（だんがい）絶壁（ぜっぺき）から眺（なが）める。

□（がけくず）れを警戒（けいかい）する。

□（がけ）っ縁（ぷち）に立たされる。

涯　準2級

11画　部首：氵（さんずい）

音：ガイ　訓：―

筆順：右上にはらう／横棒が先／上の横棒より長く

用例：境涯（きょうがい）／生涯（しょうがい）／天涯孤独（てんがいこどく）

問題

□自分の（きょうがい）を嘆（なげ）く。

□（しょうがい）を振（ふ）り返る。

□（てんがいこどく）な身の上。

慨　3級

13画　部首：忄（りっしんべん）

音：ガイ　訓：―

筆順：筆順に注意／折る／はらう／曲げてはねる

用例：慨嘆（がいたん）*／感慨（かんがい）／憤慨（ふんがい）

問題

□世の乱れを（がいたん）する。

□深い（かんがい）に浸（ひた）る。

□許しがたい話を耳にして、（ふんがい）する。

蓋　2級

13画　部首：艹（くさかんむり）

音：ガイ　訓：ふた

筆順：上の横棒より長く／折る／長めに書く

用例：頭蓋骨（ずがいこつ）／蓋（ふた）／かさ蓋（ぶた）

問題

□（ずがいこつ）の模型を見る。

□鍋（なべ）の（ふた）を開ける。

□傷口にかさ（ぶた）ができる。

*慨嘆＝悪い状態をひどく嘆（なげ）くこと。

該
3級

13画　部首 言（ごんべん）

音 ガイ
訓 —

筆順：該 該 該 該 該 該 該 該 該 該 該 該 該
（立てる／止める／はらう）

該当（がいとう）　該博（がいはく）*　当該（とうがい）

□条件に（がいとう）する人物。
□（がいはく）な知識の持ち主。
□（とうがい）の機関が事件を調査する。

概
3級

14画　部首 木（きへん）

音 ガイ
訓 —

筆順：概 概 概 概 概 概 概 概 概 概 概 概 概 概
（「木」は縦長に／折る／止める／曲げてはらう／はらう）

概算（がいさん）　概念（がいねん）　概要（がいよう）　大概（たいがい）

□費用の（がいさん）を出す。
□時間の（がいねん）について語る。
□計画の（がいよう）を示す。
□事件の（たいがい）を述べる。

骸
2級

16画　部首 骨（ほねへん）

音 ガイ
訓 —

筆順：骸 骸 骸 骸 骸 骸 骸 骸 骸 骸 骸 骸 骸 骸 骸 骸
（筆順に注意／はらう／止める）

骸骨（がいこつ）　形骸化（けいがいか）　残骸（ざんがい）　死骸（しがい）

□（がいこつ）のように痩せ細る。
□規則が（けいがいか）する。
□難破船の（ざんがい）。
□動物の（しがい）を葬る。

垣
準2級

9画　部首 土（つちへん）

音 —
訓 かき

筆順：垣 垣 垣 垣 垣 垣 垣 垣 垣
（右上にはらう／「日」は小さめに／やや長めに書く）

垣（かき）　垣根（かきね）　生け垣（いけがき）　石垣（いしがき）

□人の間に（かき）を作る。
□（かきね）越しに会話する。
□竹で生け（がき）を作る。
□城の（いしがき）を築く。

*該博＝学問や知識の範囲がとても広いこと。

2級

柿

部首 木(きへん) 9画

音 ―
訓 かき

筆順 柿柿柿柿柿柿柿柿柿
立てる
折ってはねる

用例 柿(かき)　柿色(かきいろ)　渋柿(しぶがき)

問題
□〔かき〕の種を植える。
□〔かきいろ〕の漆器(しっき)を使う。
□〔しぶがき〕を干す。

準2級

核

部首 木(きへん) 10画

音 カク
訓 ―

筆順 核核核核核核核核核核
立てる
はらう
止める

用例 核心(かくしん)　核反応(かくはんのう)　結核(けっかく)　中核(ちゅうかく)

問題
□事件の〔かくしん〕に迫(せま)る。
□〔かくはんのう〕を制御(せいぎょ)する。
□〔けっかく〕の予防注射。
□組織の〔ちゅうかく〕をになう。

準2級

殻

部首 殳(るまた) 11画

音 カク
訓 から

筆順 殻殻殻殻殻殻殻殻殻殻殻
やや短く書く
曲げてはねる
はらう

用例 甲殻類(こうかくるい)　地殻(ちかく)　殻(から)　貝殻(かいがら)

問題
□〔こうかくるい〕を研究する。
□〔ちかく〕が変動する。
□卵の〔から〕を砕(くだ)く。
□〔かいがら〕を拾い集める。

3級

郭

部首 阝(おおざと) 11画

音 カク
訓 ―

筆順 郭郭郭郭郭郭郭郭郭郭郭
右上にはらう
三画で書く

用例 外郭(がいかく)*　城郭(じょうかく)　輪郭(りんかく)

問題
□建物の〔がいかく〕を作る。
□〔じょうかく〕に沿って歩く。
□人物の〔りんかく〕を描(えが)く。

*外郭＝城や都市などのいちばん外側の囲い。

較

4級　13画　部首 車（くるまへん）

音 カク　訓 ―

つらぬく　立てる　はらう

較差（かくさ）
比較（ひかく）

□気温の（かくさ）を調べる。
□昨年と今年の成績を（ひかく）する。

隔

3級　13画　部首 阝（こざとへん）

音 カク　訓 へだてる　へだたる

三画で書く　折ってはねる　止める

隔絶（かくぜつ）*
隔離（かくり）
遠隔（えんかく）
間隔（かんかく）

□互（たが）いに（かくぜつ）する。
□危険物を（かくり）する。
□機械を（えんかく）操作する。
□一定の（かんかく）を空ける。

獲

4級　16画　部首 犭（けものへん）

音 カク　訓 える

左下にはらう　縦棒が先

獲得（かくとく）
漁獲高（ぎょかくだか）
捕獲（ほかく）
獲物（えもの）

□景品を（かくとく）する。
□（ぎょかくだか）が落ち込（こ）む。
□猛獣（もうじゅう）を（ほかく）する。
□（えもの）を捕（と）らえる。

嚇

準2級　17画　部首 口（くちへん）

音 カク　訓 ―

「口」は小さめに　はらう　止める

威嚇（いかく）
威嚇射撃（いかくしゃげき）

□動物が敵を（いかく）する。
□軍隊が不審（ふしん）な船に向かって（いかくしゃげき）をする。

*隔絶＝遠く離（はな）れて，関係が途絶（とだ）えること。

穫 3級

部首 禾（のぎへん） 18画

音 カク
訓 —

筆順：穫 穫 穫 穫 穫 穫 穫 穫 穫 穫 穫 穫 穫 穫 穫 穫 穫 穫（短く止める／縦棒が先／はらう）

用例：
収穫（しゅうかく）
収穫祭（しゅうかくさい）
収穫物（しゅうかくぶつ）

問題：
□穀物（こくもつ）を〔しゅうかく〕する。
□村が〔しゅうかくさい〕でにぎわう。
□〔しゅうかくぶつ〕を輸送する。

岳 3級

部首 山（やま） 8画

音 ガク
訓 たけ

筆順：岳 岳 岳 岳 岳 岳 岳 岳（左下にはらう／長めに書く／折る）

用例：
岳父（がくふ）*
山岳（さんがく）

問題：
□〔がくふ〕の葬儀（そうぎ）を行う。
□兄が撮（と）った〔さんがく〕の写真を飾（かざ）る。

顎 2級

部首 頁（おおがい・いちのかい） 18画

音 ガク
訓 あご

筆順：顎 顎 顎 顎 顎 顎 顎 顎 顎 顎 顎 顎 顎 顎 顎 顎 顎 顎（短くはらう／上の横棒より長く　一画で書く／はらう）

用例：
顎関節（がくかんせつ）
顎（あご）

問題：
□〔がくかんせつ〕の働きを知る。
□〔あご〕が外れるほど笑い転げる。

掛 3級

部首 扌（てへん） 11画

音 —
訓 かける　かかる　かかり

筆順：掛 掛 掛 掛 掛 掛 掛 掛 掛 掛 掛（はねる／止める／右上にはらう）

用例：
掛け声（かけごえ）
掛け時計（かけどけい）
掛け値（かけね）*
大掛かり（おおがかり）

問題：
□〔か〕け声をそろえる。
□大きな〔か〕け時計。
□〔か〕け値なしの意見。
□〔おおが〕かりな装置。

*岳父＝妻の父の敬称（けいしょう）。舅（しゅうと）。　*掛け値＝物事を大げさに言うこと。

準2級

潟

部首 氵(さんずい) 15画

音 ―
訓 かた

潟潟潟潟潟潟潟潟潟潟潟潟潟潟潟

筆順に注意

干潟（ひがた）

□（ひがた）にすむ生き物を保護する運動が起きる。

準2級

括

部首 扌(てへん) 9画

音 カツ
訓 ―

括括括括括括括括括

はねる
左下にはらう

括弧（かっこ）　一括（いっかつ）　総括（そうかつ）　包括（ほうかつ）

□（かっこ）でくくる。
□（いっかつ）して購入（こうにゅう）する。
□意見を（そうかつ）する。
□全てを（ほうかつ）する。

準2級

喝

部首 口(くちへん) 11画

音 カツ
訓 ―

喝喝喝喝喝喝喝喝喝喝喝

「日」は小さめに
「口」は小さめに
曲げてはねる

喝采（かっさい）　喝破（かっぱ）*　一喝（いっかつ）　恐喝（きょうかつ）

□舞台（ぶたい）で（かっさい）を浴びる。
□反論を（かっぱ）される。
□（いっかつ）して退ける。
□（きょうかつ）の罪に問われる。

準2級

渇

部首 氵(さんずい) 11画

音 (カツ)
訓 かわく

渇渇渇渇渇渇渇渇渇渇渇

右上にはらう
「日」は小さめに
曲げてはねる

渇く（かわく）

□辛（から）い食べ物を食べたので、喉（のど）が（かわ）く。

*喝破（かっぱ）＝物事の本質を見抜（みぬ）いて，はっきりと言うこと。

葛　2級　※

12画　部首 艹（くさかんむり）

音 カツ　訓 （くず）

筆順：葛葛葛葛葛葛葛葛葛葛葛葛（折る／「曰」は平たく／はらう／折ってはねる）

用例：葛根湯（かっこんとう）　葛藤（かっとう）*

問題：
□（かっこんとう）を飲む。
□相反する考え方が同時に起こり、（かっとう）する。

滑　3級

13画　部首 氵（さんずい）

音 カツ・コツ　訓 すべる・なめらか

筆順：滑滑滑滑滑滑滑滑滑滑滑滑滑（右上にはねる／筆順に注意）

用例：滑降（かっこう）　滑車（かっしゃ）　滑稽（こっけい）　円滑（えんかつ）

問題：
□ゲレンデを（かっこう）する。
□（かっしゃ）で荷物を上げる。
□（こっけい）な話を聞く。
□会議が（えんかつ）に進む。

褐　準2級

13画　部首 衤（ころもへん）

音 カツ　訓 ―

筆順：褐褐褐褐褐褐褐褐褐褐褐褐褐（はらいが先／曲げてはねる）

用例：褐色（かっしょく）　茶褐色（ちゃかっしょく）

問題：
□（かっしょく）の瞳を見つめる。
□（ちゃかっしょく）の靴を履く。

轄　準2級

17画　部首 車（くるまへん）

音 カツ　訓 ―

筆順：轄轄轄轄轄轄轄轄轄轄轄轄轄轄轄轄轄（つらぬく／立てる）

用例：管轄（かんかつ）　所轄（しょかつ）　直轄（ちょっかつ）

問題：
□事件を取り扱う（かんかつ）。
□（しょかつ）の警察が出動する。
□省庁が（ちょっかつ）する機関。

※「葛」（11画）も可。　*葛藤＝相反する感情がからみ合い，どちらを取るかで悩むこと。

準2級

且

部首 一（いち） 5画

音 ―
訓 かつ

折る
長めに書く

且つ*

□よく学び、〔かつ〕よく遊ぶのが望ましい。

2級

釜

部首 金（かね） 10画

音 ―
訓 かま

はらう
止める

釜
釜飯
釜ゆで
茶釜

□〔かま〕で米を炊く。
□〔かまめし〕を食べる。
□たこを〔かま〕ゆでにする。
□〔ちゃがま〕で湯を沸かす。

2級

鎌

部首 金（かねへん） 18画

音 ―
訓 かま

短く止める
つき出す
右上にはらう
はらう

鎌
鎌首
鎌倉時代

□相手に〔かま〕を掛ける。
□蛇が〔かまくび〕をもたげる。
□〔かまくらじだい〕の建造物を訪ね歩く。

「かっこう」の意味

滑降…スキーなどで斜面を滑り降りること。
格好…外から見た形。身なり。体裁。

似ている漢字に注意

褐（カツ） ころもへん ― 掲（ケイ） てへん

似ている漢字に注意

且（かつ） 付ける ― 旦（タン） 付けない

*且つ＝一方では。その上。更に。

刈
4級
部首 刂（りっとう） 4画
音 ―
訓 かる

筆順
はらう　止める　はねる

用例
刈り込む（かりこむ）
草刈り（くさかり）
芝刈り機（しばかりき）
丸刈り（まるがり）

問題
□羊の毛を（か）り込む。
□（くさか）りに精を出す。
□（しばか）り機を購入する。
□頭を（まるが）りにする。

甘
4級
部首 甘（あまい） 5画
音 カン
訓 あまい　あまえる　あまやかす

筆順
筆順に注意

用例
甘言（かんげん）＊
甘受（かんじゅ）
甘味料（かんみりょう）
甘口（あまくち）

問題
□（かんげん）に乗せられる。
□批判を（かんじゅ）する。
□（かんみりょう）を加える。
□（あまくち）の批評を読む。

汗
4級
部首 氵（さんずい） 6画
音 カン
訓 あせ

筆順
右上にはらう　上の横棒より長く

用例
汗顔（かんがん）＊
発汗（はっかん）
汗水（あせみず）
冷や汗（ひやあせ）

問題
□誠に（かんがん）の至りです。
□（はっかん）を促す物質。
□（あせみず）たらして働く。
□冷や（あせ）をかく。

缶
準2級
部首 缶（ほとぎ） 6画
音 カン
訓 ―

筆順
はらう　上の横棒より長く

用例
缶切り（かんきり）
缶詰（かんづめ）
空き缶（あきかん）
ドラム缶（ドラムかん）

問題
□（かんき）りを捜す。
□果物の（かんづめ）を開ける。
□空き（かん）を分別する。
□ドラム（かん）を運ぶ。

＊甘言＝口先だけのうまい言葉。　＊汗顔＝恥ずかしくて，顔に冷や汗が出ること。

肝

3級

部首 月（にくづき）　7画

音 カン
訓 きも

上の横棒より長く

肝心（かんじん）
肝臓（かんぞう）
肝要（かんよう）
肝っ玉（きもったま）

□何事も最初が（かんじん）だ。
□（かんぞう）の検査をする。
□（かんよう）な点を整理する。
□（きも）っ玉の据（す）わった人。

冠

3級

部首 冖（わかんむり）　9画

音 カン
訓 かんむり

「冖」を「宀」としない
曲げてはねる

冠婚葬祭（かんこんそうさい）
冠詞（かんし）*
栄冠（えいかん）
王冠（おうかん）

□（かんこんそうさい）のマナー。
□（かんし）の付け方を学ぶ。
□最優秀賞の（えいかん）に輝（かがや）く。
□（おうかん）を授（さず）かる。

陥

準2級

部首 阝（こざとへん）　10画

音 カン
訓 おちいる
（おとしいれる）

三画で書く
忘れない

陥没（かんぼつ）
陥落（かんらく）
欠陥（けっかん）
陥る（おちいる）

□道路が（かんぼつ）する。
□首位から（かんらく）する。
□製品に（けっかん）がある。
□敵のわなに（おちい）る。

乾

4級

部首 乙（おつ）　11画

音 カン
訓 かわく
かわかす

横棒から書く
横棒が先
一画で書く

乾燥（かんそう）
乾電池（かんでんち）
乾杯（かんぱい）
乾物（かんぶつ）

□空気が（かんそう）する。
□（かんでんち）を交換（こうかん）する。
□全員で（かんぱい）する。
□（かんぶつ）を貯蔵する。

*冠詞＝外国語の品詞の一つで，名詞の前に置く語。英語の「a」「the」など。

勘

3級

11画

部首：力（ちから）

音：カン

訓：—

筆順：筆順に注意／曲げて止める／はらう

用例

勘案（かんあん）
勘定（かんじょう）
勘当（かんどう）*
勘弁（かんべん）

問題

□事情を〔かんあん〕する。
□売上金を〔かんじょう〕する。
□息子（むすこ）を〔かんどう〕する。
□うそは〔かんべん〕できない。

患

準2級

11画

部首：心（こころ）

音：カン

訓：（わずらう）

筆順：「口」は平たく／つらぬく

用例

患者（かんじゃ）
患部（かんぶ）
急患（きゅうかん）
疾患（しっかん）

問題

□〔かんじゃ〕を診察（しんさつ）する。
□〔かんぶ〕に薬を塗（ぬ）る。
□〔きゅうかん〕に対応する病院。
□〔しっかん〕が慢性（まんせい）化する。

貫

3級

11画

部首：貝（こがい・かい）

音：カン

訓：つらぬく

筆順：二画で書く／つらぬく／はらう

用例

貫通（かんつう）
貫徹（かんてつ）
一貫（いっかん）
突貫（とっかん）

問題

□トンネルが〔かんつう〕する。
□初志を〔かんてつ〕する。
□〔いっかん〕して反対する。
□〔とっかん〕工事で仕上げる。

喚

3級

12画

部首：口（くちへん）

音：カン

訓：—

筆順：「口」は小さめに／はらう

用例

喚起（かんき）
喚声（かんせい）
叫喚（きょうかん）*
召喚（しょうかん）

問題

□注意を〔かんき〕する。
□驚（おどろ）きの〔かんせい〕が上がる。
□苦しみの〔きょうかん〕の声。
□証人を〔しょうかん〕する。

*勘当＝親や師匠（ししょう）が子や弟子（でし）との縁（えん）を切ること。　*叫喚＝大声でわめき叫（さけ）ぶこと。

準2級

堪

12画
部首 ⼟（つちへん）

音 （カン）
訓 たえる

筆順に注意
折って止める

堪える（たえる）

□聞くに〔た〕えない、つまらない話だ。

3級

換

12画
部首 扌（てへん）

音 カン
訓 かえる かわる

はねる
折る
はらう

換気（かんき） 換算（かんさん） 交換（こうかん） 変換（へんかん）

□部屋を〔かんき〕する。
□円をドルに〔かんさん〕する。
□不良品を〔こうかん〕する。
□漢字に〔へんかん〕する。

3級

敢

12画
部首 攵（ぼくにょう・のぶん）

音 カン
訓 ―

つき出さない
はらう

敢然（かんぜん） 敢闘賞（かんとうしょう） 果敢（かかん） 勇敢（ゆうかん）

□敵に〔かんぜん〕と立ち向かう。
□大会で〔かんとうしょう〕をもらう。
□強豪（きょうごう）に、〔かかん〕に挑（いど）む。
□最後まで〔ゆうかん〕に戦う。

準2級

棺

12画
部首 木（きへん）

音 カン
訓 ―

立てる
縦棒が先

棺おけ（かんおけ） 出棺（しゅっかん） 石棺（せっかん）

□〔かん〕おけを運ぶ。
□〔しゅっかん〕の時刻が迫（せま）る。
□〔せっかん〕が出土する。

準2級

款

部首 欠（けつ・あくび） 12画

音 カン
訓 ―

筆順 款 款 款 款 款 款 款 款 款 款 款 款（上の横棒より短く・はらう）

用例 借款＊（しゃっかん） 定款（ていかん） 落款（らっかん）

問題
□外国からの（しゃっかん）の取り決めをする。
□会社の（ていかん）を作成する。
□書類に（らっかん）を押す。

準2級

閑

部首 門（もんがまえ・かどがまえ） 12画

音 カン
訓 ―

筆順 閑 閑 閑 閑 閑 閑 閑 閑 閑 閑 閑 閑（縦棒から書く・一画で書く）

用例 閑居（かんきょ） 閑散（かんさん） 閑静（かんせい）

問題
□（かんきょ）を楽しむ。
□（かんさん）とした商店街。
□（かんせい）な住宅街にある邸宅を購入する。

4級

勧

部首 力（ちから） 13画

音 カン
訓 すす**める**

筆順 勧 勧 勧 勧 勧 勧 勧 勧 勧 勧 勧 勧 勧（上の横棒より長く・縦棒が先・つき出す）

用例 勧告（かんこく） 勧奨（かんしょう） 勧善懲悪＊（かんぜんちょうあく） 勧誘（かんゆう）

問題
□選手に引退を（かんこく）する。
□和解を（かんしょう）する。
□（かんぜんちょうあく）の小説。
□新入部員を（かんゆう）する。

準2級

寛

部首 宀（うかんむり） 13画

音 カン
訓 ―

筆順 寛 寛 寛 寛 寛 寛 寛 寛 寛 寛 寛 寛 寛（立てる・折る・曲げてはねる）

用例 寛大（かんだい） 寛容（かんよう）

問題
□（かんだい）な措置に感謝する。
□（かんよう）な気持ちをもつ。

＊借款＝政府などが，他国などから借金すること。 ＊勧善懲悪＝善い行いを勧め，悪を懲らしめること。

準2級 憾 16画 部首 忄(りっしんべん) 音 カン 訓 —
3級 緩 15画 部首 糸(いとへん) 音 カン 訓 ゆるい ゆるやか ゆるむ ゆるめる
4級 監 15画 部首 皿(さら) 音 カン 訓 —
4級 歓 15画 部首 欠(けつ・あくび) 音 カン 訓 —

歓
4級 15画
部首 欠(けつ・あくび)
音 カン
訓 —

上の横棒より長く / 縦棒が先 / はらう

歓迎(かんげい) 歓声(かんせい) 歓待(かんたい) 交歓会(こうかんかい)

□留学生を(かんげい)する。
□思わず(かんせい)を上げる。
□手厚く(かんたい)される。
□他校との(こうかんかい)を開く。

監
4級 15画
部首 皿(さら)
音 カン
訓 —

縦棒から書く / 忘れない / 長めに書く

監査(かんさ) 監視(かんし) 監修(かんしゅう) 監督(かんとく)

□会計(かんさ)を受ける。
□(かんし)カメラの映像。
□辞典を(かんしゅう)する。
□野球チームの(かんとく)。

緩
3級 15画
部首 糸(いとへん)
音 カン
訓 ゆるい ゆるやか ゆるむ ゆるめる

折る / はらう / 上の横棒より長く

緩急(かんきゅう) 緩衝(かんしょう) 緩慢(かんまん) 緩和(かんわ)

□(かんきゅう)をつけた投球。
□(かんしょう)地帯を設ける。
□動作が(かんまん)になる。
□痛みを(かんわ)する。

憾
準2級 16画
部首 忄(りっしんべん)
音 カン
訓 —

筆順に注意 / はらいが先 / 忘れない

遺憾(いかん)*

□不祥事(ふしょうじ)について、大臣が(いかん)の意を述べる。

*遺憾＝思い通りにならなくて，残念に思うこと。

還

準2級

部首 辶（しんにょう・しんにゅう）　16画

音 カン
訓 ―

筆順：長めに書く／止める／一画で書く

用例：還元（かんげん）　還暦（かんれき）*　生還（せいかん）　返還（へんかん）

問題
□差益を（かんげん）する。
□祖父の（かんれき）を祝う。
□無事（せいかん）する。
□領土が（へんかん）される。

環

4級

部首 王（たま・おうへん）　17画

音 カン
訓 ―

筆順：右上にはらう／はらう

用例：環境（かんきょう）　環状線（かんじょうせん）　一環（いっかん）　循環（じゅんかん）

問題
□（かんきょう）を保護する。
□（かんじょうせん）を走行する。
□強化練習の（いっかん）。
□血液が（じゅんかん）する。

韓

2級

部首 韋（なめしがわ）　18画

音 カン
訓 ―

筆順：横棒から書く／ななめに書く／筆順に注意

用例：韓国（かんこく）

問題
□（かんこく）料理を食べる。

艦

準2級

部首 舟（ふねへん）　21画

音 カン
訓 ―

筆順：はらう／短く止める

用例：艦首（かんしゅ）　艦隊（かんたい）　艦長（かんちょう）　軍艦（ぐんかん）

問題
□（かんしゅ）を東へ向ける。
□（かんたい）を編成する。
□（かんちょう）に報告する。
□世界最大級の（ぐんかん）。

*還暦＝数え年で六十一歳（さい）になること。

4級

鑑

23画

部首 金（かねへん）

音 カン
訓 （かんがみる）

はらう
つき出さない
短く止める

鑑賞（かんしょう）
鑑定（かんてい）
印鑑（いんかん）
図鑑（ずかん）

□映画を〔かんしょう〕する。
□貴金属を〔かんてい〕する。
□書類に〔いんかん〕を押（お）す。
□植物の〔ずかん〕を見る。

4級

含

7画

部首 口（くち）

音 ガン
訓 ふくむ
ふくめる

はらう
付ける
折ってはらう

含蓄（がんちく）＊
含有（がんゆう）
包含（ほうがん）
含（ふく）む

□〔がんちく〕のある名言。
□有害物質を〔がんゆう〕する。
□二つの意味を〔ほうがん〕する。
□糖分を〔ふく〕む飲み物。

2級

玩

8画

部首 王（たま・おうへん）

音 ガン
訓 ―

玩玩玩玩玩玩玩

曲げてはねる
上の横棒より長く

玩具（がんぐ）
愛玩（あいがん）

□子供に〔がんぐ〕を与（あた）える。
□動物を〔あいがん〕する。

似ている漢字に注意

還（カン）しんにょう ― 環（カン）おうへん

似ている漢字に注意

艦（カン）ふねへん ― 鑑（カン）かねへん ― 藍（あい）くさかんむり ― 濫（ラン）さんずい

「かんしょう」の意味

鑑賞…芸術作品などを見て味わうこと。
観賞…自然の景色や動植物などを見て楽しむこと。

＊含蓄＝表面には現れない，深い意味・味わい。

頑

準2級

部首：頁（おおがい・いちのかい）　13画

音：ガン　訓：—

筆順：頑（はらう・折る・短くはらう・止める）

用例：頑強（がんきょう）　頑健（がんけん）　頑固（がんこ）　頑丈（がんじょう）

問題：
□（がんきょう）な若者を雇（やと）う。
□（がんけん）な体を作る。
□自説を（がんこ）に貫（つらぬ）く。
□（がんじょう）な骨組みの建物。

企

3級

部首：𠆢（ひとやね）　6画

音：キ　訓：くわだ**てる**

筆順：企（はらう・付ける・縦棒が先）

用例：企画（きかく）　企業（きぎょう）　企図（きと）*　企（くわだ）て

問題：
□展覧会を（きかく）する。
□（きぎょう）に就職する。
□規模拡大を（きと）する。
□（くわだ）てを阻止（そし）する。

伎

2級

部首：亻（にんべん）　6画

音：キ　訓：—

筆順：伎（横棒が先・はらう）

用例：歌舞伎（かぶき）

問題：
□舞台上（ぶたいじょう）の（かぶき）役者に掛（か）け声をかける。

岐

3級

部首：山（やまへん）　7画

音：キ　訓：—

筆順：岐（横棒が先・はらう）

用例：岐路（きろ）　多岐（たき）*　分岐点（ぶんきてん）

問題：
□（きろ）に差し掛（か）かる。
□問題が（たき）にわたる。
□道に迷って、（ぶんきてん）に立ち尽（つ）くす。

忌 3級

部首 心（こころ） 7画

音 キ
訓 （いむ）（いまわしい）

折る　曲げてはねる

忌中（きちゅう）
忌避（きひ）
忌引（きびき）
禁忌（きんき）*

□（きちゅう）の札を掛ける。
□困難な問題を（きひ）する。
□（きびき）で早退する。
□（きんき）に触れる発言。

奇 4級

部首 大（だい） 8画

音 キ
訓 —

はらう　長めに書く　はねる

奇遇（きぐう）
奇跡的（きせきてき）
奇妙（きみょう）
数奇（すうき）

□ここで会うとは（きぐう）だ。
□（きせきてき）に生還（せいかん）する。
□（きみょう）な体験をする。
□（すうき）な一生を送る。

祈 4級

部首 ネ（しめすへん） 8画

音 キ
訓 いのる

点　はらう

祈願（きがん）
祈念（きねん）
祈り（いのり）

□合格（きがん）のお守り。
□平和を（きねん）する式典。
□友人の病気が回復するように（いの）りをささげる。

軌 3級

部首 車（くるまへん） 9画

音 キ
訓 —

つらぬく　はらう

軌跡（きせき）
軌道（きどう）
常軌（じょうき）

□*（き）を一（いつ）にする。
□今までの（きせき）をたどる。
□衛星が（きどう）を外れる。
□（じょうき）を逸（いっ）した行動。

*禁忌＝してはならないとされること。　*軌を一にする＝考え方ややり方を同じにすること。

既 3級

部首 旡（む） 10画

音 キ
訓 すで(に)

筆順 既 曲げてはねる 折る はらう

用例
既婚（きこん）
既成（きせい）
既製品（きせいひん）
皆既月食（かいきげっしょく）

問題
□〔きこん〕の男性。
□それは〔きせい〕の事実だ。
□〔きせいひん〕の洋服。
□〔かいきげっしょく〕を観測する。

飢 準2級

部首 食（しょくへん） 10画

音 キ
訓 う(える)

筆順 飢 短く止める 立てる 折る 一画で書く

用例
飢餓（きが）
飢渇（きかつ）
飢え（うえ）

問題
□〔きが〕に苦しむ。
□深刻な〔きかつ〕の問題。
□保管していた食べ物で、当面の〔う〕えをしのぐ。

鬼 4級

部首 鬼（おに） 10画

音 キ
訓 おに

筆順 鬼 はらう 縦棒が先 曲げてはねる

用例
鬼気（きき）
鬼才（きさい）
鬼籍（きせき）
疑心暗鬼（ぎしんあんき）

問題
□〔きき〕迫る闘志（とうし）。
□〔きさい〕といわれる監督（かんとく）。
□著名人が〔＊きせき〕に入る。
□〔ぎしんあんき〕になる。

亀 2級

部首 亀（かめ） 11画

音 キ
訓 かめ

筆順 亀 はらう 折る 曲げてはねる

用例
亀裂（きれつ）
亀（かめ）
亀の甲（かめのこう）

問題
□関係に〔きれつ〕が生じる。
□教室で〔かめ〕を飼う。
□〔かめ〕の甲（こう）より年の功。

＊鬼籍に入る＝死ぬ

幾 4級

12画 部首 幺（いとがしら）

音 キ 訓 いく

筆順：長めに書く・はらう・忘れない

- 幾何学（きかがく）
- 幾多（いくた）
- 幾度（いくど）
- 幾分（いくぶん）

□（きかがく）模様のスカーフ。
□（いくた）の困難を克服（こくふく）する。
□（いくど）となく挑（いど）む。
□今朝は、（いくぶん）寒い。

棋 3級

12画 部首 木（きへん）

音 キ 訓 ―

筆順に注意・はらう・止める

- 棋士（きし）
- 棋譜（きふ）
- 将棋（しょうぎ）

□女流（きし）が活躍する。
□名人戦の（きふ）を見る。
□祖父と（しょうぎ）を指す。

棄 3級

13画 部首 木（き）

音 キ 訓 ―

筆順に注意・長めに書く

- 棄却（ききゃく）
- 棄権（きけん）
- 廃棄物（はいきぶつ）
- 放棄（ほうき）

□上告を（ききゃく）する。
□試合を（きけん）する。
□放置された（はいきぶつ）。
□権利を（ほうき）する。

毀 2級

13画 部首 殳（るまた）

音 キ 訓 ―

筆順に注意・右上にはらう

- 毀誉褒貶（きよほうへん）＊
- 名誉毀損（めいよきそん）

□（きよほう）貶に動じない。
□芸能人が週刊誌の記者を（めいよきそん）で訴（うった）える。

＊毀誉褒貶＝褒（ほ）めたりけなしたりといった様々な世間の批評。

畿 2級

部首 田（た） 15画

音 キ
訓 —

筆順 畿畿畿畿畿畿畿畿畿畿畿畿畿畿畿
（長めに書く・つらぬく・忘れない）

用例
畿内（きない）
近畿（きんき）

問題
□（きない）の五国を治める。
□（きんき）地方の名産品。

輝 4級

部首 車（くるま） 15画

音 キ
訓 かがやく

筆順 輝輝輝輝輝輝輝輝輝輝輝輝輝輝輝
（折る・つらぬく）

用例
輝石（きせき）
輝度（きど）
光輝（こうき）
輝く（かがやく）

問題
□（きせき）をちりばめる。
□（きど）の高い画面。
□（こうき）ある伝統。
□（かがや）く未来を目指す。

騎 3級

部首 馬（うまへん） 18画

音 キ
訓 —

筆順 騎騎騎騎騎騎騎騎騎騎騎騎騎騎騎騎騎騎
（縦棒から書く・はらう・折ってはねる）

用例
騎士（きし）
騎乗（きじょう）
騎馬（きば）
一騎当千（いっきとうせん）

問題
□王家に仕えた（きし）。
□名馬に（きじょう）する。
□（きば）の武者が戦う。
□（いっきとうせん）のつわもの。

宜 準2級

部首 宀（うかんむり） 8画

音 ギ
訓 —

筆順 宜宜宜宜宜宜宜宜
（立てる・長めに書く）

用例
時宜（じぎ）*
適宜（てきぎ）
便宜（べんぎ）

問題
□（じぎ）を得た処置。
□食料を（てきぎ）に持参する。
□友人の（べんぎ）を図る。

*時宜＝時期がちょうどよいこと。

準2級

偽

部首 亻（にんべん） 11画

音 ギ
訓 いつわる （にせ）

短く止める　はらう　曲げてはねる

偽証（ぎしょう）　偽名（ぎめい）　虚偽（きょぎ）　真偽（しんぎ）

□裁判での（ぎしょう）を認める。
□犯人が（ぎめい）を使う。
□（きょぎ）の供述を見破る。
□（しんぎ）を確かめる。

3級

欺

部首 欠（けつ・あくび） 12画

音 ギ
訓 あざむく

筆順に注意　はらう

欺まん*　詐欺（さぎ）　欺く（あざむく）

□（ぎ）まんに満ちた行動。
□うっかり（さぎ）に遭う。
□試合で敵を（あざむ）く。

4級

儀

部首 亻（にんべん） 15画

音 ギ
訓 ―

はらう　最も長く　忘れない

儀式（ぎしき）　儀礼的（ぎれいてき）　威儀*（いぎ）　礼儀（れいぎ）

□厳（おごそ）かな（ぎしき）に臨（のぞ）む。
□（ぎれいてき）な挨拶（あいさつ）を交（か）わす。
□生徒の（いぎ）を正す。
□（れいぎ）を重んじる校風。

4級

戯

部首 戈（ほこづくり） 15画

音 ギ
訓 （たわむれる）

縦棒から書く　はらいが先　ほぼ同じ長さに　忘れない

戯画（ぎが）　戯曲（ぎきょく）　児戯（じぎ）　遊戯（ゆうぎ）

□平安時代（へいあんじだい）の（ぎが）。
□英国の（ぎきょく）を読む。
□（じぎ）に等しい行為（こうい）だ。
□児童に（ゆうぎ）を教える。

カ行　キ≫ギ

*欺まん＝欺（あざむ）きだますこと。　*威儀＝礼儀作法にかなった振（ふ）る舞（ま）いや身なり。

擬
準2級

17画　部首 扌（てへん）

音 ギ　訓 ―

筆順

用例

- 擬音（ぎおん）
- 擬人法（ぎじんほう）＊
- 擬態（ぎたい）
- 模擬（もぎ）

問題

- □舞台で（ぎおん）を用いる。
- □（ぎじんほう）の効果を学ぶ。
- □昆虫（こんちゅう）が葉に（ぎたい）する。
- □（もぎ）試験を受ける。

犠
3級

17画　部首 牛（うしへん）

音 ギ　訓 ―

筆順

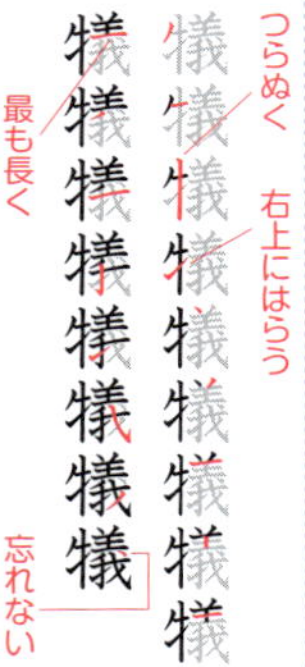

用例

- 犠牲（ぎせい）
- 犠打（ぎだ）

問題

- □多くの（ぎせい）を払（はら）う。
- □一塁（いちるい）走者が（ぎだ）で二塁に進む。

菊
3級

11画　部首 艹（くさかんむり）

音 キク　訓 ―

筆順

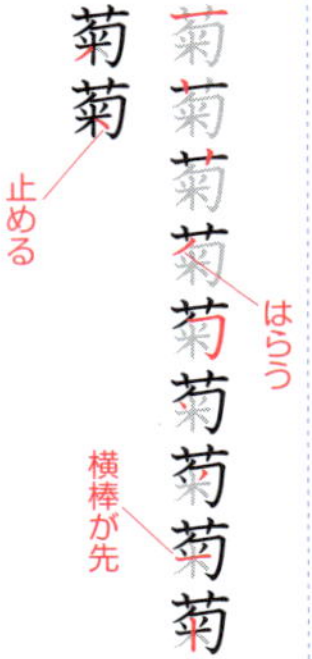

用例

- 菊人形（きくにんぎょう）
- 菊花（きっか）
- 春菊（しゅんぎく）
- 除虫菊（じょちゅうぎく）

問題

- □（きくにんぎょう）の展示を見る。
- □（きっか）の季節になる。
- □（しゅんぎく）を鍋（なべ）に入れる。
- □（じょちゅうぎく）を栽培（さいばい）する。

吉
3級

6画　部首 口（くち）

音 キチ　キツ　訓 ―

筆順 吉吉吉吉吉吉
- 上の横棒より短く

用例

- 吉日（きちじつ）
- 吉例（きちれい）
- 吉報（きっぽう）
- 不吉（ふきつ）

問題

- □思い立ったが（きちじつ）。
- □（きちれい）の興行を行う。
- □思わぬ（きっぽう）が舞（ま）い込（こ）む。
- □（ふきつ）な予感がする。

＊擬人法＝人以外の物を人にたとえて表現する技法。

3級
喫
12画
部首 口（くちへん）
音 キツ
訓 ―

「口」は小さめに
つき出さない
右上にはらう
はらう

喫煙（きつえん）
喫茶店（きっさてん）
喫する（きっ）＊
満喫（まんきつ）

□（きつえん）を禁止する。
□（きっさてん）で暇（ひま）を潰（つぶ）す。
□大敗を（きっ）する。
□海外旅行を（まんきつ）する。

4級
詰
13画
部首 言（ごんべん）
音 （キツ）
訓 つめる　つまる　つむ

上の横棒より短く

詰（つ）め襟（えり）
詰（つ）め物（もの）
詰（つ）まる
折（お）り詰（づ）め

□（つ）め襟（えり）の制服を着る。
□歯の（つ）め物が取れる。
□言葉に（つ）まる。
□折り（づ）めの弁当。

4級
却
7画
部首 卩（ふしづくり）
音 キャク
訓 ―

折ってはらう
折ってはねる

却下（きゃっか）
焼却（しょうきゃく）
退却（たいきゃく）
返却（へんきゃく）

□意見を（きゃっか）する。
□書類を（しょうきゃく）する。
□（たいきゃく）の指示を出す。
□本を（へんきゃく）する。

似ている漢字に注意
擬（ギ）てへん ― 凝（ギョウ）にすい

似ている漢字に注意
犠（ギ）うしへん ― 儀（ギ）にんべん ― 議（ギ）ごんべん

書き方に注意
却 「阝」としないように。

＊喫する＝よくないことなどを受ける。

脚

4級

部首 月（にくづき）　11画

音 キャク（キャ）

訓 あし

筆順

用例

- 脚色（きゃくしょく）
- 脚本（きゃくほん）
- 脚力（きゃくりょく）
- 三脚（さんきゃく）

問題

- □（きゃくしょく）して話す。
- □（きゃくほん）を書き上げる。
- □（きゃくりょく）を強化する。
- □カメラに（さんきゃく）を付ける。

虐

3級

部首 虍（とらかんむり）　9画

音 ギャク

訓 （しいたげる）

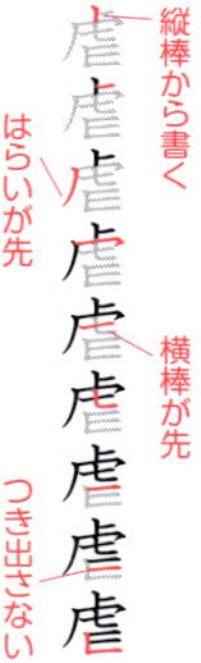

用例

- 虐殺（ぎゃくさつ）
- 虐待（ぎゃくたい）
- 残虐（ざんぎゃく）
- 自虐（じぎゃく）＊

問題

- □（ぎゃくさつ）の有無を調べる。
- □動物への（ぎゃくたい）を防ぐ。
- □（ざんぎゃく）な事件が起こる。
- □（じぎゃく）的な発言をする。

及

4級

部首 ノ（の・はらいぼう）　3画

音 キュウ

訓 およぶ　および　およぼす

用例

- 及第点（きゅうだいてん）
- 言及（げんきゅう）
- 追及（ついきゅう）
- 普及（ふきゅう）

問題

- □（きゅうだいてん）をもらう。
- □内容について（げんきゅう）する。
- □社長の責任を（ついきゅう）する。
- □携帯電話（けいたいでんわ）が（ふきゅう）する。

丘

4級

部首 一（いち）　5画

音 キュウ

訓 おか

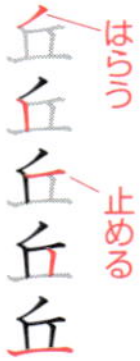

用例

- 丘陵（きゅうりょう）
- 砂丘（さきゅう）
- 丘（おか）

問題

- □（きゅうりょう）地帯を散策する。
- □（さきゅう）でラクダに乗る。
- □小高い（おか）に登る。

＊自虐＝自分で自分自身をいじめ苦しめること。

4級

朽

6画

部首 木（きへん）

音 キュウ

訓 くちる

短く止める
一画で書く
つき出さない

朽廃（きゅうはい）
不朽（ふきゅう）
老朽化（ろうきゅうか）
朽ちる（く）

□〔きゅうはい〕した家屋を壊す。
□〔ふきゅう〕の名作を読む。
□〔ろうきゅう〕化したビル。
□木製の橋が〔く〕ちる。

2級

臼

6画

部首 臼（うす）

音 キュウ

訓 うす

筆順に注意

臼歯（きゅうし）
脱臼（だっきゅう）
臼（うす）
石臼（いしうす）

□〔きゅうし〕ですり潰す。
□肩を〔だっきゅう〕する。
□餅を〔うす〕とついてつく。
□〔いしうす〕でそばをひく。

準2級

糾

9画

部首 糸（いとへん）

音 キュウ

訓 —

折る
はらう
筆順に注意

糾弾（きゅうだん）
糾明*（きゅうめい）
紛糾（ふんきゅう）

□汚職を〔きゅうだん〕する。
□不正を〔きゅうめい〕する。
□議論が〔ふんきゅう〕する。

2級

嗅※

13画

部首 口（くちへん）

音 キュウ

訓 かぐ

「口」は小さめに
はらう

嗅覚（きゅうかく）
嗅ぐ（か）

□〔きゅうかく〕が鋭い。
□犬がしきりに門柱のあたりを〔か〕ぎ回る。

*糾明＝犯罪・不正などを問いただしてはっきりさせること。　※「嗅」（12画）も可。

準2級

窮

15画

部首 穴（あなかんむり）

音 キュウ

訓 （きわめる）（きわまる）

筆順 立てる　曲げる　つき出さない　一画で書く

用例 窮屈（きゅうくつ）　窮状（きゅうじょう）　困窮（こんきゅう）　貧窮（ひんきゅう）

問題
□［きゅうくつ］な思いをする。
□政治家に［きゅうじょう］を訴（うった）える。
□［こんきゅう］した事態に陥（おちい）る。
□失職して［ひんきゅう］する。

4級

巨

5画

部首 二（に）

音 キョ

訓 ―

筆順 縦棒から書く

用例 巨悪（きょあく）*　巨匠（きょしょう）　巨大（きょだい）　巨万（きょまん）

問題
□［きょあく］に立ち向かう。
□美術界の［きょしょう］。
□［きょだい］な岩が転がる。
□［きょまん］の富を築く。

準2級

拒

8画

部首 扌（てへん）

音 キョ

訓 こばむ

筆順 はねる　縦棒が先

用例 拒絶（きょぜつ）　拒絶反応（きょぜつはんのう）　拒否（きょひ）　拒（こば）む

問題
□質問を［きょぜつ］する。
□［きょぜつはんのう］が起こる。
□申し入れを［きょひ］する。
□要求を［こば］む。

4級

拠

8画

部首 扌（てへん）

音 キョ　コ

訓 ―

筆順 はねる　はらう

用例 拠点（きょてん）　根拠（こんきょ）　証拠（しょうこ）　占拠（せんきょ）

問題
□都心を［きょてん］とする。
□意見の［こんきょ］を説明する。
□［しょうこ］を見せる。
□ビルを不法に［せんきょ］する。

＊巨悪＝大きな力を持つ悪人。

虚

3級　11画
部首 虍（とらかんむり）
音 キョ（コ）
訓 —

筆順：縦棒から書く／はらいが先／横棒が先／ほぼ同じ長さに

- 虚心（きょしん）
- 虚勢（きょせい）
- 虚無（きょむ）*
- 空虚（くうきょ）

- □話を（きょしん）に聞く。
- □相手に（きょせい）を張る。
- □（きょむ）感にさいなまれる。
- □（くうきょ）な思いを抱く。

距

4級　12画
部首 𧾷（あしへん）
音 キョ
訓 —

筆順：縦棒が先／右上にはらう

- 距離（きょり）

- □練習を重ねて、少しずつ走る（きょり）を延ばす。

御

4級　12画
部首 彳（ぎょうにんべん）
音 ギョ　ゴ
訓 おん

筆順：はらう／折ってはねる

- 御者（ぎょしゃ）
- 制御（せいぎょ）
- 御殿（ごてん）
- 御用（ごよう）

- □（ぎょしゃ）が馬を操る。
- □欲望を（せいぎょ）する。
- □大きな（ごてん）に住む。
- □顧客の（ごよう）を承る。

凶

4級　4画
部首 凵（うけばこ）
音 キョウ
訓 —

筆順：はらう／折る

- 凶悪（きょうあく）
- 凶作（きょうさく）
- 凶兆（きょうちょう）
- 吉凶（きっきょう）

- □（きょうあく）な犯罪を防ぐ。
- □（きょうさく）に見舞われる。
- □空に（きょうちょう）が現れる。
- □旅の（きっきょう）を占う。

*虚無＝何もなくむなしいこと。

叫

4級

6画

部首 口（くちへん）

音 キョウ

訓 さけ**ぶ**

筆順

「口」は小さめに

筆順に注意

用例

叫喚（きょうかん）　絶叫（ぜっきょう）　叫び声（さけびごえ）　叫ぶ（さけぶ）

問題

□（きょうかん）の声が上がる。

□怖（こわ）くて（ぜっきょう）する。

□（さけ）び声が響（ひび）く。

□大声で（さけ）ぶ。

狂

4級

7画

部首 犭（けものへん）

音 キョウ

訓 くる**う**　くる**おしい**

筆順

左下にはらう

用例

狂喜（きょうき）　狂言（きょうげん）　狂暴（きょうぼう）　熱狂（ねっきょう）

問題

□初優勝に（きょうき）乱舞（らんぶ）する。

□能と（きょうげん）を楽しむ。

□（きょうぼう）な目つきの野獣（やじゅう）。

□コンサートで（ねっきょう）する。

享

準2級

8画

部首 亠（なべぶた）

音 キョウ

訓 ―

筆順

立てる

「子」は平たく

用例

享受（きょうじゅ）　享年（きょうねん）＊　享有（きょうゆう）　享楽（きょうらく）

問題

□好景気を（きょうじゅ）する。

□（きょうねん）八十歳（さい）だった。

□基本的人権の（きょうゆう）。

□（きょうらく）をむさぼる。

況

4級

8画

部首 氵（さんずい）

音 キョウ

訓 ―

筆順

右上にはらう

曲げてはねる

はらう

用例

近況（きんきょう）　実況（じっきょう）　状況（じょうきょう）　不況（ふきょう）

問題

□（きんきょう）を報告する。

□試合を（じっきょう）する。

□（じょうきょう）が好転する。

□長い（ふきょう）にあえぐ。

＊享年＝死去したときの年齢（ねんれい）。

峡

3級

部首 山（やまへん） 9画

音 キョウ
訓 ―

「山」は縦長に
つき出す

峡谷（きょうこく）
海峡（かいきょう）
山峡（さんきょう）
地峡（ちきょう）

□（きょうこく）を流れる川。
□船が（かいきょう）を行き交う。
□（さんきょう）を走る鉄道に乗る。
□（ちきょう）に運河を建設する。

挟

準2級

部首 扌（てへん） 9画

音 （キョウ）
訓 はさむ はさまる

はねる
つき出す

挟まる（はさまる）
挟み撃ち（はさみうち）
紙挟み（かみばさみ）
洗濯挟み（せんたくばさみ）

□歯に物が（はさ）まる。
□犯人を（はさ）み撃ちにする。
□（かみばさ）みで書類をまとめる。
□木製の（せんたくばさ）みを使う。

狭

4級

部首 犭（けものへん） 9画

音 （キョウ）
訓 せまい せばめる せばまる

左下にはらう
つき出す

狭い（せまい）
狭苦しい（せまくるしい）
狭める（せばめる）
手狭（てぜま）

□車庫の間口が（せま）い。
□（せまくる）しい待合室。
□間隔（かんかく）を（せば）める。
□家が（てぜま）になる。

恐

4級

部首 心（こころ） 10画

音 キョウ
訓 おそれる おそろしい

右上にはらう
はらう
曲げてはねる
忘れない

恐慌（きょうこう）＊
恐縮（きょうしゅく）
恐怖（きょうふ）
恐竜（きょうりゅう）

□（きょうこう）を回避（かいひ）する。
□厚遇（こうぐう）されて（きょうしゅく）する。
□強風に（きょうふ）を感じる。
□（きょうりゅう）の化石を発掘（はっくつ）する。

＊恐慌＝極端（きょくたん）な不況（ふきょう）に陥（おちい）るなどの経済的な大混乱。

恭
準2級
10画
部首 㣺（したごころ）
音 キョウ
訓 （うやうやしい）

筆順
恭恭恭恭恭恭恭恭恭恭
横棒から書く
はらう
はねる
点二つ

用例
恭賀新年（きょうがしんねん）
恭順（きょうじゅん）

問題
□（きょうがしんねん）と書く。
□主君に（きょうじゅん）の意を表す。

脅
3級
10画
部首 月（にくづき）
音 キョウ
訓 （おびやかす）
おどす
おどかす

筆順
脅脅脅脅脅脅脅脅脅脅
つき出す
折ってはねる

用例
脅威（きょうい）
脅迫（きょうはく）
脅す（おどす）

問題
□（きょうい）にさらされる。
□（きょうはく）めいた発言。
□鳥を（おど）して追い払う。

矯
準2級
17画
部首 矢（やへん）
音 キョウ
訓 （ためる）

筆順
矯矯矯矯矯矯矯矯矯矯矯矯矯矯矯矯矯
はらう

用例
矯飾（きょうしょく）*
矯正（きょうせい）
奇矯（ききょう）

問題
□事情を（きょうしょく）して話す。
□歯列を（きょうせい）する。
□（ききょう）な言動に驚く。

響
4級
20画
部首 音（おと）
音 キョウ
訓 ひびく

筆順
響響響響響響響響響響響響響響響響響響響響
短くはらう
折る
三画で書く
「音」は平たく

用例
影響（えいきょう）
音響（おんきょう）
交響曲（こうきょうきょく）
反響（はんきょう）

問題
□発言の（えいきょう）が広がる。
□会場の（おんきょう）を重視する。
□（こうきょうきょく）を演奏する。
□大きな（はんきょう）が起こる。

*矯飾＝取り繕って，上辺を飾ること。

カ行 キョウ≫ギョウ

驚
4級 22画 部首 馬(うま)
音 キョウ
訓 おどろく おどろかす

折ってはねる
縦棒が先

驚異的（きょういてき）
驚嘆（きょうたん）
驚天動地（きょうてんどうち）
驚く（おどろく）

□（きょういてき）な成績を収める。
□美しさに（※きょうたん）する。
□（きょうてんどうち）の大事件。
□（おどろ）くべき事実を知る。

仰
4級 6画 部首 亻(にんべん)
音 ギョウ コウ
訓 あおぐ（おおせ）

はらう
折る

仰視（ぎょうし）
仰天（ぎょうてん）
信仰（しんこう）
仰ぐ（あおぐ）

□大仏を（ぎょうし）する。
□びっくり（ぎょうてん）する。
□厚い（しんこう）を寄せる。
□青天を（あお）ぎ見る。

暁
準2級 12画 部首 日(ひへん)
音 （ギョウ）
訓 あかつき

忘れない
横棒が先
上の横棒より長く

暁（あかつき）

□うまくいった（あかつき）には、報酬（ほうしゅう）を支払（しはら）おう。

凝
3級 16画 部首 冫(にすい)
音 ギョウ
訓 こる こらす

「冫」を「氵」としない
短く止める
はらう
はらう

凝固（ぎょうこ）
凝視（ぎょうし）
凝縮（ぎょうしゅく）
凝り性（こりしょう）

□血液が（ぎょうこ）する。
□絵画を（ぎょうし）する。
□短く（ぎょうしゅく）された話。
□兄は、（こ）り性だ。

※「驚歎」とも書く。

2級

巾

部首 巾（はば） 3画

音 キン
訓 ―

筆順

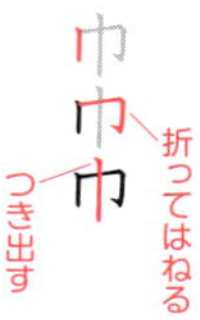

用例

巾着（きんちゃく）
頭巾（ずきん）
雑巾（ぞうきん）
茶巾（ちゃきん）

問題

□（きんちゃく）の袋（ふくろ）を作る。
□（ずきん）をすっぽりかぶる。
□（ぞうきん）で床（ゆか）を拭（ふ）く。
□（ちゃきん）を正しくたたむ。

3級

斤

部首 斤（おの） 4画

音 キン
訓 ―

斤量*（きんりょう）
一斤（いっきん）

□（きんりょう）を計測する。
□朝食用にパンを（いっきん）買う。

準2級

菌

部首 艹（くさかんむり） 11画

音 キン
訓 ―

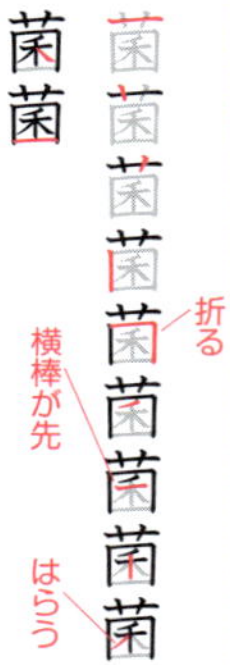

細菌（さいきん）
殺菌（さっきん）
雑菌（ざっきん）
保菌者（ほきんしゃ）

□腸内の（さいきん）を調べる。
□（さっきん）作用の高い物質。
□（ざっきん）が繁殖（はんしょく）する。
□（ほきんしゃ）を診断（しんだん）する。

準2級

琴

部首 王（たま・おう） 12画

音 キン
訓 こと

琴線*（きんせん）
鉄琴（てっきん）
木琴（もっきん）
琴（こと）

□心の（きんせん）に触（ふ）れる詩。
□（てっきん）の涼（すず）やかな音。
□（もっきん）で伴奏（ばんそう）する。
□（こと）に弦（げん）を張る。

*斤量＝物の重さ。目方。　*琴線＝物事に感動して共鳴する心情のたとえ。

2級
※
僅
13画
部首 亻(にんべん)
音 キン
訓 わずか

縦棒が先
横棒が先

僅差(きんさ)*
僅少(きんしょう)
僅か(わずか)

□[きんさ]で優勝を逃す。
□商品の在庫は[きんしょう]だ。
□[わず]かな時間で仕上げる。

3級
緊
15画
部首 糸(いと)
音 キン
訓 ―

縦棒から書く
短く止める
はらう

緊急(きんきゅう)
緊張(きんちょう)
緊迫(きんぱく)
緊密(きんみつ)

□[きんきゅう]に記者会見をする。
□面接で[きんちょう]する。
□[きんぱく]した雰囲気。
□[きんみつ]な関係を築く。

2級
錦
16画
部首 金(かねへん)
音 キン
訓 にしき

つき出さない
はらう

錦秋(きんしゅう)*
錦(にしき)
錦絵(にしきえ)

□[きんしゅう]を迎える。
□故郷に[にしき]を飾る。
□横綱の[にしきえ]を見る。

準2級
謹
17画
部首 言(ごんべん)
音 キン
訓 つつしむ

横棒が先
つき出さない

謹賀新年(きんがしんねん)
謹慎(きんしん)
謹製(きんせい)
謹呈(きんてい)

□[きんがしんねん]と書く。
□三日間の[きんしん]処分。
□[きんせい]の品を献上する。
□著作を[きんてい]する。

※「僅」(12画)も可。　*僅差＝僅かの差。　*錦秋＝紅葉が美しい秋の季節。

襟　準2級

部首：衤（ころもへん）　18画

音：（キン）
訓：えり

筆順：はらいが先／はらう

用例：襟（えり）／襟髪（えりがみ）／襟首（えりくび）／襟元（えりもと）

問題
- □（えり）を正して話を聞く。
- □（えりがみ）をつかまれる。
- □（えりくび）を押（お）さえる。
- □（えりもと）から風が入る。

吟　準2級

部首：口（くちへん）　7画

音：ギン
訓：—

筆順：はらう／「口」は小さめに

用例：吟詠（ぎんえい）／吟じる（ぎん）／吟味（ぎんみ）／詩吟（しぎん）

問題
- □朗々と（ぎんえい）する。
- □漢詩を（ぎん）じる。
- □料理の味を（ぎんみ）する。
- □（しぎん）を習う。

駆　4級

部首：馬（うまへん）　14画

音：ク
訓：かける／かる

筆順：縦棒が先／はらいが先／折る

用例：駆使（くし）／駆除（くじょ）／駆逐（くちく）／先駆者（せんくしゃ）＊

問題
- □パソコンを（くし）する。
- □害虫を（くじょ）する。
- □敵艦（てきかん）を（くちく）する。
- □その道の（せんくしゃ）となる。

惧　2級　※

部首：忄（りっしんべん）　11画

音：グ
訓：—

筆順：筆順に注意／長めに書く／はらう

用例：危惧（きぐ）＊

問題
- □将来、環境破壊（かんきょうはかい）が進むことを（きぐ）する。

＊先駆者＝他に先だって物事を進める人。　※「惧」も可。　＊危惧＝成り行きを心配すること。

3級

愚

13画

部首 心（こころ）

音 グ

訓 おろか

つき出さない
右上にはらう

愚挙（ぐきょ）
愚行（ぐこう）
愚者（ぐしゃ）
愚痴（ぐち）

□あえて［ぐきょ］に出る。
□［ぐこう］をたしなめる。
□［ぐしゃ］の行いを正す。
□［ぐち］をこぼす。

3級

偶

11画

部首 亻（にんべん）

音 グウ

訓 ―

つき出さない
右上にはらう

偶数（ぐうすう）
偶然（ぐうぜん）
偶像（ぐうぞう）*
配偶者（はいぐうしゃ）

□［ぐうすう］は割り切れる。
□友人と［ぐうぜん］出会う。
□［ぐうぞう］を崇拝（すうはい）する宗教。
□［はいぐうしゃ］を扶養（ふよう）する。

3級

遇

12画

部首 辶（しんにょう・しんにゅう）

音 グウ

訓 ―

つき出さない
右上にはらう
一画で書く

奇遇（きぐう）
境遇（きょうぐう）
待遇（たいぐう）
優遇（ゆうぐう）

□［きぐう］な出会い。
□自らの［きょうぐう］を嘆（なげ）く。
□［たいぐう］が改善される。
□学生を［ゆうぐう］する。

準2級

隅

12画

部首 阝（こざとへん）

音 グウ

訓 すみ

三画で書く
短く止める
つき出さない

一隅（いちぐう）
隅（すみ）
片隅（かたすみ）
四隅（よすみ）

□庭の［いちぐう］に木を植える。
□廊下（ろうか）の［すみ］も丁寧（ていねい）に掃（は）く。
□部屋の［かたすみ］に立つ。
□敷物（しきもの）の［よすみ］を止める。

*偶像＝神や仏の姿をかたどった像。憧（あこが）れ，尊敬の目あてになるもの。

串

2級

部首 丨（ぼう） 7画

音 ―
訓 くし

筆順
つらぬく

用例
串（くし）
串刺し（くしざし）
串焼き（くしやき）
竹串（たけぐし）

問題
□（くし）を引き抜く。
□肉を（くしざし）にする。
□（くしや）きを食べる。
□（たけぐし）を用意する。

屈

4級

部首 尸（しかばね） 8画

音 クツ
訓 ―

筆順
はらう
縦棒が先

用例
屈指（くっし）*
屈折（くっせつ）
退屈（たいくつ）
理屈（りくつ）

問題
□世界（くっし）の芸術家。
□光が（くっせつ）する。
□とても（たいくつ）な話だ。
□（りくつ）をこねる。

掘

4級

部首 扌（てへん） 11画

音 クツ
訓 ほる

筆順
はねる
はらう
縦棒が先

用例
掘削（くっさく）
採掘（さいくつ）
発掘（はっくつ）
掘る（ほる）

問題
□道路を（くっさく）する。
□宝石を（さいくつ）する。
□古墳（こふん）を（はっくつ）する。
□庭に井戸（いど）を（ほ）る。

窟

2級

部首 穴（あなかんむり） 13画

音 クツ
訓 ―

筆順
立てる
曲げる
はらう

用例
岩窟（がんくつ）
巣窟（そうくつ）*
洞窟（どうくつ）

問題
□（がんくつ）で修行（しゅぎょう）する。
□悪の（そうくつ）を摘発（てきはつ）する。
□前人未踏（ぜんじんみとう）の（どうくつ）を探険する。

*屈指＝多くのものの中でもすぐれていること。　*巣窟＝悪事の大元となるところ。

熊
2級
部首 灬（れんが・れっか）
14画
音 —
訓 くま

短く止める
はらう
曲げてはねる

熊（くま）
熊手（くまで）
熊蜂（くまばち）

□（くま）が冬眠（とうみん）する。
□（くまで）でかき集める。
□（くまばち）の巣から静かに離（はな）れる。

繰
4級
部首 糸（いとへん）
19画
音 —
訓 くる

短く止める
はらう
はらう

繰り返（かえ）す
繰り言（ごと）*
繰り下（さ）げる
手繰（たぐ）る

□同じことを（く）り返す。
□（く）り言を並べる。
□順位を（く）り下げる。
□ロープを（たぐ）る。

勲
準2級
部首 力（ちから）
15画
音 クン
訓 —

左下にはらう
右上にはらう
つき出す

勲功（くんこう）*
勲章（くんしょう）
殊勲賞（しゅくんしょう）
武勲（ぶくん）

□（くんこう）をたてる。
□（くんしょう）を授（さず）かる。
□（しゅくんしょう）に輝（かがや）く。
□（ぶくん）をたたえる。

薫
準2級
部首 艹（くさかんむり）
16画
音 （クン）
訓 かおる

横棒から書く
忘れない

薫（かお）る

□風（かお）る五月となり、新緑が美しい。

*繰り言＝何回も繰（く）り返していう愚痴（ぐち）。　*勲功＝国や主君の為（ため）に尽（つ）くした手柄（てがら）。

刑

3級

部首 刂（りっとう） 6画

音 ケイ
訓 ―

筆順 刑刑刑刑刑刑（はらう／短めに書く／はねる）

用例 刑事（けいじ）　刑罰（けいばつ）　刑法（けいほう）　処刑（しょけい）

問題
□（けいじ）ドラマを見る。
□（けいばつ）を受ける。
□（けいほう）に違反（いはん）する行為（こうい）。
□罪人を（しょけい）する。

茎

準2級

部首 艹（くさかんむり） 8画

音 ケイ
訓 くき

筆順 茎茎茎茎茎茎茎茎（横棒から書く／はらう／上の横棒より長く）

用例 地下茎（ちかけい）　茎（くき）

問題
□（ちかけい）が広がる。
□植物の（くき）をはさみで切る。

契

3級

部首 大（だい） 9画

音 ケイ
訓 （ちぎる）

筆順 契契契契契契契契契（つき出す／つき出さない／はらう）

用例 契機（けいき）　契約（けいやく）　黙契（もっけい）*

問題
□改革の（けいき）をつかむ。
□企業（きぎょう）と（けいやく）する。
□（もっけい）が成立する。

恵

4級

部首 心（こころ） 10画

音 ケイ　エ
訓 めぐむ

筆順 恵恵恵恵恵恵恵恵恵恵（つき出す）

用例 恩恵（おんけい）　恵方巻き（えほうまき）　知恵（ちえ）　恵み（めぐみ）

問題
□自然の（おんけい）を享受（きょうじゅ）する。
□（えほうま）きを食べる。
□（ちえ）を巡（めぐ）らせる。
□（めぐ）みの雨が降る。

＊黙契＝暗黙（あんもく）のうちに合意や約束が成立すること。

3級

啓

11画

部首 口（くち）

音 ケイ

訓 ―

「口」は平たく

はらう

はらう

啓示（けいじ）
啓発（けいはつ）*
天啓（てんけい）
拝啓（はいけい）

□神からの（けいじ）を受ける。
□社員を（けいはつ）する。
□不意に（てんけい）を得る。
□（はいけい）、お元気ですか。

3級

掲

11画

部首 扌（てへん）

音 ケイ

訓 かか**げる**

はねる

曲げてはねる

「日」は小さめに

掲載（けいさい）
掲示（けいじ）
掲揚（けいよう）
前掲（ぜんけい）

□記事を雑誌に（けいさい）する。
□一覧表を壁に（けいじ）する。
□国旗を（けいよう）する。
□（ぜんけい）の文章を参照する。

準2級

渓

11画

部首 氵（さんずい）

音 ケイ

訓 ―

つき出す

はらう

上の横棒より長く

渓谷（けいこく）
渓流（けいりゅう）
雪渓（せっけい）

□（けいこく）の自然を味わう。
□（けいりゅう）を舟で下る。
□（せっけい）の写真を撮る。

似ている漢字に注意

刑（ケイ）りっとう ― 形（ケイ）さんづくり ― 型（ケイ）つち

「けいじ」の意味

刑事…犯罪の捜査などをする警察官。
啓示…神が真理を示すこと。
掲示…人目につく所に掲げること。

書き方に注意

恵 「丶」をつけないように。

*啓発＝教えにより，より高い認識や理解に導くこと。

蛍　準2級

11画　部首 虫（むし）

音 ケイ
訓 ほたる

筆順

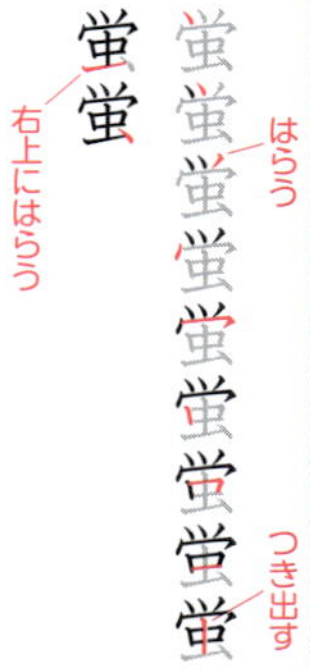

用例

蛍光灯（けいこうとう）　蛍光塗料（けいこうとりょう）　蛍雪（けいせつ）　蛍（ほたる）

問題

- □（けいこうとう）を取り替（か）える。
- □（けいこうとりょう）を含（ふく）む器具。
- □（けいせつ）の功。
- □（ほたる）を保護する。

傾　4級

13画　部首 亻（にんべん）

音 ケイ
訓 かたむく　かたむける

筆順

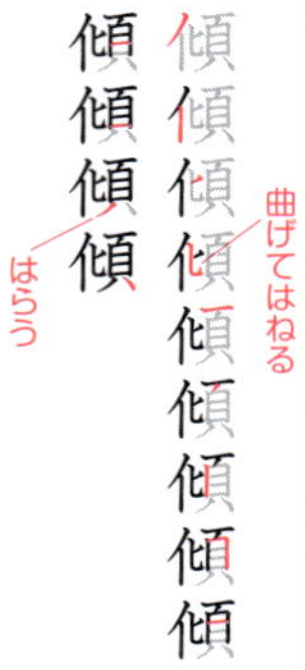

用例

傾向（けいこう）　傾斜（けいしゃ）　傾聴（けいちょう）　傾倒（けいとう）＊

問題

- □行動の（けいこう）を分析（ぶんせき）する。
- □緩（ゆる）い（けいしゃ）の坂道。
- □意見を（けいちょう）する。
- □新しい思想に（けいとう）する。

携　3級

13画　部首 扌（てへん）

音 ケイ
訓 たずさえる　たずさわる

筆順

用例

携行（けいこう）　携帯電話（けいたいでんわ）　提携（ていけい）　必携（ひっけい）

問題

- □筆記用具を（けいこう）する。
- □（けいたいでんわ）を使用する。
- □海外の企業（きぎょう）と（ていけい）する。
- □辞書は（ひっけい）だ。

継　4級

13画　部首 糸（いとへん）

音 ケイ
訓 つぐ

筆順

用例

継承（けいしょう）　継続（けいぞく）　後継者（こうけいしゃ）　中継（ちゅうけい）

問題

- □伝統を（けいしょう）する。
- □（けいぞく）して募集（ぼしゅう）する。
- □（こうけいしゃ）を育てる。
- □国会の（ちゅうけい）放送。

＊傾倒＝人や物事に心ひかれ熱中すること。

2級

詣

13画 部首 言(ごんべん)

音 (ケイ)
訓 もうでる

詣詣詣詣詣詣詣詣詣詣詣詣詣

はらう 曲げてはねる

詣でる(もうでる)
初詣(はつもうで)

□先祖の墓に(もう)でる。
□元旦に(はつもうで)をする人々が列をなす。

準2級

慶

15画 部首 心(こころ)

音 ケイ
訓 ―

慶慶慶慶慶慶慶慶慶慶慶慶慶慶慶

立てる はらう つき出す 「心」は平たく

慶事(けいじ)
慶祝(けいしゅく)
慶弔(けいちょう)
落慶(らっけい)

□(けいじ)のマナーを教わる。
□(けいしゅく)の意を表する。
□(けいちょう)のための礼服。
□神社の(らっけい)の式典。

2級

憬

15画 部首 忄(りっしんべん)

音 ケイ
訓 ―

憬憬憬憬憬憬憬憬憬憬憬憬憬憬憬

筆順に注意 立てる はらう

憧憬*(しょうけい)

□異国への(しょうけい)を描(えが)いた作品を創作する。

2級

稽

15画 部首 禾(のぎへん)

音 ケイ
訓 ―

稽稽稽稽稽稽稽稽稽稽稽稽稽稽稽

横棒が先 曲げてはねる 忘れない 「旨」は小さめに

稽古(けいこ)
滑稽(こっけい)
荒唐無稽*(こうとうむけい)

□芝居(しばい)の(けいこ)を見る。
□(こっけい)な落語を楽しむ。
□(こうとうむけい)なストーリーの映画を見る。

＊憧憬＝憧(あこが)れること。「どうけい」とも読む。　＊荒唐無稽＝言動がでたらめなこと。

憩 3級

部首 心（こころ） 16画

音 ケイ
訓 いこい（いこう）

筆順 はらう 折る

用例 休憩（きゅうけい） 憩い（いこい）

問題
□少し（きゅうけい）する。
□喫茶店で（いこ）いの一時を過ごす。

鶏 3級

部首 鳥（とり） 19画

音 ケイ
訓 にわとり

筆順 はらう ほぼ同じ長さに 縦画が先

用例 鶏舎（けいしゃ） 鶏卵（けいらん） 養鶏（ようけい） 鶏（にわとり）

問題
□（けいしゃ）を設ける。
□（けいらん）を出荷する。
□（ようけい）が盛（さか）んな地域。
□（にわとり）を育てる。

迎 4級

部首 辶（しんにょう・しんにゅう） 7画

音 ゲイ
訓 むかえる

筆順 はらう 折る 一画で書く

用例 迎合（げいごう）* 迎賓館（げいひんかん） 歓迎（かんげい） 送迎（そうげい）

問題
□相手に（げいごう）した意見。
□（げいひんかん）を案内される。
□新人生を（かんげい）する。
□客をバスで（そうげい）する。

鯨 3級

部首 魚（うおへん） 19画

音 ゲイ
訓 くじら

筆順 はらう 立てる はねる

用例 鯨油（げいゆ） 捕鯨（ほげい） 鯨（くじら）

問題
□（げいゆ）を採取する。
□（ほげい）を制限される。
□（くじら）の生態を調べる。

*迎合＝他人の意見や世の中の風潮に，自分の意見や考えを合わせること。

隙

2級

13画

部首 阝（こざとへん）

音 （ゲキ）

訓 すき

隙（すき）
隙間（すきま）
隙間風（すきまかぜ）

□油断も（すき）もない。
□戸の（すきま）を埋める。
□（すきまかぜ）が入る。

撃

4級

15画

部首 手（て）

音 ゲキ

訓 うつ

撃退（げきたい）
撃破（げきは）
攻撃（こうげき）
打撃（だげき）

□敵を（げきたい）する。
□強豪チームを（げきは）する。
□（こうげき）の手を緩める。
□大きな（だげき）を受ける。

桁

2級

10画

部首 木（きへん）

音 —

訓 けた

桁数（けたすう）
桁違い（けたちがい）*
桁外れ（けたはずれ）
橋桁（はしげた）

□（けたすう）を間違える。
□（けたちが）いの面白さ。
□（けたはず）れの安さに驚く。
□（はしげた）を強化する。

傑

準2級

13画

部首 亻（にんべん）

音 ケツ

訓 —

傑作（けっさく）
傑出（けっしゅつ）
傑物（けつぶつ）*
豪傑（ごうけつ）

□この小説は（けっさく）だ。
□（けっしゅつ）した才能。
□歴史的な（けつぶつ）だ。
□（ごうけつ）の伝説を聞く。

*桁違い＝程度や規模などの差が甚だしいこと。　*傑物＝すぐれた人物。

4級

肩

8画

部首　月（にくづき）

音　（ケン）

訓　かた

筆順　肩肩肩肩肩肩肩肩

はらう　折ってはねる

用例　肩入れ（かたいれ）　肩車（かたぐるま）　肩凝り（かたこり）　肩幅（かたはば）

問題
□友人に（かたい）れする。
□幼児を（かたぐるま）する。
□（かたこ）りをほぐす。
□（かたはば）が広い。

3級

倹

10画

部首　亻（にんべん）

音　ケン

訓　―

筆順　倹倹倹倹倹倹倹倹倹倹

はらう　つき出さない

用例　倹約（けんやく）　節倹（せっけん）

問題
□（けんやく）して生活する。
□なるべく（せっけん）して、貯金をしたい。

4級

兼

10画

部首　八（はち）

音　ケン

訓　かねる

筆順　兼兼兼兼兼兼兼兼兼兼

はらう　つき出す　ほぼ同じ長さに

用例　兼業（けんぎょう）　兼任（けんにん）　兼務（けんむ）　兼用（けんよう）

問題
□農業と商店を（けんぎょう）する。
□監督（かんとく）を（けんにん）する選手。
□外務大臣を（けんむ）する。
□兄と（けんよう）の辞書。

4級

剣

10画

部首　刂（りっとう）

音　ケン

訓　つるぎ

筆順　剣剣剣剣剣剣剣剣剣剣

はらう　はねる　短めに書く　短く止める

用例　剣客（けんかく）※　剣道（けんどう）　真剣（しんけん）　短剣（たんけん）

問題
□江戸時代（えどじだい）の（けんかく）。
□（けんどう）を習う。
□（しんけん）に話し合う。
□（たんけん）を保管する。

※「けんきゃく」とも読む。

2級

拳

部首 手（て） 10画

音 ケン
訓 こぶし

はらう　つき出す　上の横棒より長く

拳銃（けんじゅう）
拳法（けんぽう）
鉄拳（てっけん）
拳（こぶし）

□（けんじゅう）の不法所持。
□（けんぽう）を習得する。
□（てっけん）が飛んでくる。
□（こぶし）を突（つ）き上げる。

4級

軒

部首 車（くるまへん） 10画

音 ケン
訓 のき

つらぬく　つき出さない

軒数（けんすう）
軒灯（けんとう）
軒先（のきさき）
軒並（のきな）み

店の□（けんすう）が増える。
玄関（げんかん）の□（けんとう）をつける。
□（のきさき）で雨宿りする。
美しい□（のきな）みの町。

4級

圏

部首 口（くにがまえ） 12画

音 ケン
訓 ―

折る　曲げてはねる　つき出す

圏外（けんがい）
圏内（けんない）
首都圏（しゅとけん）
大気圏（たいきけん）

優勝□（けんがい）に去る。
優勝□（けんない）にとどまる。
□（しゅとけん）の交通網（こうつうもう）。
□（たいきけん）を突破（とっぱ）する。

4級

堅

部首 土（つち） 12画

音 ケン
訓 かたい

縦棒から書く　忘れない　はらう　長めに書く

堅固（けんご）
堅実（けんじつ）
堅牢（けんろう）*
中堅（ちゅうけん）

□（けんご）な意志を貫（つらぬ）く。
□（けんじつ）な性格の人物。
□（けんろう）な船を造る。
□（ちゅうけん）幹部が活躍（かつやく）する。

*堅牢＝堅くて丈夫な様子。

準2級

嫌

部首 女（おんなへん） 13画

音 ケン ゲン

訓 きらう いや

筆順 嫌 曲げる ほぼ同じ長さに つき出す

用例 嫌悪（けんお） 嫌疑*（けんぎ） 機嫌（きげん） 嫌気（いやけ）

問題
□喫煙（きつえん）を〔けんお〕する。
□〔けんぎ〕をかけられる。
□上司の〔きげん〕を損（そこ）なう。
□仕事に〔いやけ〕が差す。

準2級

献

部首 犬（いぬ） 13画

音 ケン コン

訓 ―

筆順 献 横棒から書く はらう 忘れない

用例 献上（けんじょう） 献身（けんしん） 文献（ぶんけん） 献立（こんだて）

問題
□特産品を〔けんじょう〕する。
□〔けんしん〕的な看護をする。
□〔ぶんけん〕を読みあさる。
□夕食の〔こんだて〕を考える。

4級

遣

部首 辶（しんにょう・しんにゅう） 13画

音 ケン

訓 つかう つかわす

筆順 遣 つき出す 縦棒が先 一画で書く

用例 先遣（せんけん） 派遣（はけん） 仮名遣い（かなづかい） 言葉遣い（ことばづかい）

問題
□隊員の一部を〔せんけん〕する。
□調査団を〔はけん〕する。
□現代の〔かなづか〕い。
□〔ことばづか〕いを改める。

3級

賢

部首 貝（こがい・かい） 16画

音 ケン

訓 かしこい

筆順 賢 縦棒から書く 忘れない はらう

用例 賢者（けんじゃ） 賢人（けんじん） 賢明（けんめい） 先賢（せんけん）

問題
□偉大（いだい）な〔けんじゃ〕をたたえる。
□〔けんじん〕の教えを守る。
□とても〔けんめい〕な行動だ。
□多くの〔せんけん〕に学ぶ。

*嫌疑＝悪いことをしたのではないかという疑い。

準2級

謙

17画

部首 言（ごんべん）

音 ケン
訓 ―

つき出す
ほぼ同じ長さに

謙虚（けんきょ）
謙譲語（けんじょうご）
謙遜（けんそん）
恭謙*（きょうけん）

□［けんきょ］に忠告を聞く。
□［けんじょうご］を用いる。
□［けんそん］した言い方をする。
□［きょうけん］な態度に恐縮（きょうしゅく）する。

2級

鍵

17画

部首 金（かねへん）

音 ケン
訓 かぎ

はらう
つき出す
三画で書く

鍵盤（けんばん）
鍵（かぎ）
鍵穴（かぎあな）

□ピアノの［けんばん］をたたく。
□謎（なぞ）を解く［かぎ］を探す。
□ドアの［かぎあな］から部屋の様子をうかがう。

準2級

繭

18画

部首 糸（いと）

音 （ケン）
訓 まゆ

折ってはねる
忘れない
はらう

繭（まゆ）
繭玉（まゆだま）

□蚕（かいこ）の［まゆ］を取る。
□ついた餅（もち）を［まゆだま］のように丸める。

似ている漢字に注意

嫌（ケン）おんなへん ― 謙（ケン）ごんべん ― 鎌（かま）かねへん

送りがなに注意

○ 賢（かしこ）い
× 賢こい
× 賢しこい

似ている漢字に注意

鍵（ケン）かねへん ― 健（ケン）にんべん

*恭謙＝慎（つつし）み深く，へりくだること。

顕
準2級
部首 頁（おおがい・いちのかい）　18画
音 ケン
訓 ―

筆順
ほぼ同じ長さに
右上にはらう
はらう

用例
顕示（けんじ）
顕彰（けんしょう）＊
顕著（けんちょ）
顕微鏡（けんびきょう）

問題
□力を（けんじ）する。
□功労者を（けんしょう）する。
□（けんちょ）な働きを示す。
□（けんびきょう）で観察する。

懸
準2級
部首 心（こころ）　20画
音 ケン・（ケ）
訓 かける・かかる

筆順
折る
忘れない
はらう

用例
懸賞（けんしょう）
懸垂（けんすい）
懸命（けんめい）
命懸け（いのちがけ）

問題
□（けんしょう）に応募する。
□（けんすい）で体を鍛える。
□常に（けんめい）に努力する。
□（いのちが）けで戦う。

幻
3級
部首 幺（いとがしら）　4画
音 ゲン
訓 まぼろし

筆順
折ってはねる
短く止める

用例
幻影（げんえい）
幻覚（げんかく）
幻想（げんそう）
夢幻（むげん）

問題
□（げんえい）におびえる。
□（げんかく）に惑わされる。
□（げんそう）のような光景。
□（むげん）の境地をさまよう。

玄
4級
部首 玄（げん）　5画
音 ゲン
訓 ―

筆順
立てる
長めに書く
短く止める

用例
玄関（げんかん）
玄米（げんまい）
玄妙（げんみょう）
幽玄（ゆうげん）

問題
□（げんかん）で靴を履く。
□（げんまい）を炊く。
□（げんみょう）な味わいの絵画。
□（ゆうげん）の美を追求する。

＊顕彰＝善行や功績などを広く知らせて表彰（ひょうしょう）すること。

準2級
弦
8画
部首 弓（ゆみへん）
音 ゲン
訓 （つる）

弦（げん）
弦楽器（げんがっき）
上弦（じょうげん）

□ギターの〔げん〕を張る。
□〔げんがっき〕を演奏する。
□美しい〔じょうげん〕の月が夜空に輝（かがや）く。

2級
舷
11画
部首 舟（ふねへん）
音 ゲン
訓 ―

舷側（げんそく）
右舷（うげん）

□〔げんそく〕に設置した大砲（たいほう）。
□陸地を〔うげん〕に見ながら走行する。

2級
股
8画
部首 月（にくづき）
音 コ
訓 また

股間（こかん）
股関節（こかんせつ）
内股（うちまた）
大股（おおまた）

□〔こかん〕を覆（おお）い隠（かく）す。
□〔こかんせつ〕が柔（やわ）らかい。
□柔道（じゅうどう）の〔うちまた〕の技（わざ）。
□〔おおまた〕で歩く。

2級
虎
8画
部首 虍（とらかんむり）
音 コ
訓 とら

虎穴（こけつ）
猛虎（もうこ）
虎刈（とらが）り
虎の巻（とらのまき）＊

□あえて〔こけつ〕に入（い）る。
□〔もうこ〕のように襲（おそ）う。
□頭を〔とらが〕りにされる。
□〔とら〕の巻をひもとく。

＊虎の巻＝芸事などが上達する秘訣（ひけつ）が書かれた書物。

孤 ♛3級

部首 子（こへん） 9画

音 コ
訓 ―

筆順 孤 左下にはらう 右上にはらう 右上にはらう

用例 孤児（こじ） 孤島（ことう） 孤独（こどく） 孤立（こりつ）

問題
□戦災（こじ）を育てる。
□陸の（ことう）のような町。
□（こどく）な境遇（きょうぐう）に耐（た）える。
□支持を得られず（こりつ）する。

弧 ♛3級

部首 弓（ゆみへん） 9画

音 コ
訓 ―

筆順 弧 一画で書く 左下にはらう 右上にはらう

用例 弧（こ） 弧状（こじょう） 円弧（えんこ） 括弧（かっこ）

問題
□（こ）を描（えが）いて飛ぶ。
□（こじょう）のサンゴ礁（しょう）。
□（えんこ）の長さを求める。
□語句を（かっこ）でくくる。

枯 ♛4級

部首 木（きへん） 9画

音 コ
訓 かれる からす

筆順 枯 短く止める 横棒が先

用例 枯渇（こかつ） 枯死（こし） 枯淡*（こたん） 栄枯（えいこ）

問題
□泉が（こかつ）する。
□植物の（こし）を防ぐ。
□（こたん）の味わいがある。
□権力者の（えいこ）盛衰（せいすい）記。

雇 ♛3級

部首 隹（ふるとり） 12画

音 コ
訓 やとう

筆順 雇 はらう 縦棒が先

用例 雇用（こよう） 解雇（かいこ） 雇（やと）う 日雇（ひやと）い

問題
□若者を（こよう）する。
□会社を（かいこ）される。
□臨時職員を（やと）う。
□（ひやと）いで働く。

*枯淡＝淡々としたなかに深い味わいがあること。

カ行 コ

4級
誇
13画
部首 言（ごんべん）
音 コ
訓 ほこる

（筆順：誇 — はらう／上の横棒より長く／一画で書く）

誇示（こじ）
誇大（こだい）
誇張（こちょう）
誇る（ほこる）

□権力を（こじ）する。
□（こだい）広告に注意する。
□感情を（こちょう）した表現。
□新製品の性能を（ほこ）る。

4級
鼓
13画
部首 鼓（つづみ）
音 コ
訓 （つづみ）

（筆順：鼓 — 上の横棒より短く／はらう／右上にはらう／横棒が先）

鼓笛隊（こてきたい）
鼓動（こどう）
鼓舞（こぶ）
太鼓（たいこ）

□（こてきたい）が行進する。
□心臓（しんぞう）の（こどう）が聞こえる。
□選手を（こぶ）する。
□（たいこ）をたたく。

2級
錮
16画
部首 金（かねへん）
音 コ
訓 ―

（筆順：錮 — はらう／右上にはらう／横棒が先）

禁錮刑（きんこけい）*

□長い（きんこけい）に服していた囚人（しゅうじん）が釈放（しゃくほう）される。

3級
顧
21画
部首 頁（おおがい・いちのかい）
音 コ
訓 かえりみる

（筆順：顧 — はらう／縦棒が先／はらう）

顧客（こきゃく）
顧問（こもん）
顧慮（こりょ）
回顧（かいこ）

□（こきゃく）を大切にする。
□（こもん）の指示を仰（あお）ぐ。
□事情を（こりょ）する。
□半生を（かいこ）する。

*禁錮刑＝刑務所に留置するが，労働は強制されない刑罰（けいばつ）。「禁固刑」とも書く。

4級

互

部首 二(に) 4画

音 ゴ
訓 たがい

筆順
互 互 互 互
折る
上の横棒よりやや長く

用例
互角(ごかく)
互換(ごかん)
交互(こうご)
相互(そうご)

問題
□（ごかく）な戦いをする。
□（ごかん）性がある部品。
□（こうご）に飲み比べる。
□（そうご）に助け合う。

準2級

呉

部首 口(くち) 7画

音 ゴ
訓 ―

筆順
呉 呉 呉 呉 呉 呉 呉
一画で書く
長めに書く
はらう

用例
呉服(ごふく)
呉越同舟(ごえつどうしゅう)*

問題
□（ごふく）を売る。
□（ごえつどうしゅう）の気分で党首会談に臨(のぞ)む。

3級

娯

部首 女(おんなへん) 10画

音 ゴ
訓 ―

筆順
娯 娯 娯 娯 娯 娯 娯 娯 娯 娯
折る
一画で書く
はらう

用例
娯楽(ごらく)

問題
□旅の道中、船上で催(もよお)される（ごらく）に興じる。

3級

悟

部首 忄(りっしんべん) 10画

音 ゴ
訓 さとる

筆順
悟 悟 悟 悟 悟 悟 悟 悟 悟 悟
筆順に注意
ななめに書く

用例
悔悟(かいご)
覚悟(かくご)
悟(さと)る

問題
□（かいご）の涙(なみだ)を流す。
□退かない（かくご）を決める。
□到底(とうてい)勝てない相手であると（さと）る。

*呉越同舟＝敵対する者同士が同じ場所に居合わせること。

碁

準2級

部首 石（いし） 13画

音 ゴ
訓 —

碁碁碁碁碁碁碁碁碁碁碁碁碁

筆順に注意 長めに書く はらう

碁（ご）
碁石（ごいし）
碁盤（ごばん）
囲碁（いご）

□父と（ごいし）を打つ。
□（ごいし）を並べる。
□（ごばん）の目のような道。
□（いご）の段位を取る。

勾

2級

部首 勹（つつみがまえ） 4画

音 コウ
訓 —

勾勾勾勾

はらう 折ってはらう 短く止める

勾引（こういん）
勾配（こうばい）
勾留（こうりゅう）*

□証人を（こういん）する。
□急な（こうばい）の坂道。
□裁判が始まるまで、被告人（ひこくにん）を（こうりゅう）する。

孔

3級

部首 子（こへん） 4画

音 コウ
訓 —

孔孔孔孔

右上にはらう 曲げてはねる

気孔（きこう）
瞳孔（どうこう）
鼻孔（びこう）
通気孔（つうきこう）

□葉の（きこう）を観察する。
□（どうこう）を検査する。
□（びこう）から薬を入れる。
□（つうきこう）を塞（ふさ）ぐ。

巧

3級

部首 エ（こう） 5画

音 コウ
訓 たくみ

巧巧巧巧巧

つき出さない 右上にはらう 一画で書く

巧拙（こうせつ）
巧妙（こうみょう）
技巧（ぎこう）
精巧（せいこう）

□技（わざ）の（こうせつ）を見極（みきわ）める。
□（こうみょう）な手口にはまる。
□（ぎこう）を凝らす。
□（せいこう）にできた模型。

*勾留＝裁判所が被疑者（ひぎしゃ）や被告人を一定の場所にとどめておくこと。

3級

甲

部首 田（た） 5画

音 コウ・カン
訓 ―

筆順 つき出さない

用例
甲乙（こうおつ）
甲殻類（こうかくるい）
甲高い（かんだかい）
甲板（かんぱん）

問題
□〔こうおつ〕つけがたい傑作（けっさく）。
□〔こうかくるい〕を図鑑（ずかん）で調べる。
□〔かんだか〕い声で歌う。
□〔かんぱん〕を掃除（そうじ）する。

準2級

江

部首 氵（さんずい） 6画

音 コウ
訓 え

筆順 右上にはらう・つき出さない

用例
長江（ちょうこう）*
江戸時代（えどじだい）
入り江（いりえ）

問題
□〔ちょうこう〕のほとり。
□〔えどじだい〕の工芸品。
□ヨットが入り〔え〕に停泊（ていはく）する。

3級

坑

部首 扌（つちへん） 7画

音 コウ
訓 ―

筆順 右上にはらう・立てる・はらう・一画で書く

用例
坑道（こうどう）
坑内（こうない）
炭坑（たんこう）
廃坑（はいこう）

問題
□〔こうどう〕を掘（ほ）り進む。
□〔こうない〕を換気（かんき）する。
□〔たんこう〕で働く人々。
□〔はいこう〕を埋（う）める。

4級

抗

部首 扌（てへん） 7画

音 コウ
訓 ―

筆順 はねる・立てる・一画で書く・はらう

用例
抗議（こうぎ）
抗争（こうそう）
対抗（たいこう）
抵抗（ていこう）

問題
□断固として〔こうぎ〕する。
□〔こうそう〕が長期に及（およ）ぶ。
□クラス〔たいこう〕の競技。
□諦（あきら）めず〔ていこう〕する。

*長江＝中国大陸を流れるアジア最長の川。揚子江（ようすこう）。

攻

4級　7画

部首 攵（ぼくにょう・のぶん）

音 コウ
訓 せめる

右上にはらう
はらう

攻撃（こうげき）
攻守（こうしゅ）
攻略（こうりゃく）
専攻（せんこう）

□［こうげき］の手を緩（ゆる）める。
□［こうしゅ］のバランスがよい。
□敵陣（てきじん）を［こうりゃく］する。
□ドイツ語を［せんこう］する。

更

4級　7画

部首 曰（ひらび）

音 コウ
訓 さら
（ふける）
（ふかす）

つき出さない
はらう

更新（こうしん）
更迭（こうてつ）＊
変更（へんこう）
今更（いまさら）

□免許（めんきょ）を［こうしん］する。
□大臣を［こうてつ］する。
□方針（ほうしん）を［へんこう］する。
□［いまさら］引き返せない。

拘

3級　8画

部首 扌（てへん）

音 コウ
訓 ―

はねる
はらう
折ってはねる

拘束（こうそく）
拘置所（こうちしょ）
拘泥（こうでい）＊
拘留（こうりゅう）

□身柄（みがら）を［こうそく］する。
□［こうちしょ］で面会する。
□細かいことに［こう］泥（でい）する。
□犯罪者（はんざいしゃ）を［こうりゅう］する。

似ている漢字に注意

坑（コウ）つちへん ― 抗（コウ）てへん

「こうぎ」の意味

抗議…反対意見や要求を強く主張すること。
講義…学問などについて解説すること。

似ている漢字に注意

攻（コウ）「攵」― 巧（コウ）「丂」― 功（コウ）「力」

＊更迭＝ある地位や役職にある人を入れ替（か）えること。　＊拘泥＝こだわること。

肯

準2級

部首 月（にくづき） 8画

音 コウ
訓 ―

筆順
肯（縦棒から書く）（長めに書く）（まっすぐ書く）

用例
肯定（こうてい）
首肯（しゅこう）*

問題
□うわさを（こうてい）する。
□それは、全く（しゅこう）できない意見だ。

侯

準2級

部首 亻（にんべん） 9画

音 コウ
訓 ―

筆順
侯（はらう）（長めに書く）（上の横棒より長く）

用例
侯爵（こうしゃく）
王侯（おうこう）
諸侯（しょこう）

問題
□（こうしゃく）の位を授（さず）かる。
□（おうこう）貴族の歴史。
□（しょこう）が一堂に会する。

恒

4級

部首 忄（りっしんべん） 9画

音 コウ
訓 ―

筆順
恒（筆順に注意）（「日」は小さめに）

用例
恒久（こうきゅう）
恒常（こうじょう）*
恒星（こうせい）
恒例（こうれい）

問題
□（こうきゅう）の平和を願う。
□（こうじょう）的に発生する問題。
□（こうせい）が夜空に輝（かがや）く。
□（こうれい）の行事を行う。

洪

準2級

部首 氵（さんずい） 9画

音 コウ
訓 ―

筆順
洪（右上にはらう）（横棒が先）（はらう）

用例
洪水（こうずい）

問題
□（こうずい）を防ぐためのダムを建設する。

*首肯＝うなずくこと。 *恒常＝常に変わらないこと。

4級

荒

9画

部首 艹（くさかんむり）

音 コウ

訓 あらい　あれる　あらす

筆順：横棒から書く　立てる　曲げる　はらう

荒天（こうてん）　荒廃（こうはい）　荒野（こうや）　荒波（あらなみ）

□［こうてん］をついて出航する。

□［こうはい］した土地を耕す。

□［こうや］を旅する。

□世間の［あらなみ］にもまれる。

3級

郊

9画

部首 阝（おおざと）

音 コウ

訓 —

筆順：立てる　はらう　三画で書く

郊外（こうがい）　近郊（きんこう）

□［こうがい］に住居を構える。

□都市［きんこう］の開発が更に進む。

4級

香

9画

部首 香（か）

音 コウ（キョウ）

訓 か　かおり　かおる

筆順：はらう　長めに書く

香気（こうき）　香水（こうすい）　香料（こうりょう）　線香（せんこう）

□上品な［こうき］が漂う。

□［こうすい］をつける。

□［こうりょう］を使わない飲料。

□仏前に［せんこう］を供える。

準2級

貢

10画

部首 貝（こがい・かい）

音 コウ（ク）

訓 （みつぐ）

筆順：上の横棒より長く　はらう

貢献（こうけん）

□今季の優勝に［こうけん］した選手を表彰する。

控 3級

部首 扌（てへん） 11画

音 （コウ）
訓 ひかえる

筆順 控 控 控 控 控 控 控 控 控 控 控（はねる／立てる／曲げて止める） 控 控（つき出さない）

用例 控え室（ひかえしつ） 控え目（ひかえめ） 控える（ひかえる）

問題
□〔ひか〕え室で待つ。
□〔ひか〕え目な態度で話す。
□進級に関わるテストを明日に〔ひか〕える。

梗 2級

部首 木（きへん） 11画

音 コウ
訓 ―

筆順 梗 梗 梗 梗 梗 梗 梗 梗 梗 梗 梗（はらう／短く止める） 梗 梗（つき出さない）

用例 梗概*（こうがい） 脳梗塞（のうこうそく） 心筋梗塞（しんきんこうそく）

問題
□物語の〔こうがい〕を読む。
□〔のうこうそく〕の症状が出る。
□〔しんきんこうそく〕の診断を受ける。

喉 2級

部首 口（くちへん） 12画

音 コウ
訓 のど

筆順 喉 喉 喉 喉 喉 喉 喉 喉 喉 喉 喉 喉（「口」は小さく） 喉 喉 喉（つき出さない）

用例 喉頭（こうとう） 咽喉（いんこう） 喉笛（のどぶえ） 喉元（のどもと）

問題
□〔こうとう〕に薬を塗る。
□〔いんこう〕が専門の医師。
□〔のどぶえ〕から声を絞る。
□〔のどもと〕を押さえる。

慌 3級

部首 忄（りっしんべん） 12画

音 （コウ）
訓 あわてる あわただしい

筆順 慌 慌 慌 慌 慌 慌 慌 慌 慌 慌 慌 慌（筆順に注意／曲げる） 慌 慌 慌（はらう／曲げてはねる）

用例 慌て者（あわてもの） 慌てる（あわてる） 慌てん坊（あわてんぼう） 大慌て（おおあわて）

問題
□〔あわ〕て者を注意する。
□遅刻しそうで〔あわ〕てる。
□〔あわ〕てん坊だが憎めない。
□〔おおあわ〕てで支度する。

*梗概＝物語などのあらすじ。

3級

硬

12画

部首 石（いしへん）

音 コウ
訓 かたい

硬硬硬硬硬硬硬硬硬硬硬硬

はらう
つき出さない

硬貨（こうか）
硬式（こうしき）
硬質（こうしつ）
硬直（こうちょく）

□（こうか）の枚数を数える。
□（こうしき）テニス部に入る。
□（こうしつ）のプラスチック。
□緊張で体が（こうちょく）する。

3級

絞

12画

部首 糸（いとへん）

音 （コウ）
訓 しぼる　しめる　しまる

絞絞絞絞絞絞絞絞絞絞絞絞

折る
立てる
はらう

絞（しぼ）り
絞（しぼ）り染（ぞ）め
絞（しぼ）り出（だ）す

□カメラの（しぼ）りを開く。
□（しぼ）り染めの着物。
□声を（しぼ）り出す。

4級

項

12画

部首 頁（おおがい・いちのかい）

音 コウ
訓 ―

項項項項項項項項項項項項

右上にはらう
はらう

項目（こうもく）
事項（じこう）
条項（じょうこう）
同類項（どうるいこう）

□（こうもく）ごとに分類する。
□様々な（じこう）を網羅（もうら）する。
□法律の（じょうこう）を提示する。
□（どうるいこう）をまとめる。

準2級

溝

13画

部首 氵（さんずい）

音 コウ
訓 みぞ

溝溝溝溝溝溝溝溝溝溝溝溝溝

右上にはらう
筆順に注意
最も長く
つらぬく

海溝（かいこう）
側溝（そっこう）
下水溝（げすいこう）
排水溝（はいすいこう）

□日本海沖（にほんかいおき）の（かいこう）。
□（そっこう）から水があふれる。
□（げすいこう）を工事する。
□（はいすいこう）に雨水を流す。

3級

綱

14画

部首 糸（いとへん）

音 コウ
訓 つな

筆順 綱綱綱綱綱綱綱綱綱綱綱綱綱綱（折る・はらう・止める・短く止める）

用例 綱紀（こうき）* 綱領（こうりょう） 大綱（たいこう） 横綱（よこづな）

問題
□〔こうき〕の乱れを正す。
□〔こうりょう〕に沿って行動する。
□規約の〔たいこう〕をまとめる。
□〔よこづな〕を応援（おうえん）する。

3級

酵

14画

部首 酉（とりへん）

音 コウ
訓 ―

筆順 酵酵酵酵酵酵酵酵酵酵酵酵酵酵（曲げる・忘れない・はらう）

用例 酵素（こうそ） 酵母（こうぼ） 発酵（はっこう）

問題
□〔こうそ〕を含（ふく）む食品。
□パン種に〔こうぼ〕を加える。
□日本には、みそやしょう油などの〔はっこう〕食品が多い。

4級

稿

15画

部首 禾（のぎへん）

音 コウ
訓 ―

筆順 稿稿稿稿稿稿稿稿稿稿稿稿稿稿稿（左下にはらう・立てる）

用例 稿料（こうりょう） 原稿（げんこう） 草稿（そうこう） 投稿（とうこう）

問題
□著者に〔こうりょう〕を支払（しはら）う。
□〔げんこう〕を書き上げる。
□〔そうこう〕が完成する。
□雑誌に〔とうこう〕する。

準2級

衡

16画

部首 行（ぎょうがまえ・ゆきがまえ）

音 コウ
訓 ―

筆順 衡衡衡衡衡衡衡衡衡衡衡衡衡衡衡衡（はらう・縦画が先・はねる）

用例 均衡（きんこう） 平衡（へいこう） 度量衡（どりょうこう）*

問題
□両者の〔きんこう〕を保つ。
□〔へいこう〕感覚に優（すぐ）れる。
□昔の〔どりょうこう〕の単位について調べる。

＊綱紀＝国家を治める規律。　＊度量衡＝長さと容積と重さのこと。

準2級

購

17画 部首 貝（かいへん）

音 コウ 訓 ―

筆順：購（はらう・筆順に注意・最も長く・つらぬく）

購読（こうどく）　購入（こうにゅう）　購買（こうばい）

□新聞を〔こうどく〕する。
□商品を〔こうにゅう〕する。
□収入が増えたことで、〔こうばい〕意欲が増す。

2級

乞

3画 部首 乙（おつ）

音 ― 訓 こう

筆順：乞（はらう・一画で書く）

乞（こ）う*　雨乞（あまご）い

□市街の案内を〔こ〕う。※
□神仏に芸能を奉納（ほうのう）して〔あまご〕いする。

準2級

拷

9画 部首 扌（てへん）

音 ゴウ 訓 ―

筆順：拷（はねる・はらう・一画で書く）

拷問（ごうもん）

□つらい作業がいつまでも〔ごうもん〕のように続く。

準2級

剛

10画 部首 刂（りっとう）

音 ゴウ 訓 ―

筆順：剛（止める・折ってはねる・短めに書く・はねる）

剛健（ごうけん）　剛直（ごうちょく）　金剛石（こんごうせき）　金剛力士（こんごうりきし）

□〔ごうけん〕な気風の学校。
□〔ごうちょく〕な性格の人物。
□〔こんごうせき〕を加工する。
□〔こんごうりきし〕の像を見る。

*乞う＝ある物や行為（こうい）を願い求めること。　※「請（こ）う」とも書く。

傲
2級
部首 亻（にんべん） 13画
音 ゴウ
訓 ―

筆順 はらう 立てる はらう はらう

用例
傲然＊（ごうぜん）
傲慢（ごうまん）

問題
□［ごうぜん］と構える。
□［ごうまん］な態度を改めさせる。

豪
4級
部首 豕（いのこ） 14画
音 ゴウ
訓 ―

筆順 立てる 「冖」を「宀」としない はねる はらう

用例
豪雨（ごうう）
豪快（ごうかい）
豪遊（ごうゆう）
文豪（ぶんごう）

問題
□突然（とつぜん）［ごうう］に見舞（みま）われる。
□［ごうかい］な食べっぷり。
□外国を［ごうゆう］して回る。
□［ぶんごう］の小説を読む。

克
3級
部首 儿（にんにょう・ひとあし） 7画
音 コク
訓 ―

筆順 横棒から書く 曲げてはねる はらう

用例
克服（こくふく）
克明（こくめい）
克己心＊（こっきしん）
下克上（げこくじょう）

問題
□病気を［こくふく］する。
□［こくめい］に記録する。
□［こっきしん］を養う。
□戦国時代の［げこくじょう］。

酷
準2級
部首 酉（とりへん） 14画
音 コク
訓 ―

筆順 曲げる はらう 忘れない つき出す

用例
酷似（こくじ）
酷暑（こくしょ）
残酷（ざんこく）
冷酷（れいこく）

問題
□両者は［こくじ］している。
□夏の［こくしょ］にあえぐ。
□［ざんこく］な仕打ちに耐（た）える。
□［れいこく］な笑いを浮（う）かべる。

＊傲然＝威張（いば）っている様子。
＊克己心＝意志の力で邪念（じゃねん）に打ち勝つ心。

獄

3級　14画

部首　犭（けものへん）

音　ゴク
訓　―

左下にはらう　はらう　忘れない

獄舎（ごくしゃ）
獄中（ごくちゅう）
疑獄（ぎごく）
地獄（じごく）

□（ごくしゃ）を移設する。
□（ごくちゅう）の手記を読む。
□（ぎごく）事件が起こる。
□（じごく）で仏の心境。

駒

2級　15画

部首　馬（うまへん）

音　―
訓　こま

縦棒から書く　折ってはねる　はらう

駒（こま）
駒（こま）げた
駒鳥（こまどり）
持（も）ち駒（ごま）＊

□チェスの（こま）を並べる。
□（こま）げたを履（は）く。
□（こまどり）が鳴く。
□持ち（ごま）が尽（つ）きる。

込

4級　5画

部首　辶（しんにょう・しんにゅう）

音　―
訓　こむ　こめる

はらう　一画で書く

仕込（しこ）む
煮込（にこ）む
見込（みこ）む
老（ふ）け込（こ）む

□細工を（しこ）む。
□鍋（なべ）で豆を（にこ）む。
□若者の素質を（みこ）む。
□すっかり老（ふ）け（こ）む。

頃

2級　11画

部首　頁（おおがい・いちのかい）

音　―
訓　ころ

曲げてはねる　はらう

頃合（ころあ）い
先頃（さきごろ）
日頃（ひごろ）
見頃（みごろ）

□（ころあ）いを見て話す。
□（さきごろ）の事件が解決する。
□（ひごろ）から努力する。
□桜の花が（みごろ）だ。

＊持ち駒＝必要なときに使えるように用意してある人や物。

昆
準2級　8画　部首：日（ひ）

音：コン　訓：—

筆順：折る／曲げてはねる／左下にはらう

用例：昆虫(こんちゅう)　昆布(こんぶ)

問題
- □（こんちゅう）を捕(つか)まえる。
- □（こんぶ）を水につけて、だしを取る。

恨
3級　9画　部首：忄（りっしんべん）

音：コン　訓：うらむ　うらめしい

筆順：筆順に注意／折ってはらう／はらう

用例：遺恨(いこん)　悔恨(かいこん)*　痛恨(つうこん)　逆恨(さかうら)み

問題
- □（いこん）を残す試合だ。
- □（かいこん）の念に駆(か)られる。
- □（つうこん）のミスをする。
- □相手を（さかうら）みする。

婚
4級　11画　部首：女（おんなへん）

音：コン　訓：—

筆順：折る／左下にはらう／折ってはらう／はねる／「日」は小さめに

用例：婚約(こんやく)　婚礼(こんれい)　結婚(けっこん)　新婚(しんこん)

問題
- □（こんやく）指輪を贈(おく)る。
- □（こんれい）の式典に臨(のぞ)む。
- □同級生と（けっこん）する。
- □（しんこん）旅行に行く。

痕
2級　11画　部首：疒（やまいだれ）

音：コン　訓：あと

筆順：立てる／折ってはらう／はらう

用例：痕跡(こんせき)　血痕(けっこん)　弾痕(だんこん)　傷痕(きずあと)

問題
- □事件の（こんせき）を残す。
- □（けっこん）を洗い流す。
- □壁(かべ)に（だんこん）が残る。
- □（きずあと）が痛々しい。

*悔恨＝失敗を悔(く)やみ，残念に思うこと。

3級

紺

11画 部首 糸（いとへん）

音 コン
訓 ―

折る はらう 筆順に注意

紺青（こんじょう）
紺屋（こんや）※
紫紺（しこん）
濃紺（のうこん）

□［こんじょう］の空を仰（あお）ぐ。
□［こんや］の白ばかま。
□［しこん］の衣（ころも）をまとう。
□［のうこん］に染め上げる。

3級

魂

14画 部首 鬼（おに）

音 コン
訓 たましい

折る 短く止める はらう 曲げてはねる

魂胆（こんたん）
商魂（しょうこん）
精魂（せいこん）
霊魂（れいこん）

□［こんたん］が見え透（す）く。
□［しょうこん］たくましい。
□［せいこん］込（こ）めて作る。
□［れいこん］の存在を信じる。

3級

墾

16画 部首 土（つち）

音 コン
訓 ―

はらう はねる 折ってはらう 上の横棒より長く

墾田（こんでん）
開墾（かいこん）
未墾（みこん）

□［こんでん］に稲（いね）を植える。
□荒（あ）れ地を［かいこん］する。
□［みこん］の地に踏（ふ）み入る。

準2級

懇

17画 部首 心（こころ）

音 コン
訓 （ねんごろ）

はらう はねる 折ってはらう

懇意（こんい）
懇親会（こんしんかい）
懇切（こんせつ）＊
懇談会（こんだんかい）

□隣人（りんじん）と［こんい］にする。
□［こんしんかい］に参加する。
□［こんせつ］丁寧（ていねい）に指導する。
□保護者の［こんだんかい］。

※「こうや」とも読む。　＊懇切＝細かいところまで気を配ること。

コラム 2

部首の種類と名称

部首とは

漢字は、いくつかの部分の組み合わせで作られている。その部分の中で、複数の漢字が共通してもち、形の上から分類するもととなるものを部首という。部首はその漢字の意味に関係していることが多い。

部首の種類と名称（めいしょう）

部首は漢字を組み立てている部分のどこにあるかで、大きく七つに分類することができる。（例の漢字の赤の部分が部首。）

①へん［偏（へん）］ 左側の部分
例 体（にんべん） 海（さんずい）

②つくり［旁（つくり）］ 右側の部分
例 杉（さんづくり） 利（りっとう）

③かんむり［冠（かんむり）］ 上の部分
例 写（わかんむり） 京（なべぶた）

④あし［脚（あし）］ 下の部分
例 兄（にんにょう ひとあし） 熱（れんが れっか）

⑤たれ［垂（たれ）］ 上から左を囲む部分
例 原（がんだれ） 広（まだれ）

⑥にょう［繞（にょう）］ 左から下を囲む部分
例 道（しんにょう しんにゅう） 魅（きにょう）

⑦かまえ［構（かまえ）］ 外側を囲む部分
例 間（もんがまえ） 国（くにがまえ）

部首を間違（まちが）えやすい漢字

「問」の部首は「口」、「聞」の部首は「耳」である。部首が「門」でないのは、それぞれの漢字の意味に関係するのが「口」「耳」だからだ。「視」は「見」、「暦」は「日」、「相」は「目」がそれぞれ部首であるのも、同じ理由による。

サ行の漢字

準2級

佐

部首 亻(にんべん) 7画

音 サ
訓 —

筆順
佐 佐 佐 佐 佐 佐 佐
横棒が先
つき出さない

用例
大佐(たいさ)
補佐(ほさ)

問題
□陸軍の(たいさ)になる。
□副会長が会長を(ほさ)して、会を運営する。

2級

沙

部首 氵(さんずい) 7画

音 サ
訓 —

筆順
沙 沙 沙 沙 沙 沙 沙
はねる
長くはらう

用例
沙汰(さた)
音沙汰(おとさた)

問題
□交際が取り(ざた)される。
□旧友から長らく(おとさた)がない。

準2級

唆

部首 口(くちへん) 10画

音 サ
訓 (そそのかす)

筆順
唆 唆 唆 唆 唆 唆 唆 唆 唆 唆
曲げる
はらう

用例
教唆(きょうさ)
示唆(しさ)*

問題
□盗(ぬす)みを(きょうさ)した罪。
□教授の講演は(しさ)に富むものだった。

準2級

詐

部首 言(ごんべん) 12画

音 サ
訓 —

筆順
詐 詐 詐 詐 詐 詐 詐 詐 詐 詐 詐 詐
短くはらう
まっすぐ下ろす

用例
詐欺(さぎ)
詐取(さしゅ)*
詐称(さしょう)

問題
□(さぎ)に注意する。
□財産を(さしゅ)する。
□学歴を(さしょう)する。

*示唆＝それとなく教えること。　*詐取＝金品をだまし取ること。

鎖
4級
18画
部首 金（かねへん）
音 サ
訓 くさり

鎖国（さこく）
封鎖（ふうさ）
閉鎖（へいさ）
連鎖（れんさ）

右上にはらう
縦棒が先
止める

□［さこく］は幕末に終わった。
□道路を［ふうさ］する。
□門を［へいさ］する。
□事件が［れんさ］して起こる。

挫
2級
10画
部首 扌（てへん）
音 ザ
訓 ―

右上にはらう
縦棒が先
上の横棒より長く

挫折（ざせつ）
頓挫（とんざ）*
捻挫（ねんざ）
脳挫傷（のうざしょう）

□［ざせつ］を味わう。
□開発計画が［とんざ］する。
□足首を［ねんざ］する。
□［のうざしょう］を起こす。

采
2級
8画
部首 爫（つめかんむり）
音 サイ
訓 ―

左下に長くはらう
左下にはらう

采配（さいはい）
喝采（かっさい）
風采（ふうさい）

□監督（かんとく）が［さいはい］を振（ふ）る。
□観客の［かっさい］を浴びる。
□［ふうさい］の上がらない人。

砕
準2級
9画
部首 石（いしへん）
音 サイ
訓 くだく　くだける

はらいが先
上にはねる
横棒が先

砕石機（さいせきき）
砕氷船（さいひょうせん）
粉砕（ふんさい）
粉骨砕身（ふんこつさいしん）*

□岩を［さいせきき］で処理する。
□［さいひょうせん］で航海する。
□古い瓶（びん）を［ふんさい］する。
□復興に［ふんこつさいしん］する。

*頓挫＝計画などが急に行き詰（づ）まること。　*粉骨砕身＝力の限りを尽（つ）くすこと。

宰

準2級　10画

部首：宀（うかんむり）

音：サイ　訓：—

筆順：立てる／長めに書く／横棒が先

用例：宰相（さいしょう）　宰領（さいりょう）　主宰（しゅさい）

問題：
- □一国の（さいしょう）となる。
- □工事の（さいりょう）を務める。
- □劇団を（しゅさい）する。

栽

準2級　10画

部首：木（き）

音：サイ　訓：—

筆順：右にのばす／上にはねる／忘れない

用例：栽培（さいばい）　盆栽（ぼんさい）

問題：
- □庭でトマトを（さいばい）する。
- □祖父は（ぼんさい）の手入れを欠かさない。

彩

4級　11画

部首：彡（さんづくり）

音：サイ　訓：いろど（る）

筆順：左下にはらう／左下に三本はらう

用例：彩色（さいしき）※　異彩（いさい）　精彩（せいさい）　多彩（たさい）

問題：
- □大皿に（さいしき）を施（ほどこ）す。
- □ひときわ（いさい）を放つ。
- □（せいさい）を欠くプレー。
- □（たさい）な顔ぶれがそろう。

斎

準2級　11画

部首：斉（せい）

音：サイ　訓：—

筆順：横棒長く／筆順に注意／まっすぐ下ろす

用例：斎場（さいじょう）　潔斎（けっさい）＊　書斎（しょさい）

問題：
- □（さいじょう）で葬儀（そうぎ）を行う。
- □精進（しょうじん）（けっさい）する。
- □（しょさい）で本を読む。

※「さいしょく」とも読む。　＊潔斎＝神事などの前に心身を清めること。

3級

債

13画

部首 亻（にんべん）

音 サイ

訓 ―

短くはらう　最も長く

債権（さいけん）＊　債務（さいむ）　公債（こうさい）　負債（ふさい）

□（さいけん）を回収する。

□（さいむ）を果たす。

□県が（こうさい）を発行する。

□（ふさい）の軽減に努める。

3級

催

13画

部首 亻（にんべん）

音 サイ

訓 もよおす

縦棒が先　「山」は平たく　筆順に注意

催促（さいそく）　催眠（さいみん）　開催（かいさい）　主催（しゅさい）

□小遣（こづか）いを（さいそく）する。

□（さいみん）作用のある香（かお）り。

□書道展を（かいさい）する。

□コンサートを（しゅさい）する。

2級

塞

13画

部首 土（つち）

音 サイ　ソク

訓 ふさぐ　ふさがる

はらう　はらう　筆順に注意

城塞（じょうさい）　要塞（ようさい）　閉塞（へいそく）＊　脳梗塞（のうこうそく）

□堅固（けんご）な（じょうさい）を築く。

□敵の（ようさい）を攻撃（こうげき）する。

□（へいそく）感を打破する。

□（のうこうそく）を治療（ちりょう）する。

「しゅさい」の意味

主宰…人々の上に立って、物事を取りまとめること。

主催…中心になって、会などを開くこと。

似ている漢字に注意

裁（サイ）―栽（サイ）―載（サイ）

送りがなに注意

○ 催（もよお）す

× 催おす

サ行　サイ

＊債権＝他の人に請求（せいきゅう）できる財産上の権利。　＊閉塞＝閉（と）ざされて塞（ふさ）がること。

4級

歳

13画

部首 止（とまる）

音 サイ セイ

訓 ―

筆順 歳 歳 歳 歳 歳 歳 歳 歳 歳 歳 歳 歳 歳

筆順に注意　横棒は一本　忘れない

用例 歳月（さいげつ）　歳入（さいにゅう）*　歳末（さいまつ）　歳暮（せいぼ）

問題
□十年の（さいげつ）が流れる。
□昨年より（さいにゅう）が増える。
□（さいまつ）の大売り出し。
□上司にお（せいぼ）を贈る。

4級

載

13画

部首 車（くるま）

音 サイ

訓 のせる のる

筆順 載 載 載 載 載 載 載 載 載 載 載 載 載

右にのばす　上にはねる

用例 記載（きさい）　掲載（けいさい）　積載（せきさい）　連載（れんさい）

問題
□連絡先を（きさい）する。
□投書が（けいさい）される。
□貨物を船に（せきさい）する。
□新聞の（れんさい）小説を読む。

2級

埼

11画

部首 土（つちへん）

音 ―

訓 さい

筆順 埼 埼 埼 埼 埼 埼 埼 埼 埼 埼 埼

右上にはらう　「大」は小さめに　はねる

用例 埼玉県（さいたまけん）

問題
□祖父母は（さいたまけん）に住んでいる。

4級

剤

10画

部首 刂（りっとう）

音 ザイ

訓 ―

筆順 剤 剤 剤 剤 剤 剤 剤 剤 剤 剤

筆順に注意　左にはらう　まっすぐ下ろす

用例 洗剤（せんざい）　調剤（ちょうざい）　薬剤師（やくざいし）　消化剤（しょうかざい）

問題
□（せんざい）をつけて洗う。
□処方箋（しょほうせん）通りに（ちょうざい）する。
□叔母（おば）は（やくざいし）だ。
□食べ過ぎて（しょうかざい）を飲む。

*歳入＝国や地方公共団体などの，一年間の収入の合計。

崎

準2級

11画

部首 山（やまへん）

音 ―

訓 さき

「大」は小さめに

はねる

宮崎県（みやざきけん）
大間崎（おおまざき）

□［みやざきけん］産のマンゴー。

□［おおまざき］は本州最北端（さいほくたん）の岬（みさき）だ。

削

3級

9画

部首 刂（りっとう）

音 サク

訓 けずる

縦棒から書く

まっすぐ下ろす

はねる

削減（さくげん）
削除（さくじょ）
添削（てんさく）*
削る（けずる）

□経費を［さくげん］する。

□不要な説明を［さくじょ］する。

□生徒の作文を［てんさく］する。

□無駄（むだ）な予算を［けず］る。

柵

2級

9画

部首 木（きへん）

音 サク

訓 ―

縦棒は二本 つらぬく

柵（さく）
鉄柵（てっさく）

□［さく］を越（こ）えて侵入（しんにゅう）する。

□庭園の周りに［てっさく］を巡（めぐ）らせる。

索

準2級

10画

部首 糸（いと）

音 サク

訓 ―

横棒から書く

短くはらう

索引（さくいん）
検索（けんさく）
思索（しさく）
捜索（そうさく）

□参考書の［さくいん］を見る。

□インターネットでの［けんさく］。

□人生について［しさく］する。

□行方（ゆくえ）不明者の［そうさく］。

サ行 サイ≫サク

*添削＝他人の文章などを，書き加えたり削ったりして直すこと。

準2級

酢

部首 酉（とりへん） 12画

音 サク
訓 す

筆順 酢 酢 酢 酢 酢 酢 酢 酢 酢 酢 酢 酢
横棒は二本
まっすぐ下ろす

用例
酢酸（さくさん）
酢の物（すのもの）
甘酢（あまず）
三杯酢（さんばいず）

問題
□実験で（さくさん）を使う。
□夕食に（す）の物が出る。
□野菜を（あまず）に漬ける。
□（さんばいず）を作る。

3級

搾

部首 扌（てへん） 13画

音 （サク）
訓 しぼる

筆順 搾 搾 搾 搾 搾 搾 搾 搾 搾 搾 搾 搾 搾
忘れない
まっすぐ下ろす

用例
搾る（しぼる）

問題
□オリーブの実を（※しぼ）り、油を採る。

3級

錯

部首 金（かねへん） 16画

音 サク
訓 ―

筆順 錯 錯 錯 錯 錯 錯 錯 錯 錯 錯 錯 錯 錯 錯 錯 錯
横棒が先
右上にはらう
上の横棒より長く

用例
錯乱（さくらん）
錯覚（さっかく）
交錯（こうさく）
試行錯誤（しこうさくご）

問題
□（さくらん）状態になる。
□目の（さっかく）を利用した絵。
□不安と期待が（こうさく）する。
□（しこうさくご）を繰り返す。

4級

咲

部首 口（くちへん） 9画

音 ―
訓 さく

筆順 咲 咲 咲 咲 咲 咲 咲 咲 咲
左下に短くはらう
つき出さない
はらう

用例
遅咲き（おそざき）
早咲き（はやざき）
三分咲き（さんぶざき）

問題
□彼は（おそざ）きの俳優だ。
□（はやざ）きの桜を見に行く。
□梅はまだ（さんぶざ）きだ。

刹

2級
8画
部首 刂（りっとう）
音 セツ （サツ）
訓 ―

筆順：短く止める／はねる

刹那*（せつな）

□（せつな）的な生き方を反省する。

拶

2級
9画
部首 扌（てへん）
音 サツ
訓 ―

筆順：右上にはらう／横に三つ並べる

挨拶（あいさつ）

□近所の人と笑顔（えがお）で（あいさつ）を交（か）わす。

撮

3級
15画
部首 扌（てへん）
音 サツ
訓 とる

筆順：長めに書く／まっすぐ下ろす

撮影（さつえい）
空撮（くうさつ）
特撮（とくさつ）
撮（と）る

□記念（さつえい）をする。
□これは（くうさつ）の写真だ。
□（とくさつ）映画を見る。
□証明写真を（と）る。

擦

3級
17画
部首 扌（てへん）
音 サツ
訓 する／すれる

筆順：立てる／二つ書く／はねる

摩擦（まさつ）
擦（す）り傷（きず）
靴擦（くつず）れ

□皮膚（ひふ）を乾布（かんぷ）（まさつ）する。
□膝（ひざ）に（す）り傷をつくる。
□（くつず）れが痛い。

*刹那＝非常に短い時間。一瞬（いっしゅん）。

準2級

桟

10画

部首 木（きへん）

音 サン

訓 ―

筆順 桟 桟 桟 桟 桟 桟 桟 桟 桟 桟

横棒は三本　はねる　忘れない

用例 桟（さん）　桟橋（さんばし）

問題
□障子の〔さん〕を拭（ふ）く。
□〔さんばし〕から、水平線に沈（しず）む夕日を眺（なが）める。

4級

惨

11画

部首 忄（りっしんべん）

音 サン（ザン）

訓 （みじめ）

筆順 惨 惨 惨 惨 惨 惨 惨 惨 惨 惨 惨

筆順に注意　左下に三本はらう

用例 惨劇（さんげき）　惨状（さんじょう）　悲惨（ひさん）

問題
□〔さんげき〕の現場を検証する。
□難民の〔さんじょう〕を伝える。
□〔ひさん〕な光景を目にする。

準2級

傘

12画

部首 へ（ひとやね）

音 （サン）

訓 かさ

筆順 傘 傘 傘 傘 傘 傘 傘 傘 傘 傘 傘 傘

まず「へ」を四つ書く　横棒が先　長くつらぬく

用例 雨傘（あまがさ）　日傘（ひがさ）

問題
□新しい〔あまがさ〕を買う。
□祖母の〔ひがさ〕を差して歩いている姿が思い浮（う）かぶ。

2級

斬

11画

部首 斤（おのづくり）

音 ザン

訓 きる

筆順 斬 斬 斬 斬 斬 斬 斬 斬 斬 斬 斬

二画で書く　まっすぐ下ろす

用例 斬殺（ざんさつ）　斬首（ざんしゅ）　斬新（ざんしん）*

問題
□刀で〔ざんさつ〕するシーン。
□〔ざんしゅ〕の刑（けい）に処される。
□〔ざんしん〕なアイデアを出す。

*斬新＝発想などが飛び抜（ぬ）けて新しい様子。

サ行 サン≫シ

暫

3級 部首 日（ひ） 15画

音 ザン
訓 ―

暫 暫 暫 暫 暫 暫 暫 暫 暫 暫 暫 暫 暫 暫 暫

二画で書く
「日」は小さめに

暫時（ざんじ）
暫定的（ざんていてき）*

□（ざんじ）お待ちください。
□損壊部分に（ざんていてき）な処置を施す。

旨

4級 部首 日（ひ） 6画

音 シ
訓 （むね）

旨 旨 旨 旨 旨 旨

左下にはらう
はねる
「日」はやや小さめに

趣旨（しゅし）
本旨（ほんし）
要旨（ようし）
論旨（ろんし）

□改正の（しゅし）を説明する。
□会の（ほんし）に反する行為。
□談話の（ようし）をまとめる。
□（ろんし）を明らかにする。

伺

4級 部首 亻（にんべん） 7画

音 （シ）
訓 うかがう

伺 伺 伺 伺 伺 伺 伺

はねる
横棒を忘れない

伺（うかが）う
進退伺（しんたいうかが）い

□先生のご意見を（うかが）う。
□進退（うかが）いを出す。

刺

4級 部首 刂（りっとう） 8画

音 シ
訓 さす さされる

刺 刺 刺 刺 刺 刺 刺 刺

はねる
止める
はねる

刺客（しかく）※
刺激（しげき）
名刺（めいし）
刺身（さしみ）

□（しかく）に襲（おそ）われる。
□食欲が（しげき）される。
□（めいし）の交換（こうかん）をする。
□アジの（さしみ）を食べる。

*暫定的＝確定するまで，一時的に定めておく様子。　※「しきゃく」とも読む。

3級

祉

8画

部首 ネ（しめすへん）

音 シ

訓 ―

筆順

祉 祉 祉 祉 祉 祉 祉 祉

縦棒が先　短く止める　筆順に注意

用例

福祉（ふくし）

問題

□社会（ふくし）の充実（じゅうじつ）に力を入れる。

準2級

肢

8画

部首 月（にくづき）

音 シ

訓 ―

筆順

肢 肢 肢 肢 肢 肢 肢 肢

はらう　はねる　はらう

用例

肢体（したい）　下肢（かし）　四肢（しし）*　選択肢（せんたくし）

問題

□均整のとれた（したい）。

□（かし）とは脚部（きゃくぶ）のことだ。

□（しし）を思い切り伸（の）ばす。

□（せんたくし）は四つある。

3級

施

9画

部首 方（かたへん）

音 シ（セ）

訓 ほどこす

筆順

施 施 施 施 施 施 施 施 施

立てる　筆順に注意　上にはねる

用例

施行（しこう）　施政（しせい）　施設（しせつ）　実施（じっし）

問題

□法律が（しこう）される。

□首相（しゅしょう）の（しせい）方針演説。

□公共（しせつ）を利用する。

□バザーを（じっし）する。

2級

恣

10画

部首 心（こころ）

音 シ

訓 ―

筆順

恣 恣 恣 恣 恣 恣 恣 恣 恣 恣

まっすぐ横に　はらう

用例

恣意的（しいてき）*

問題

□（しいてき）な判断で周りを混乱させる。

*四肢＝両手と両足。　*恣意的＝そのときどきの気ままな思いつきである様子。

4級

脂

部首 月（にくづき） 10画

音 シ
訓 あぶら

脂 脂 脂 脂 脂 脂 脂 脂 脂 脂

左下にはらう　左にはらう　はねる

脂肪（しぼう）　樹脂（じゅし）　脱脂綿（だっしめん）　油脂（ゆし）

□［しぼう］の摂取（せっしゅ）を控（ひか）える。
□松ヤニは天然［じゅし］だ。
□清潔な［だっしめん］を使う。
□ゴマ油は食用の［ゆし］だ。

4級

紫

部首 糸（いと） 12画

音 シ
訓 むらさき

紫 紫 紫 紫 紫 紫 紫 紫 紫 紫 紫 紫

右上にはらう　左下にはらう

紫煙（しえん）*　紫外線（しがいせん）　紫紺（しこん）　紫色（むらさきいろ）

□［しえん］をくゆらす。
□［しがいせん］を遮（さえぎ）るシート。
□［しこん］の着物を着る。
□［むらさきいろ］の花が咲（さ）く。

準2級

嗣

部首 口（くち） 13画

音 シ
訓 ―

嗣 嗣 嗣 嗣 嗣 嗣 嗣 嗣 嗣 嗣 嗣 嗣 嗣

「口」は小さめに　縦棒は二本　左右につき出さない

嗣子（しし）　継嗣（けいし）　嫡嗣（ちゃくし）

□家を継（つ）ぐ［しし］の誕生。
□相続人を［けいし］ともいう。
□［ちゃくし］とは、正妻から生まれた子のことだ。

4級

雌

部首 隹（ふるとり） 14画

音 シ
訓 め　めす

雌 雌 雌 雌 雌 雌 雌 雌 雌 雌 雌 雌 雌 雌

右上にはらう　左下にはらう　筆順に注意

雌伏（しふく）*　雌雄（しゆう）　雌牛（めうし）　雌花（めばな）

□［しふく］して時機を待つ。
□［しゆう］を決する。
□［めうし］の乳を搾（しぼ）る。
□雄花（おばな）と［めばな］を観察する。

＊紫煙＝タバコの煙（けむり）。　＊雌伏＝実力を養いながら，活躍（かつやく）の機会を待つこと。

2級
摯
15画
部首 手（て）
音 シ
訓 ―

筆順
横棒は二本　はらいが先　最も長く

用例
真摯（しんし）*

問題
□青年の〔しんし〕な態度に好感をもつ。

準2級
賜
15画
部首 貝（かいへん）
音 （シ）
訓 たまわる

筆順
止める　上に付ける　はねる

用例
賜る（たまわる）

問題
□お祝いの言葉を〔たまわ〕り、ありがとうございます。

3級
諮
16画
部首 言（ごんべん）
音 シ
訓 はかる

筆順
点　右上にはらう　「口」は小さめに

用例
諮問（しもん）
諮る（はかる）*

問題
□文部科学省の〔しもん〕機関。
□修正案を会議に〔はか〕る。

3級
侍
8画
部首 亻（にんべん）
音 ジ
訓 さむらい

筆順
上の横棒より長く　はねる

用例
侍医（じい）
侍従（じじゅう）
侍女（じじょ）
侍（さむらい）

問題
□〔じい〕が殿（との）の脈を診（み）る。
□王に仕える〔じじゅう〕となる。
□〔じじょ〕が王女の髪（かみ）を洗う。
□〔さむらい〕としての誇（ほこ）り。

*真摯＝真面目（まじめ）で熱心なこと。　*諮る＝他の人の意見を聞く。相談する。

準2級

滋

※ 12画 部首 氵（さんずい）

音 ジ
訓 ―

左下に短くはらう
長めに書く

滋味（じみ）
滋養（じよう）

□（じみ）に富む料理。
□（じよう）の多い食品をとる。

3級

慈

13画 部首 心（こころ）

音 ジ
訓 （いつくしむ）

左下に短くはらう
「心」は平たく

慈愛（じあい）
慈雨（じう）
慈善（じぜん）
慈悲（じひ）

□（じあい）に満ちた表情。
□干天の（じう）。
□（じぜん）事業に打ち込む。
□彼女（かのじょ）は（じひ）深（ぶか）い人だ。

2級

餌

※ 15画 部首 飠（しょくへん）

音 （ジ）
訓 えさ
え

筆順に注意
筆順に注意

餌（えさ）
餌食（えじき）
餌付け（えづけ）

□池のコイに（えさ）をやる。
□虎（とら）の（えじき）になる。
□小鳥を（えづ）ける。

書き方に注意

賜 「易」としないように。

似ている漢字に注意

侍（さむらい）にんべん ― 待（まつ）ぎょうにんべん ― 持（もつ）てへん

「干天の慈雨（じう）」の意味

干天の慈雨…①日照り続きの後の、恵（めぐ）みの雨。②待ち望んでいたことの実現や、困っているときのありがたい救いのたとえ。

※音訓はないが，「滋賀県（しがけん）」と書く際にも使う。　※「餌」（14画）も可。

璽 準2級

部首 玉（たま・おう） 19画

音 ジ
訓 ―

筆順 つき出さない 最も長く 忘れない

用例 御璽（ぎょじ） 国璽（こくじ）

問題
□天皇の印章を（ぎょじ）という。
□（こくじ）とは、国のしるしとして用いる印章のことだ。

鹿 2級

部首 鹿（しか） 11画

音 ―
訓 しか か

筆順 立てる 右から左下にはらう 左から右に

用例 鹿（しか） 鹿の子（かのこ）

問題
□山で（しか）に出くわす。
□子供が（か）の子絞（しぼ）りの帯を締（し）めている。

軸 3級

部首 車（くるまへん） 12画

音 ジク
訓 ―

筆順 まっすぐ下ろす 長くつき出す

用例 車軸（しゃじく） 主軸（しゅじく） 地軸（ちじく） 新機軸（しんきじく）

問題
□*（しゃじく）を流すような豪雨（ごうう）。
□チームの（しゅじく）をになう。
□南極と北極を結ぶ（ちじく）。
□（しんきじく）を打ち出す。

叱 2級

※

部首 口（くちへん） 5画

音 シツ
訓 しか**る**

筆順 左から右に 曲げてはねる

用例 叱責（しっせき） 叱咤（しった） 叱る（しかる）

問題
□部下を厳しく（しっせき）する。
□選手を（しっ）咤（た）激励（げきれい）する。
□不誠実な態度を（しか）る。

＊車軸を流す＝雨が激しく降る様子のたとえ。 ※「𠮟」も可。

3級

疾

部首 疒（やまいだれ）10画

音 シツ
訓 ―

立てる　はらう　つき出さない

疾患（しっかん）　疾走（しっそう）　疾風（しっぷう）　悪疾（あくしつ）

□呼吸器に（しっかん）がある。
□選手が全力（しっそう）する。
□（しっぷう）が吹き荒れる。
□（あくしつ）をわずらう。

4級

執

部首 土（つち）11画

音 シツ　シュウ
訓 とる

上の横棒より長く　縦画が先　曲げてはねる

執筆（しっぴつ）　執務（しつむ）　執着（しゅうちゃく）　執念（しゅうねん）

□新作の（しっぴつ）に取り組む。
□社長は今、（しつむ）中だ。
□地位に（しゅうちゃく）する。
□勝利への（しゅうねん）を見せる。

3級

湿

部首 氵（さんずい）12画

音 シツ
訓 しめる　しめす

縦棒は二本　右下に　左下に

湿地（しっち）　湿度（しつど）　除湿機（じょしつき）　湿り気（しめりけ）

□水鳥が（しっち）に集まる。
□今日は（しつど）が高い。
□（じょしつき）を作動させる。
□土に（しめ）り気がある。

2級

嫉

部首 女（おんなへん）13画

音 シツ
訓 ―

右上に　つき出さない

嫉妬（しっと）

□友人の強運に（しっと）心を覚える。

漆

準2級

部首 氵(さんずい) 14画

音 シツ
訓 うるし

筆順 漆 漆 漆 漆 漆 漆 漆 漆 漆 漆 漆 漆 漆 漆

短めに書く　はらう　止める　四画で書く

用例
漆器（しっき）
漆黒（しっこく）
漆塗り（うるしぬり）

問題
□この重箱は（しっき）だ。
□（しっこく）の髪が美しい。
□（うるしぬ）りの盆を買う。

芝

4級

部首 艹(くさかんむり) 6画

音 ―
訓 しば

筆順 芝 芝 芝 芝 芝 芝

立てる　長くはらう　二画で書く

用例
芝（しば）
芝居（しばい）

問題
□庭の（しば）を刈る。
□祖母はよく（しばい）を見に行く。

赦

3級

部首 赤(あか) 11画

音 シャ
訓 ―

筆順 赦 赦 赦 赦 赦 赦 赦 赦 赦 赦 赦

はねる　二画で書く

用例
赦免（しゃめん）
恩赦（おんしゃ）
大赦（たいしゃ）
容赦（ようしゃ）

問題
□罪を（しゃめん）される。
□（おんしゃ）で刑が軽くなる。
□（たいしゃ）で出所する。
□どうかご（ようしゃ）ください。

斜

4級

部首 斗(と・とます) 11画

音 シャ
訓 ななめ

筆順 斜 斜 斜 斜 斜 斜 斜 斜 斜 斜 斜

つき出さない　止める　長くまっすぐ下ろす

用例
斜線（しゃせん）
斜面（しゃめん）
斜陽（しゃよう）*
傾斜（けいしゃ）

問題
□誤字を（しゃせん）で消す。
□緩やかな（しゃめん）を滑る。
□（しゃよう）産業を憂える。
□（けいしゃ）の急な坂道。

*斜陽＝栄えていたものが次第に落ちぶれること。

4級

煮

12画

部首 灬（れんが・れっか）

音 （シャ）

訓 にる　にえる　にやす

筆順：右上から長くはらう／左下に向けて打つ／右下に向けて三つ打つ

煮物（にもの）　煮やす（に）　雑煮（ぞうに）　生煮え（なまに）

□母の（にもの）はおいしい。
□回答がなく業を*（に）やす。
□正月に（ぞうに）を食べる。
□（なまに）えのじゃが芋。

準2級

遮

14画

部首 辶（しんにょう・しんにゅう）

音 シャ

訓 さえぎる

筆順：立てる／筆順に注意／一画で書く

遮光（しゃこう）　遮断（しゃだん）　遮る（さえぎ）

□カーテンで（しゃこう）する。
□交通を一時（しゃだん）する。
□相手の話を（さえぎ）って、自分のことを話し始める。

3級

邪

8画

部首 阝（おおざと）

音 ジャ

訓 ―

筆順：筆順に注意／三画で書く

邪悪（じゃあく）　邪推（じゃすい）　邪道（じゃどう）　無邪気（むじゃき）

□（じゃあく）な考えを捨てる。
□相手の言葉を（じゃすい）する。
□その方法は（じゃどう）だ。
□子供の（むじゃき）な笑顔（えがお）。

「恩赦（おんしゃ）」の意味

恩赦…国の祝いごとなどの際に、特別に犯罪人の刑（けい）を免除（めんじょ）したり、軽減したりすること。「大赦（たいしゃ）」は恩赦の一つ。

送りがなに注意

○ 遮（さえぎ）る
× 遮ぎる

「邪推（じゃすい）」の意味

邪推…他人の言動を悪い方へ推測すること。ひがみから、相手が自分に対し悪意をもっていると考えること。

*業を煮やす＝物事が思うように運ばなくて，腹を立てる。

蛇

準2級

部首 虫(むしへん) 11画

音 ジャ・ダ
訓 へび

筆順 蛇（右上にはらう・左下にはらう・曲げてはねる）

用例 蛇口(じゃぐち)・蛇行(だこう)・大蛇(だいじゃ)・長蛇(ちょうだ)

問題
□（じゃぐち）をひねる。
□道が（だこう）している。
□山道に（だいじゃ）が現れる。
□人々が（ちょうだ）の列を作る。

酌

準2級

部首 酉(とりへん) 10画

音 シャク
訓 (くむ)

筆順 酌（曲げる・はねる・右下に向けて打つ）

用例 手酌(てじゃく)・媒酌人(ばいしゃくにん)・晩酌(ばんしゃく)・情状酌量(じょうじょうしゃくりょう)*

問題
□父が（てじゃく）で飲んでいる。
□仲人(なこうど)を（ばいしゃくにん）ともいう。
□父は（ばんしゃく）を欠かさない。
□（じょうじょうしゃくりょう）の余地がある。

釈

4級

部首 釆(のごめへん) 11画

音 シャク
訓 —

筆順 釈（左下にはらう・短く止める・はらう）

用例 釈放(しゃくほう)・釈明(しゃくめい)・解釈(かいしゃく)・注釈(ちゅうしゃく)

問題
□容疑者を（しゃくほう）する。
□発言について（しゃくめい）する。
□自分なりの（かいしゃく）を述べる。
□専門用語の（ちゅうしゃく）を読む。

爵

準2級

部首 爫(つめかんむり) 17画

音 シャク
訓 —

筆順 爵（左下に長くはらう・「罒」は平たく・短く止める）

用例 爵位(しゃくい)・男爵(だんしゃく)・伯爵(はくしゃく)

問題
□（しゃくい）を授(さず)けられる。
□（だんしゃく）の屋敷(やしき)を訪ねる。
□（はくしゃく）夫人と話す。

*情状酌量＝裁判官が犯罪の同情すべき事情を認めて，刑(けい)を軽減すること。

4級
寂
部首 宀（うかんむり） 11画
音 ジャク（セキ）
訓 さび　さびしい　さびれる

筆順に注意
止める

閑寂（かんじゃく）
静寂（せいじゃく）
寂しさ（さびしさ）
寂れる（さびれる）

□（かんじゃく）な住宅街に住む。
□辺りが（せいじゃく）に包まれる。
□（さび）しさに耐える。
□（さび）れた商店街を歩く。

4級
朱
部首 木（き） 6画
音 シュ
訓 —

上の横棒より長く
つき出す

朱（しゅ）
朱肉（しゅにく）
朱塗り（しゅぬり）
朱筆（しゅひつ）※

□（しゅ）に交われば赤くなる。
□判子と（しゅにく）をそろえる。
□（しゅぬ）りの箸を買う。
□原稿に（しゅひつ）を入れる。

4級
狩
部首 犭（けものへん） 9画
音 シュ
訓 かる　かり

左下にはらう
はねる

狩猟（しゅりょう）
狩り（かり）

□犬を連れ（しゅりょう）に出かける。
□ブドウ（が）りに行く。

3級
殊
部首 歹（かばねへん） 10画
音 シュ
訓 こと

上の横棒より長く
つき出す

殊勝（しゅしょう）＊
特殊（とくしゅ）
殊に（ことに）
殊の外（ことのほか）

□（しゅしょう）なことを言う。
□（とくしゅ）な技術が必要だ。
□薄墨（うすずみ）の桜が（こと）に好きだ。
□今日は（こと）の外暑い。

※「しゅふで」とも読む。　＊殊勝＝けなげで感心なこと。

珠 準2級

部首 王（たま・おうへん） 10画

音 シュ
訓 ―

筆順：珠（右上にはらう／上の横棒より長く／つき出す）

用例：珠玉（しゅぎょく）　珠算*（しゅざん）　真珠（しんじゅ）　文珠（もんじゅ）

問題
□これは〔しゅぎょく〕の名作だ。
□姉は〔しゅざん〕が得意だ。
□〔しんじゅ〕の指輪をする。
□三人寄れば〔もんじゅ〕の知恵（ちえ）。

腫 2級

部首 月（にくづき） 13画

音 シュ
訓 はれる　はらす

筆順：腫（はらう／最も長く）

用例：腫瘍（しゅよう）　腫（は）れ物（もの）　腫（は）らす

問題
□手術で〔しゅよう〕を切除する。
□〔は〕れ物に触（さわ）るようだ。
□目を赤く泣き〔は〕らす。

趣 4級

部首 走（そうにょう） 15画

音 シュ
訓 おもむき

筆順：趣（長くはらう／止める）

用例：趣向（しゅこう）　趣味（しゅみ）　野趣（やしゅ）　趣（おもむき）

問題
□〔しゅこう〕を凝（こ）らした催（もよお）し。
□母は園芸が〔しゅみ〕だ。
□〔やしゅ〕に富む庭。
□〔おもむき〕のある風景を撮（と）る。

寿 3級

部首 寸（すん） 7画

音 ジュ
訓 ことぶき

筆順：寿（筆順に注意／最も長く／つき出す）

用例：寿命（じゅみょう）　長寿（ちょうじゅ）　天寿（てんじゅ）　米寿*（べいじゅ）

問題
□〔じゅみょう〕が縮まるほど驚（おどろ）く。
□〔ちょうじゅ〕の秘けつを尋（たず）ねる。
□〔てんじゅ〕を全うする。
□祖父の〔べいじゅ〕を祝う。

*珠算＝そろばんで行う計算。　*米寿＝八十八歳（さい）。また，その祝いのこと。

2級

呪

8画

部首 口（くちへん）

音 ジュ
訓 のろう

「口」は小さめに
曲げてはねる

呪縛（じゅばく）
呪文（じゅもん）
呪う（のろう）

□罪悪感の（じゅばく）を解かれる。
□（じゅもん）を唱える。
□生来の不運を（のろ）う。

4級

需

14画

部首 雨（あめかんむり）

音 ジュ
訓 —

はらう
短めに書く
縦棒は二本

需給（じゅきゅう）
需要（じゅよう）
内需（ないじゅ）
必需品（ひつじゅひん）

□（じゅきゅう）のバランスを取る。
□マスクの（じゅよう）が高まる。
□（ないじゅ）拡大を図（はか）る。
□生活（ひつじゅひん）をそろえる。

準2級

儒

16画

部首 亻（にんべん）

音 ジュ
訓 —

はらう
短めに書く
縦棒は二本

儒学（じゅがく）
儒教（じゅきょう）
儒者（じゅしゃ）

□（じゅがく）の思想を学ぶ。
□孔子（こうし）は（じゅきょう）の始祖だ。
□（じゅしゃ）が教えを説く。

準2級

囚

5画

部首 口（くにがまえ）

音 シュウ
訓 —

はらう
最後に閉じる

囚人（しゅうじん）
模範囚（もはんしゅう）

□弁護士が（しゅうじん）と面会する。
□（もはんしゅう）とされて、刑期（けいき）が短くなる。

舟

4級

部首 舟（ふね） 6画

音 シュウ
訓 ふね・ふな

筆順

はらう　はねる　筆順に注意

用例

- 舟運（しゅううん）*
- 舟行（しゅうこう）
- 舟艇（しゅうてい）*
- ささ舟（ぶね）

問題

- □〔しゅううん〕の便がよい。
- □河口まで〔しゅうこう〕する。
- □大型船から〔しゅうてい〕に移る。
- □ささ〔ぶね〕を川に浮（う）かべる。

秀

4級

部首 禾（のぎ） 7画

音 シュウ
訓 （ひいでる）

筆順

短めに　はらいが先　はねる　一画で書く

用例

- 秀逸（しゅういつ）
- 秀才（しゅうさい）
- 秀作（しゅうさく）
- 優秀（ゆうしゅう）

問題

- □この論文は〔しゅういつ〕だ。
- □彼女（かのじょ）は〔しゅうさい〕だ。
- □賞を取った〔しゅうさく〕が並ぶ。
- □〔ゆうしゅう〕な成績を収める。

臭

準2級

部首 自（みずから） 9画

音 シュウ
訓 くさい・におう

筆順

長めに書く　はらう　はらう

用例

- 臭気（しゅうき）
- 悪臭（あくしゅう）
- 防臭（ぼうしゅう）
- 無臭（むしゅう）

問題

- □鼻をつく〔しゅうき〕が漂（ただよ）う。
- □生ごみが〔あくしゅう〕を放つ。
- □炭には〔ぼうしゅう〕効果がある。
- □無味〔むしゅう〕の透明（とうめい）な液体。

袖

2級

部首 衤（ころもへん） 10画

音 （シュウ）
訓 そで

筆順

はらいが先　長くつき出す

用例

- 袖口（そでぐち）
- 半袖（はんそで）
- 振（ふ）り袖（そで）

問題

- □〔そでぐち〕が汚（よご）れる。
- □〔はんそで〕のシャツを着る。
- □振（ふ）り〔そで〕を着て出かける。

*舟運＝舟による交通や輸送。　*舟艇＝小型の船。

羞
2級 11画
部首 𦍌（ひつじ）
音 シュウ
訓 —
最も長く／つらぬく／筆順に注意
羞恥心（しゅうちしん）
□（しゅうちしん）がないかのような言動にあきれる。

愁
準2級 13画
部首 心（こころ）
音 シュウ
訓 （うれえる）（うれい）
短く止める／はらう／「心」は平たく
愁傷（しゅうしょう） 哀愁（あいしゅう） 郷愁（きょうしゅう） 旅愁（りょしゅう）
□ご（しゅうしょう）さまです。
□（あいしゅう）に満ちた表情。
□外国で（きょうしゅう）に駆（か）られる。
□（りょしゅう）に浸（ひた）る。

酬
準2級 13画
部首 酉（とりへん）
音 シュウ
訓 —
曲げる／左にはらう／まっすぐ下ろす
応酬（おうしゅう） 報酬（ほうしゅう）
□会議で議論の（おうしゅう）が続く。
□働きに応じた（ほうしゅう）を受け取る。

醜
準2級 17画
部首 酉（とりへん）
音 シュウ
訓 みにくい
曲げる／曲げてはねる
醜悪（しゅうあく） 醜態（しゅうたい） 醜聞（しゅうぶん）* 美醜（びしゅう）
□金銭を巡（めぐ）る（しゅうあく）な争い。
□人前で（しゅうたい）をさらす。
□週刊誌が（しゅうぶん）を流す。
□外観の（びしゅう）にこだわる。

＊醜聞＝名誉（めいよ）や人格を傷つけるような，よくないうわさ。スキャンダル。

蹴
2級
19画
部首 ⻊（あしへん）
音 シュウ
訓 ける

筆順
右上にはらう
曲げてはねる

用例
蹴球（しゅうきゅう）
一蹴（いっしゅう）*
蹴飛ばす（けとばす）

問題
□サッカーなどを（しゅうきゅう）という。
□対戦相手を（いっしゅう）する。
□ボールを（けと）ばす。

襲
4級
22画
部首 衣（ころも）
音 シュウ
訓 おそう

筆順
まっすぐ下ろす
筆順に注意

用例
襲撃（しゅうげき）
襲名（しゅうめい）
襲来（しゅうらい）
踏襲（とうしゅう）

問題
□敵の陣営（じんえい）を（しゅうげき）する。
□歌舞伎（かぶき）役者の（しゅうめい）披露（ひろう）。
□敵の（しゅうらい）に備える。
□先代の方針を（とうしゅう）する。

汁
準2級
5画
部首 氵（さんずい）
音 ジュウ
訓 しる

筆順
右上にはらう
横棒が先
まっすぐ下ろす

用例
果汁（かじゅう）
苦汁（くじゅう）
墨汁（ぼくじゅう）
汁粉（しるこ）

問題
□ブドウの（かじゅう）を搾（しぼ）る。
□敗北の（くじゅう）をなめる。
□筆先を（ぼくじゅう）につける。
□お（しるこ）を注文する。

充
準2級
6画
部首 儿（にんにょう・ひとあし）
音 ジュウ
訓 （あてる）

筆順
長めに書く
曲げてはねる

用例
充実（じゅうじつ）
充足（じゅうそく）
充電（じゅうでん）
補充（ほじゅう）

問題
□（じゅうじつ）した日々を送る。
□（じゅうそく）感を得る。
□バッテリーを（じゅうでん）する。
□欠員を（ほじゅう）する。

*一蹴＝相手を簡単に負かすこと。要求などを問題にしないではねつけること。

4級

柔

部首 木（き） 9画

音 ジュウ ニュウ
訓 やわらか やわらかい

柔柔柔柔柔柔柔柔柔
長めに書いてはらう
忘れない
長めに書く

柔道（じゅうどう） 柔軟（じゅうなん） 柔弱（にゅうじゃく） 柔和（にゅうわ）

□父は（じゅうどう）二段だ。
□（じゅうなん）体操をする。
□（にゅうじゃく）な精神を鍛（きた）える。
□（にゅうわ）な表情の聖母像。

準2級

渋

部首 氵（さんずい） 11画

音 ジュウ
訓 しぶ しぶい しぶる

渋渋渋渋渋渋渋渋渋渋渋
長めに書く
向きに注意
渋渋 向きに注意

渋滞（じゅうたい） 苦渋（くじゅう） 茶渋（ちゃしぶ） 渋（しぶ）る

□事故で交通が（じゅうたい）する。
□（くじゅう）の決断を下す。
□湯飲みの（ちゃしぶ）を取る。
□出資を（しぶ）る。

準2級

銃

部首 金（かねへん） 14画

音 ジュウ
訓 ―

銃銃銃銃銃銃銃銃銃銃銃銃銃銃
右上にはらう
曲げてはねる

銃口（じゅうこう） 銃声（じゅうせい） 銃弾（じゅうだん） 猟銃（りょうじゅう）

□（じゅうこう）を向ける。
□森に（じゅうせい）が響（ひび）く。
□壁（かべ）に（じゅうだん）の跡（あと）がある。
□（りょうじゅう）をかついで出かける。

書き方に注意

襲 横棒は三本。二本などにしない。 忘れない

「くじゅう」の意味

苦汁…つらい経験。苦しい経験。
苦渋…苦しみ悩（なや）むこと。
○ 苦汁をなめる
× 苦渋をなめる

送りがなに注意

○ 柔（やわ）らかい
× 柔かい
× 柔い

4級

獣

16画

部首 犬（いぬ）

音 ジュウ
訓 けもの

筆順 獣 獣 獣 獣 獣 獣 獣 獣 獣 獣 獣 獣 獣 獣 獣 獣
左下にはらう　横棒を忘れない　「口」は小さめに　忘れない

用例
獣医（じゅうい）
猛獣（もうじゅう）
野獣（やじゅう）
獣道（けものみち）

問題
□父の職業は（じゅうい）だ。
□サーカスの（もうじゅう）使い。
□（やじゅう）のように荒々しい。
□山の（けものみち）をたどる。

準2級

叔

8画

部首 又（また）

音 シュク
訓 —

筆順 叔 叔 叔 叔 叔 叔 叔 叔
筆順に注意　止める　はらう

用例
伯叔（はくしゅく）

問題
□父母の兄と弟を（はくしゅく）という。

準2級

淑

11画

部首 氵（さんずい）

音 シュク
訓 —

筆順 淑 淑 淑 淑 淑 淑 淑 淑 淑 淑 淑
筆順に注意　止める　はらう

用例
淑女（しゅくじょ）
私淑（ししゅく）*
貞淑（ていしゅく）

問題
□紳士（しんし）（しゅくじょ）の皆さん。
□（ししゅく）する小説家がいる。
□彼女は（ていしゅく）な女性だ。

準2級

粛

11画

部首 聿（ふでづくり）

音 シュク
訓 —

筆順 粛 粛 粛 粛 粛 粛 粛 粛 粛 粛 粛
長めに書く　つらぬく　筆順に注意　まっすぐ下ろす

用例
粛清（しゅくせい）
厳粛（げんしゅく）
自粛（じしゅく）
静粛（せいしゅく）

問題
□反対派を（しゅくせい）する。
□式が（げんしゅく）に行われる。
□派手な催しを（じしゅく）する。
□皆さん、（せいしゅく）に。

*私淑＝直接教えは受けないが，ひそかにその人を師として，手本とすること。

準2級

塾

14画

部首 土（つち）

音 ジュク
訓 ―

右上にはらう
はらいが先
上の横棒より長く

- 塾生（じゅくせい）
- 私塾（しじゅく）
- 入塾（にゅうじゅく）
- 学習塾（がくしゅうじゅく）

- □【　　】（じゅくせい）に慕（した）われる。
- □自宅で【　　】（しじゅく）を開く。
- □【　　】（にゅうじゅく）テストを受ける。
- □【　　】（がくしゅうじゅく）に通う。

準2級

俊

9画

部首 亻（にんべん）

音 シュン
訓 ―

曲げる
はらう

- 俊英（しゅんえい）*
- 俊才（しゅんさい）
- 俊足（しゅんそく）
- 俊敏（しゅんびん）

- □彼（かれ）は語学の【　　】（しゅんえい）だ。
- □【　　】（しゅんさい）として知られる。
- □【　　】（しゅんそく）の選手がそろう。
- □【　　】（しゅんびん）な動きを見せる。

4級

瞬

18画

部首 目（めへん）

音 シュン
訓 （またたく）

忘れない
筆順・形に注意

- 瞬間（しゅんかん）
- 瞬時（しゅんじ）
- 瞬発力（しゅんぱつりょく）
- 一瞬（いっしゅん）

- □決定的【　　】（しゅんかん）を撮（と）る。
- □【　　】（しゅんじ）に事態を把握（はあく）する。
- □【　　】（しゅんぱつりょく）を発揮する。
- □【　　】（いっしゅん）、耳を疑った。

4級

旬

6画

部首 日（ひ）

音 ジュン
　 シュン
訓 ―

左下にはらう
はねる

- 旬（しゅん）
- 下旬（げじゅん）
- 初旬（しょじゅん）
- 上旬（じょうじゅん）

- □【　　】（しゅん）の野菜を食べる。
- □十二月も【　　】（げじゅん）に入った。
- □来月の【　　】（しょじゅん）に会おう。
- □八月【　　】（じょうじゅん）に旅行する。

*俊英＝才能などが人より特に優（すぐ）れていること。また，その人。

4級

巡

部首 巛（かわ） 6画

音 ジュン
訓 めぐる

筆順
一画で書く
長くはらう

用例
巡回（じゅんかい）
巡業（じゅんぎょう）
巡礼（じゅんれい）
一巡（いちじゅん）

問題
□警官が町を（じゅんかい）する。
□劇団が地方（じゅんぎょう）をする。
□四国八十八箇所（かしょ）の（※じゅんれい）。
□打順が（いちじゅん）する。

4級

盾

部首 目（め） 9画

音 ジュン
訓 たて

筆順
二画で書く
横棒が先

用例
矛盾（むじゅん）
盾（たて）
後ろ盾（うしろだて）

問題
□（むじゅん）を指摘（してき）する。
□（たて）を構える。
□強力な後ろ（だて）を得る。

準2級

准

部首 冫（にすい） 10画

音 ジュン
訓 ―

筆順
点は一つ
筆順に注意

用例
准教授（じゅんきょうじゅ）
准将（じゅんしょう）
批准*（ひじゅん）

問題
□（じゅんきょうじゅ）の講義を受ける。
□（じゅんしょう）が大佐（たいさ）に指令を出す。
□和平条約を（ひじゅん）する。

準2級

殉

部首 歹（かばねへん） 10画

音 ジュン
訓 ―

筆順
はらう
はねる

用例
殉死（じゅんし）
殉職（じゅんしょく）
殉難（じゅんなん）

問題
□（じゅんし）した家臣。
□警官が（じゅんしょく）する。
□（じゅんなん）の士のために祈（いの）る。

※「順礼」とも書く。　*批准＝条約に対して，国家が最終的に確認（かくにん）して，同意すること。

準2級

循

12画

部首 彳（ぎょうにんべん）

音 ジュン
訓 —

循環（じゅんかん）
因循（いんじゅん）

□血液の（じゅんかん）がよくなる。
□（いんじゅん）な態度でなかなか結論を出さない。

3級

潤

15画

部首 氵（さんずい）

音 ジュン
訓 うるおう うるおす うるむ

潤沢＊（じゅんたく）
湿潤（しつじゅん）
利潤（りじゅん）
潤う（うるおう）

□（じゅんたく）な資金で起業する。
□（しつじゅん）な気候の土地。
□（りじゅん）を追求する。
□雨が降り、大地が（うるお）う。

3級

遵

15画

部首 辶（しんにょう・しんにゅう）

音 ジュン
訓 —

遵守（じゅんしゅ）
遵法（じゅんぽう）

□交通法規を（※じゅんしゅ）する。
□（※じゅんぽう）精神を教える。

特別な読み方

お巡（まわ）りさん…巡査（じゅんさ）（警察官）を親しんで呼ぶ言葉。

「因循（いんじゅん）」の意味

因循…①古い習慣や方法に従うばかりで、改めようとしないこと。②決断ができず、ぐずぐずしていること。

送りがなに注意

○ 潤（うるお）う
× 潤おう

＊潤沢＝ものが豊富にあること。 ※「順守」とも書く。 ※「順法」とも書く。

庶
準2級
部首 广（まだれ） 11画
音 ショ
訓 —

筆順：庶 庶 庶 庶 庶 庶 庶 庶 庶 庶 庶（立てる／筆順に注意）

用例：庶民的（しょみんてき）　庶務（しょむ）

問題
□（しょみんてき）な食堂に入る。
□（しょむ）課が事務用品を補（ほ）充（じゅう）する。

緒
準2級
部首 糸（いとへん） 14画
音 ショ／チョ
訓 お

筆順：緒 緒 緒 緒 緒 緒 緒 緒 緒 緒 緒 緒 緒 緒（止める／長めに書く／右上から左下にはらう）

用例：一緒（いっしょ）　由緒（ゆいしょ）　情緒（じょうちょ）※　鼻緒（はなお）

問題
□友達と（いっしょ）に通学する。
□ここは（ゆいしょ）ある神社だ。
□異国（じょうちょ）あふれる街。
□下駄（げた）の（はなお）が切れる。

如
3級
部首 女（おんなへん） 6画
音 ジョ／（ニョ）
訓 —

筆順：如 如 如 如 如 如（止める／やや右上に）

用例：如才（じょさい）ない　欠如（けつじょ）　突如（とつじょ）　面目躍如（めんもくやくじょ）※

問題
□（じょさい）なく振（ふ）る舞（ま）う。
□配慮（はいりょ）が（けつじょ）している。
□（とつじょ）、会議が開かれる。
□（めんもくやくじょ）たる勝利。

叙
準2級
部首 又（また） 9画
音 ジョ
訓 —

筆順：叙 叙 叙 叙 叙 叙 叙 叙 叙（止める／つき出さない／はらう）

用例：叙勲（じょくん）　叙述（じょじゅつ）　叙情詩（じょじょうし）　自叙伝（じじょでん）

問題
□春の（じょくん）の勲章（くんしょう）受章者。
□出来事を（じょじゅつ）する。
□（じょじょうし）を読み味わう。
□人気歌手の（じじょでん）。

※「じょうしょ」とも読む。　※「めんぼくやくじょ」とも読む。

徐

3級

10画

部首 彳（ぎょうにんべん）

音 ジョ
訓 ―

止める
つき出さない
はねる

徐行（じょこう）
徐徐（じょじょ）に

□駅近くで列車が〔じょこう〕する。
□雨が〔じょじょ〕に弱まる。

升

準2級

4画

部首 十（じゅう）

音 ショウ
訓 ます

左にはらう
長めに書く
まっすぐ下ろす

一升瓶（いっしょうびん）*
升（ます）
升目（ますめ）

□日本酒の〔いっしょうびん〕を運ぶ。
□米を〔ます〕で量る。
□原稿（げんこう）用紙の〔ますめ〕。

召

4級

5画

部首 口（くち）

音 ショウ
訓 めす

はねる
つき出さない

召喚（しょうかん）
召集（しょうしゅう）
召（め）し上（あ）がる

□証人を〔しょうかん〕する。
□国会を〔しょうしゅう〕する。
□どうぞ〔め〕し上がれ。

匠

3級

6画

部首 匚（はこがまえ）

音 ショウ
訓 ―

二画で書く
まっすぐ下ろす
一画で書く

意匠（いしょう）*
巨匠（きょしょう）
師匠（ししょう）
名匠（めいしょう）

□〔いしょう〕を凝（こ）らした展示。
□映画界の〔きょしょう〕の作品。
□〔ししょう〕の教えを守る。
□〔めいしょう〕の手による焼き物。

*一升＝約1.8リットル。　*意匠＝作品を作るときなどの創意や工夫（くふう）。

床
4級

部首 广（まだれ） 7画

音 ショウ
訓 とこ ゆか

筆順 床床床床床床床（立てる／左にはらう）

用例
起床（きしょう）
病床（びょうしょう）
床の間（とこのま）
床下（ゆかした）

問題
□六時半に（きしょう）する。
□（びょうしょう）に就いて久しい。
□（とこ）の間に花を飾る。
□（ゆかした）に収納庫がある。

抄
準2級

部首 扌（てへん） 7画

音 ショウ
訓 ―

筆順 抄抄抄抄抄抄抄（右上にはらう／長くはらう）

用例
抄訳（しょうやく）*
抄録（しょうろく）
戸籍抄本（こせきしょうほん）

問題
□外国作品の（しょうやく）を読む。
□新聞記事を（しょうろく）する。
□（こせきしょうほん）を取り寄せる。

消
準2級

部首 月（にくづき） 7画

音 ショウ
訓 ―

筆順 肖肖肖肖肖肖肖（縦棒から書く／まっすぐ下ろす／はねる）

用例
肖像画（しょうぞうが）
不肖（ふしょう）

問題
□ベートーベンの（しょうぞうが）。
□（ふしょう）ながら努力いたします。

尚
準2級

部首 ⺌（しょう） 8画

音 ショウ
訓 ―

筆順 尚尚尚尚尚尚尚尚（縦棒から書く／はねる）

用例
高尚（こうしょう）
時期尚早（じきしょうそう）

問題
□（こうしょう）な趣味（しゅみ）をもつ。
□調査結果を世間に公表するのは（じきしょうそう）だ。

*抄訳＝原文の一部を抜（ぬ）き出して翻訳（ほんやく）すること。またその訳文。

3級

昇

部首 日（ひ） 8画

音 ショウ
訓 のぼる

昇 筆順に注意 左にはらう 長めに書く

昇格（しょうかく）　昇級（しょうきゅう）　昇進（しょうしん）　上昇（じょうしょう）

□支配人に（しょうかく）する。
□（しょうきゅう）試験を受ける。
□部長に（しょうしん）する。
□気温が（じょうしょう）する。

4級

沼

部首 氵（さんずい） 8画

音（ショウ）
訓 ぬま

沼 はねる つき出さない

沼地（ぬまち）　泥沼（どろぬま）

□（ぬまち）にすむ生き物。
□対立は（どろぬま）の争いに発展した。

準2級

宵

部首 宀（うかんむり） 10画

音（ショウ）
訓 よい

宵 筆順に注意 まっすぐ下ろす はねる

宵の口（よいのくち）＊　宵の明星（よいのみょうじょう）

□まだ（よい）の口だ。
□日没後（にちぼつご）、西の空に明るく輝（かがや）く金星を、（よい）の明星（みょうじょう）という。

準2級

症

部首 疒（やまいだれ） 10画

音 ショウ
訓 —

症 立てる 右上に 筆順に注意

症状（しょうじょう）　炎症（えんしょう）　軽症（けいしょう）　後遺症（こういしょう）

□風邪（かぜ）の（しょうじょう）が出る。
□傷口が（えんしょう）を起こす。
□妹の病気は（けいしょう）だった。
□病気の（こういしょう）はない。

＊宵の口＝日が暮れて間もないころ。夜のまだふけないころ。

祥

準2級

部首 ネ（しめすへん） 10画

音 ショウ
訓 —

筆順：祥（点／縦棒が先／まっすぐ下ろす）

用例：発祥（はっしょう）　不祥事（ふしょうじ）

問題
□黄河（こうが）文明（はっしょう）の地。
□（ふしょうじ）を起こした職員を免職（めんしょく）する。

称

4級

部首 禾（のぎへん） 10画

音 ショウ
訓 —

筆順：称（短く止める／はねる／止める）

用例：称号（しょうごう）　称賛（しょうさん）　対称（たいしょう）　名称（めいしょう）

問題
□名誉（めいよ）博士の（しょうごう）を得る。
□批評家に（しょうさん）※される。
□左右（たいしょう）の図形。
□正式な（めいしょう）で呼ぶ。

渉

準2級

部首 氵（さんずい） 11画

音 ショウ
訓 —

筆順：渉（長めに書く／長くはらう）

用例：渉外（しょうがい）＊　干渉（かんしょう）　交渉（こうしょう）

問題
□（しょうがい）係（がかり）が他校へ連絡（れんらく）する。
□私生活に（かんしょう）する。
□取り引きの（こうしょう）をする。

紹

4級

部首 糸（いとへん） 11画

音 ショウ
訓 —

筆順：紹（止める／つき出さない）

用例：紹介（しょうかい）

問題
□部活の試合を見にきた両親に、仲間を（しょうかい）する。

＊渉外＝外部と連絡や交渉をすること。

※「賞賛」とも書く。

訟
準2級

部首 言（ごんべん） 11画

音 ショウ
訓 —

点 / 付けない / はらう

訴訟（そしょう）

□損害賠償（ばいしょう）を求めて〔　　　〕（そしょう）を起こす。

掌
3級

部首 手（て） 12画

音 ショウ
訓 —

縦棒から書く / 「口」は平たく / 上の横棒より長く

掌握（しょうあく）*
掌中（しょうちゅう）
車掌（しゃしょう）
分掌（ぶんしょう）

□部下を完全に〔　　　〕（しょうあく）する。
□実権を〔　　　〕（しょうちゅう）に収める。
□〔　　　〕（しゃしょう）さんに尋（たず）ねる。
□業務を二課で〔　　　〕（ぶんしょう）する。

晶
3級

部首 日（ひ） 12画

音 ショウ
訓 —

三つの「日」の大きさをほぼ同じに

液晶（えきしょう）
結晶（けっしょう）
水晶（すいしょう）

□〔　　　〕（えきしょう）テレビを買う。
□雪の〔　　　〕（けっしょう）を見る。
□〔　　　〕（すいしょう）のブレスレット。

「たいしょう」の意味

対称…互（たが）いに対応して釣（つ）り合っていること。例左右対称の図形。
対象…働きかける目標となるもの。例調査の対象。
対照…①二つのものを照らし合わせて比べること。②二つのものを並べたとき、違（ちが）いがはっきりしていること。例対照的な性格の姉妹（しまい）。

「しょうかい」の意味

紹介…知らない人どうしの間に入り、引き合わせること。
照会…問い合わせて確認（かくにん）すること。

*掌握＝自分の思うままに動かせるようにすること。自分の支配下におくこと。

焦

3級

部首 灬（れんが・れっか） 12画

音 ショウ
訓 こげる　こがす　こがれる　（あせる）

筆順 焦焦焦焦焦焦焦焦焦焦焦焦

筆順に注意　左下に向けて打つ　右下に向けて三つ打つ

用例 焦点（しょうてん）　焦土（しょうど）　焦慮（しょうりょ）＊　黒焦げ（くろこげ）

問題
□議論の（しょうてん）を絞る。
□空襲で街が（しょうど）と化す。
□（しょうりょ）に駆られる。
□鍋が（くろこ）げになる。

硝

準2級

部首 石（いしへん） 12画

音 ショウ
訓 ―

筆順 硝硝硝硝硝硝硝硝硝硝硝硝

縦棒が先　まっすぐ下ろす　はねる

用例 硝煙（しょうえん）　硝酸（しょうさん）　硝石（しょうせき）

問題
□服から（しょうえん）反応が出る。
□（しょうさん）ナトリウム
□（しょうせき）は鉱物の一つだ。

粧

準2級

部首 米（こめへん） 12画

音 ショウ
訓 ―

筆順 粧粧粧粧粧粧粧粧粧粧粧粧

短く止める　立てる　上の横棒より長く

用例 化粧品（けしょうひん）

問題
□母とデパートの（けしょうひん）売り場を巡る。

詔

準2級

部首 言（ごんべん） 12画

音 ショウ
訓 （みことのり）

筆順 詔詔詔詔詔詔詔詔詔詔詔詔

点　つき出さない

用例 詔書（しょうしょ）＊　詔勅（しょうちょく）

問題
□国会召集の（しょうしょ）。
□天皇がその意思を国民に表示する文書を（しょうちょく）という。

＊焦慮＝あせっていらだつ気持ち。　＊詔書＝天皇の言葉を記した公文書。

奨
準2級
13画
部首 大（だい）
音 ショウ
訓 ―

縦棒から書く
長めに書く
「大」は平たく

奨学金（しょうがくきん）
奨励（しょうれい）
勧奨（かんしょう）
推奨（すいしょう）

□（しょうがくきん）を受給する。
□うがいや手洗いの（しょうれい）。
□貯蓄を（かんしょう）する。
□バスの利用を（すいしょう）する。

詳
4級
13画
部首 言（ごんべん）
音 ショウ
訓 くわしい

点
まっすぐ下ろす

詳細（しょうさい）
詳述（しょうじゅつ）
不詳（ふしょう）
未詳（みしょう）

□（しょうさい）な報告を受ける。
□事件について（しょうじゅつ）する。
□あの先生は年齢（ふしょう）だ。
□この詩は作者（みしょう）だ。

彰
準2級
14画
部首 彡（さんづくり）
音 ショウ
訓 ―

立てる
左下に三本はらう

顕彰*（けんしょう）
表彰（ひょうしょう）

□地道な活動を（けんしょう）する。
□優秀選手として（ひょうしょう）される。

憧
2級
15画
部首 忄（りっしんべん）
音 ショウ
訓 あこがれる

筆順に注意
上の横棒より長く
上の横棒より長く

憧憬（しょうけい）
憧れる（あこがれる）

□野球少年の（しょうけい）の的。
□優しくて、頼りになる先輩に（あこが）れる。

*顕彰＝隠れていた善行や功績などを広く知らせて表彰すること。

衝

3級

15画

部首：行（ぎょうがまえ・ゆきがまえ）

音：ショウ

訓：—

筆順

まっすぐ下ろす

右上にはらう

はねる

用例

衝撃(しょうげき)

衝動(しょうどう)

衝突(しょうとつ)

折衝(せっしょう)

問題

□世界に（しょうげき）を与(あた)える。

□洋服を（しょうどう）買(が)いする。

□電柱に（しょうとつ）する。

□他社との（せっしょう）を行う。

償

準2級

17画

部首：亻（にんべん）

音：ショウ

訓：つぐなう

筆順

縦棒が先

「⺌」は平たく

止める

用例

代償(だいしょう)

弁償(べんしょう)

補償(ほしょう)

無償(むしょう)

問題

□迷惑(めいわく)をかけた（だいしょう）を払(はら)う。

□汚(よご)した本を（べんしょう）する。

□与(あた)えた損害を（ほしょう）する。

□故障車を（むしょう）で直す。

礁

準2級

17画

部首：石（いしへん）

音：ショウ

訓：—

筆順

縦棒が先

「石」は小さめに

筆順に注意

用例

暗礁(あんしょう)

岩礁(がんしょう)

座礁(ざしょう)

サンゴ礁(しょう)

問題

□*（あんしょう）に乗り上げる。

□海底に（がんしょう）がある。

□漁船が（ざしょう）する。

□サンゴ（しょう）が広がる海。

鐘

3級

20画

部首：金（かねへん）

音：ショウ

訓：かね

筆順

上の横棒より長く

右上にはらう

用例

鐘楼(しょうろう)

警鐘(けいしょう)

半鐘(はんしょう)

除夜(じょや)の鐘(かね)

問題

□境内(けいだい)の奥(おく)に（しょうろう）がある。

□社会に（けいしょう）を鳴らす。

□非常時に（はんしょう）を鳴らす。

□除夜の（かね）の音が響(ひび)く。

*暗礁に乗り上げる＝思わぬ障害に遭(あ)い，物事の進行が妨(さまた)げられる。

4級

丈

部首 一（いち） 3画

音 ジョウ
訓 たけ

つき出す
つき出す

丈夫（じょうぶ）
気丈（きじょう）
大丈夫（だいじょうぶ）
背丈（せたけ）

□私は歯が（じょうぶ）だ。
□（きじょう）に振る舞う。
□ぬれても（だいじょうぶ）な紙。
□去年より（せたけ）が伸びる。

3級

冗

部首 冖（わかんむり） 4画

音 ジョウ
訓 ―

一画で書く
上にはねる

冗談（じょうだん）
冗長*（じょうちょう）
冗費（じょうひ）

□（じょうだん）交じりに話す。
□（じょうちょう）な話に嫌気が差す。
□（じょうひ）とは無駄な費用のことだ。

準2級

浄

部首 氵（さんずい） 9画

音 ジョウ
訓 ―

つき出す
はねる

浄化（じょうか）
浄水器（じょうすいき）
清浄（せいじょう）
洗浄（せんじょう）

□下水の（じょうか）処理施設。
□ポット型の（じょうすいき）。
□空気（せいじょう）機を買う。
□胃を（せんじょう）する。

「ほしょう」の意味

補償…与えた損失を償うこと。
保証…確かであると請け合うこと。
保障…ある地位や状態が損なわれないように保護し、守ること。

「警鐘」の意味

警鐘…①危険を知らせ、警戒を促すために打ち鳴らす鐘。
②危険を予告し、注意を促すもの。警告。

似ている漢字に注意

丈―文―大

「丈」は、正しく書かないと「文」や「大」に見えるので注意。

*冗長＝文章や話などが，無駄が多くて長いこと。

剰
準2級
11画
部首 刂（りっとう）
音 ジョウ
訓 ―

筆順 剰 剰 剰 剰 剰 剰 剰 剰 剰 剰 剰（筆順に注意・止める・はねる）

用例 剰余金（じょうよきん）　過剰（かじょう）　余剰（よじょう）

問題
□（じょうよきん）を積み立てる。
□自信（かじょう）になるな。
□生産物に（よじょう）が生じる。

畳
4級
12画
部首 田（た）
音 ジョウ
訓 たたむ　たたみ

筆順 畳 畳 畳 畳 畳 畳 畳 畳 畳 畳 畳 畳（「田」は平たく小さめに・長めに書く）

用例 畳語（じょうご）　四畳半（よじょうはん）　石畳（いしだたみ）　折り畳む（おりたたむ）

問題
□「人々」などの（じょうご）。
□（よじょうはん）の広さの部屋。
□（いしだたみ）の上を歩く。
□傘（かさ）を折り（たた）む。

縄
準2級
15画
部首 糸（いとへん）
音 ジョウ
訓 なわ

筆順 縄 縄 縄 縄 縄 縄 縄 縄 縄 縄 縄 縄 縄 縄 縄（止める・つき出さない・曲げてはねる）

用例 縄文時代（じょうもんじだい）　自縄自縛*（じじょうじばく）　縄張り（なわばり）　一筋縄（ひとすじなわ）

問題
□（じょうもんじだい）の土器。
□（じじょうじばく）に陥（おちい）る。
□（なわば）りを争う。
□（ひとすじなわ）ではいかない。

壌
準2級
16画
部首 土（つちへん）
音 ジョウ
訓 ―

筆順 壌 壌 壌 壌 壌 壌 壌 壌 壌 壌 壌 壌 壌 壌 壌 壌（短めに書く・忘れない）

用例 土壌（どじょう）

問題
□この辺りは（どじょう）が肥えている。

＊自縄自縛＝自分の言動によって自由に動けなくなり，苦しむこと。

嬢

3級

16画

部首 女（おんなへん）

音 ジョウ

訓 —

忘れない　短めに書く

令嬢（れいじょう）
お嬢（じょう）さん

□彼女（かのじょ）は深窓の（れいじょう）だ。
□お（じょう）さん、落とし物ですよ。

錠

3級

16画

部首 金（かねへん）

音 ジョウ

訓 —

短く止める　右上にはらう　はらう

錠剤（じょうざい）
錠前（じょうまえ）
手錠（てじょう）
南京錠（なんきんじょう）

□（じょうざい）の風邪薬（かぜぐすり）を飲む。
□戸に（じょうまえ）を取り付ける。
□現行犯に（てじょう）をかける。
□蓋（ふた）に南京（なんきんじょう）を付ける。

譲

3級

20画

部首 言（ごんべん）

音 ジョウ

訓 ゆずる

短めに書く　忘れない　短めに書く

譲渡（じょうと）
譲歩（じょうほ）
謙譲語（けんじょうご）
親譲（おやゆず）り

□建物を他社に（じょうと）する。
□互（たが）いに（じょうほ）する。
□（けんじょうご）を正しく使う。
□彼（かれ）の俊足（しゅんそく）は（おやゆず）りだ。

醸

準2級

20画

部首 酉（とりへん）

音 ジョウ

訓 （かもす）

短めに書く　忘れない

醸成（じょうせい）*
醸造（じょうぞう）

□社会不安が（じょうせい）される。
□米から酒を（じょうぞう）する。

*醸成＝醸造。ある雰囲気（ふんいき）や状況（じょうきょう）を徐々（じょじょ）につくり出すこと。

拭
2級

部首 扌（てへん） 9画

音 （ショク）
訓 ふく ぬぐう

筆順 右上にはらう つき出す はねる

用例
拭き取る
拭う
手拭い

問題
□鏡の汚れを（ふ）き取る。
□額の汗を（ぬぐ）う。
□（てぬぐ）いを鉢巻きにする。

殖
4級

部首 歹（かばねへん） 12画

音 ショク
訓 ふえる ふやす

筆順 横棒が先 折る

用例
殖産＊
増殖
繁殖
養殖

問題
□（しょくさん）興業の政策。
□細胞が（ぞうしょく）する。
□ウミネコの（はんしょく）地。
□真珠の（ようしょく）を行う。

飾
4級

部首 食（しょくへん） 13画

音 ショク
訓 かざる

筆順 形に注意 はねる

用例
修飾語
装飾
服飾
飾り気

問題
□文から（しゅうしょくご）を抜き出す。
□室内を（そうしょく）する。
□（ふくしょく）デザイナーになる。
□（かざ）り気のない人柄。

触
4級

部首 角（つのへん） 13画

音 ショク
訓 ふれる さわる

筆順 左にはらう はねる やや右上に

用例
触発
触角
感触
接触

問題
□友の活躍に（しょくはつ）される。
□アリが（しょっかく）を動かす。
□柔らかい（かんしょく）を味わう。
□車が塀に軽く（せっしょく）する。

＊殖産＝産業を盛んにすること。

嘱 3級

15画　部首 口（くちへん）

音 ショク
訓 —

上より大きめに書く
長くはらう

嘱託（しょくたく）
嘱望（しょくぼう）*
委嘱（いしょく）

□（しょくたく）社員として働く。
□将来を（しょくぼう）される。
□研究を（いしょく）する。

辱 3級

10画　部首 辰（しんのたつ）

音 ジョク
訓 （はずかしめる）

横棒から書く
「辰」は平たく
長めに書く

屈辱（くつじょく）
雪辱（せつじょく）
恥辱（ちじょく）

□（くつじょく）を味わう。
□前の試合の（せつじょく）を果たす。
□人前で（ちじょく）を受ける。

尻 2級

5画　部首 尸（しかばね）

音 —
訓 しり

筆順に注意
曲げてはねる

尻込み（しりごみ）
帳尻（ちょうじり）
目尻（めじり）

□危険を感じ（しりご）みする。
□（ちょうじり）を合わせる。
□幼い孫の言葉に（めじり）を下げる。

伸 3級

7画　部首 亻（にんべん）

音 シン
訓 のびる　のばす　のべる

つらぬく
まっすぐ下ろす

伸縮（しんしゅく）
屈伸（くっしん）
追伸（ついしん）
背伸び（せのび）

□（しんしゅく）自在の素材を使う。
□膝（ひざ）の（くっしん）運動をする。
□手紙に（ついしん）を書く。
□（せの）びして大人ぶる。

*嘱望＝人の将来に期待すること。

芯 2級

部首 艹（くさかんむり） 7画

音 シン
訓 ―

筆順 はねる／点の位置に注意

用例 芯（しん）

問題
□リンゴの〔しん〕を包丁で取り除く。

辛 3級

部首 辛（からい） 7画

音 シン
訓 からい

筆順 立てる／上の横棒より短く

用例 辛苦（しんく）　辛酸（しんさん）　辛勝（しんしょう）＊　香辛料（こうしんりょう）

問題
□〔しんく〕を乗り越える。
□長く〔しんさん〕をなめてきた。
□接戦の末、〔しんしょう〕する。
□〔こうしんりょう〕のきいた料理。

侵 4級

部首 亻（にんべん） 9画

音 シン
訓 おかす

筆順 「ヨ」は平たく／はらう

用例 侵害（しんがい）　侵入（しんにゅう）　侵略（しんりゃく）　不可侵（ふかしん）＊

問題
□プライバシーの〔しんがい〕。
□留守宅に〔しんにゅう〕する。
□〔しんりゃく〕戦争が起きる。
□〔ふかしん〕条約を結ぶ。

津 準2級

部首 氵（さんずい） 9画

音 （シン）
訓 つ

筆順 長めに書く／長めに書く／つらぬく

用例 津津浦浦（つつうらうら）　津波（つなみ）

問題
□名声が〔つつうらうら〕に広まる。
□〔つなみ〕警報が発せられる。

＊辛勝＝辛（かろ）うじて勝つこと。　＊不可侵＝侵略を許さないこと。

準2級

唇

10画

部首 口（くち）

音 （シン）

訓 くちびる

横棒から書く
上の横棒より長く
折ってはらう
「口」は小さめに

唇（くちびる）

□叱（しか）られた子供が（くちびる）をとがらす。

準2級

娠

10画

部首 女（おんなへん）

音 シン

訓 ―

横棒が先
上の横棒より長く
折ってはらう

妊娠（にんしん）

□嫁（とつ）いだ娘（むすめ）の（にんしん）の知らせに、両親が喜ぶ。

4級

振

10画

部首 扌（てへん）

音 シン

訓 ふる　ふるう　ふれる

横棒が先
上の横棒より長く
折ってはらう

振興（しんこう）＊
振動（しんどう）
三振（さんしん）
不振（ふしん）

□地域産業の（しんこう）を促（うなが）す。
□窓ガラスが（しんどう）する。
□見逃（みのが）しの（さんしん）。
□食欲（ふしん）を心配する。

4級

浸

10画

部首 氵（さんずい）

音 シン

訓 ひたす　ひたる

「ヨ」は平たく
はらう

浸食（しんしょく）
浸水（しんすい）
浸透（しんとう）
水浸（みずびた）し

□風雨が岩を（しんしょく）する。
□大雨で家屋が（しんすい）する。
□新方式が（しんとう）する。
□床（ゆか）が（みずびた）しになる。

＊振興＝学術や産業などが盛（さか）んになること。学術や産業などを盛んにすること。

紳
準2級
11画
部首 糸（いとへん）
音 シン
訓 ―

筆順 紳紳紳紳紳紳紳紳紳紳紳
つらぬく　まっすぐ下ろす　止める

用例 紳士的（しんしてき）

問題
□いかなるときも〔しんしてき〕に振（ふ）る舞（ま）う。

診
準2級
12画
部首 言（ごんべん）
音 シン
訓 みる

筆順 診診診診診診診診診診診診
点　はらう　左下に三本はらう

用例 診察（しんさつ）　診断（しんだん）　往診（おうしん）　打診（だしん）

問題
□内科の〔しんさつ〕を受ける。
□健康〔しんだん〕の結果を聞く。
□医師に〔おうしん〕を頼（たの）む。
□相手の意向を〔だしん〕する。

寝
4級
13画
部首 宀（うかんむり）
音 シン
訓 ねる　ねかす

筆順 寝寝寝寝寝寝寝寝寝寝寝寝寝
立てる　縦棒が先　右上に　はらう

用例 寝具（しんぐ）　寝室（しんしつ）　就寝（しゅうしん）　昼寝（ひるね）

問題
□〔しんぐ〕売り場は七階だ。
□〔しんしつ〕の窓を閉める。
□十一時に〔しゅうしん〕する。
□園児たちが〔ひるね〕する。

慎
4級
13画
部首 忄（りっしんべん）
音 シン
訓 つつしむ

筆順 慎慎慎慎慎慎慎慎慎慎慎慎慎
筆順に注意　止める

用例 慎重（しんちょう）　謹慎（きんしん）　慎（つつし）む

問題
□計画を〔しんちょう〕に進める。
□〔きんしん〕処分を受ける。
□軽はずみな言動を〔つつし〕む。

3級

審

部首 宀（うかんむり） 15画

音 シン
訓 ―

立てる
長めに書く
短めに書く
長めに書く

審議（しんぎ）
審査（しんさ）
審判（しんぱん）
不審（ふしん）

□提案について〔しんぎ〕する。
□応募（おうぼ）作品を〔しんさ〕する。
□〔しんぱん〕が反則を告げる。
□〔ふしん〕な人物を見かける。

4級

震

部首 雨（あめかんむり） 15画

音 シン
訓 ふる**う** ふる**える**

はらう
横棒が先
上の横棒より長く
折ってはらう

震源（しんげん）
震度（しんど）
地震（じしん）
身震（みぶる）い

□〔しんげん〕は沖合（おきあ）いの地点だ。
□〔しんど〕3と発表された。
□〔じしん〕に備えて訓練する。
□寒くて〔みぶる〕いする。

4級

薪

部首 艹（くさかんむり） 16画

音 シン
訓 たきぎ

二画で書く
まっすぐ下ろす

薪水（しんすい）
薪炭（しんたん）
薪（たきぎ）

□*〔しんすい〕の労をとる。
□〔しんたん〕を常備しておく。
□山で〔たきぎ〕を集める。

書き方に注意

診
「ミ」としないように、向きに注意。

送りがなに注意

○ 慎（つつし）む
× 慎しむ

「ふしん」の意味

不審…疑わしく思えること。
不信…①信じないこと。信用できないこと。②誠実でないこと。
不振…調子が悪く、勢いがないこと。

*薪水の労＝炊事（すいじ）などの労働。転じて，人に仕えて苦労を嫌（いや）がらずに働くこと。

刃
準2級

3画

部首 刀（かたな）

音 （ジン）

訓 は

筆順 刃 刃 刃（はねる・右下に向けて書く）

用例 刃先（はさき）　刃物（はもの）

問題
□包丁の〔はさき〕が折れる。
□〔はもの〕を扱う（あつか）ときは、十分に注意する。

尽
4級

6画

部首 尸（しかばね）

音 ジン

訓 つくす　つきる　つかす

筆順 尽 尽 尸 尺 尽 尽（はらう・右下に向けて書く）

用例 尽力（じんりょく）　無尽蔵（むじんぞう）*　理不尽（りふじん）　尽かす（つかす）

問題
□福祉（ふくし）の向上に〔じんりょく〕する。
□石油は〔むじんぞう〕ではない。
□〔りふじん〕な要求を受ける。
□愛想（あいそ）を〔つ〕かす。

迅
準2級

6画

部首 辶（しんにょう・しんにゅう）

音 ジン

訓 ―

筆順 迅 卂 卂 迅 迅 迅（一画で書く・はねる・横棒が先・一画で書く）

用例 迅速（じんそく）　奮迅（ふんじん）

問題
□〔じんそく〕な対応が求められる。
□獅子（しし）〔ふんじん〕の活躍（かつやく）をする。

甚
準2級

9画

部首 甘（あまい）

音 （ジン）

訓 はなはだ　はなはだしい

筆順 甚 甚 甚 甚 甚 甚 甚 甚 甚（横棒から書く・長めに書く・曲げる・一画で書く）

用例 甚だ（はなはだ）　甚だしい（はなはだしい）

問題
□お心遣い（こころづか）、〔はなは〕だ恐縮（きょうしゅく）です。
□自分の都合しか考えないとは、身勝手も〔はなは〕だしい。

*無尽蔵＝いくら取ってもなくならないこと。

陣 4級

10画 部首 阝（こざとへん）

音 ジン
訓 —

（書き順：陣陣陣陣陣陣陣陣陣陣／三画で書く／長めに書く）

陣地（じんち）
陣頭（じんとう）
円陣（えんじん）
背水の陣（はいすいのじん）

□敵の（じんち）を奪う。
□社長が（じんとう）指揮を執る。
□チームで（えんじん）を組む。
□背水の（じん）の覚悟で挑む。

尋 4級

12画 部首 寸（すん）

音 ジン
訓 たずねる

（書き順：尋尋尋尋尋尋尋尋尋尋尋尋／「ヨ」は平たく／「エ」と「口」を並べる／長めに書く）

尋常（じんじょう）
尋問（じんもん）
千尋（せんじん）*
尋ねる（たずねる）

□（じんじょう）ではない精神力。
□警官に（じんもん）される。
□（せんじん）の谷を渡る。
□交番で道を（たず）ねる。

腎 2級

13画 部首 月（にくづき）

音 ジン
訓 —

（書き順：腎腎腎腎腎腎腎腎腎腎腎腎腎／縦棒から書く／はらう／まっすぐ下ろす）

腎臓（じんぞう）

□祖父が（じんぞう）の疾患の治療で入院した。

須 2級

12画 部首 頁（おおがい・いちのかい）

音 ス
訓 —

（書き順：須須須須須須須須須須須須／左下に三本はらう／止める／短くはらう）

急須（きゅうす）
必須（ひっす）

□（きゅうす）に湯を注ぐ。
□合格するための（ひっす）条件を挙げる。

*千尋＝谷や海などが非常に深いこと。山などが非常に高いこと。

4級
吹
7画
部首 口（くちへん）
音 スイ
訓 ふく
筆順
二画で書く
はらう
用例
吹奏楽（すいそうがく）
吹く（ふく）
問題
□（すいそうがく）部の演奏を聴（き）く。
□心地（ここち）よい風に（ふ）かれながら、散歩する。

3級
炊
8画
部首 火（ひへん）
音 スイ
訓 たく
筆順
短く止める
二画で書く
はらう
用例
炊事（すいじ）
炊飯器（すいはんき）
自炊（じすい）
雑炊（ぞうすい）
問題
□（すいじ）当番が回ってくる。
□新しい（すいはんき）を買う。
□一人暮らしで（じすい）する。
□（ぞうすい）を土鍋（どなべ）で作る。

準2級
帥
9画
部首 巾（はば）
音 スイ
訓 —
筆順
二画で書く
左下にはらう
つき出す
用例
元帥（げんすい）
統帥（とうすい）
問題
□統率力（とうそつりょく）のある（げんすい）。
□海軍を（とうすい）して、敵を破る。

3級
粋
10画
部首 米（こめへん）
音 スイ
訓 いき
筆順
短く止める
はらいが先
用例
純粋（じゅんすい）
抜粋（ばっすい）
無粋（ぶすい）
粋（いき）
問題
□少年少女の（じゅんすい）な心。
□論文の一部を（ばっすい）する。
□※（ぶすい）なことを言う人。
□（いき）な計らいをする。
※「不粋」とも書く。

衰
3級

部首 衣（ころも）　10画

音 スイ
訓 おとろえる

筆順に注意
長めに書く
忘れない

衰弱（すいじゃく）
衰退（すいたい）
老衰（ろうすい）
栄枯盛衰（えいこせいすい）*

□栄養失調で（すいじゃく）する。
□景気の（すいたい）を抑（おさ）える。
□（ろうすい）により死去する。
□帝国（ていこく）の（えいこせいすい）。

酔
3級

部首 酉（とりへん）　11画

音 スイ
訓 よう

横棒が先
曲げる
はらいが先

心酔（しんすい）
泥酔（でいすい）
麻酔（ますい）
船酔（ふなよ）い

□坂本龍馬（さかもとりょうま）に（しんすい）する。
□（でいすい）して駅で眠（ねむ）る。
□（ますい）の注射を受ける。
□（ふなよ）いで横になる。

遂
3級

部首 辶（しんにょう・しんにゅう）　12画

音 スイ
訓 とげる

筆順・形に注意
止める
一画で書く

遂行（すいこう）
完遂（かんすい）
未遂（みすい）

□任務を（すいこう）する。
□難しい仕事を（かんすい）する。
□暗殺の計画は（みすい）に終わった。

似ている漢字に注意
帥―師
上に横棒がある。
つくりの違（ちが）いに注意。

書き方に注意
衰
忘れない。
「衣」としないように。

送りがなに注意
○ 衰（おとろ）える
× 衰る

○ 遂（と）げる
× 遂る

*栄枯盛衰＝栄えたり衰えたりすること。

準2級

睡

部首 目（めへん） 13画

音 スイ
訓 —

筆順

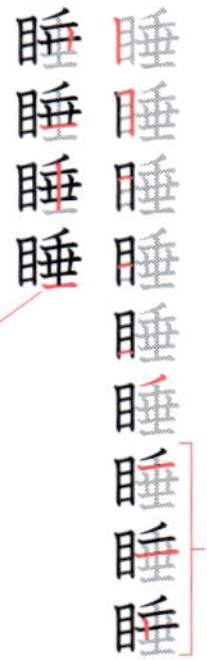

用例

睡眠（すいみん）　一睡（いっすい）　午睡（ごすい）＊　熟睡（じゅくすい）

問題

□（すいみん）を十分に取る。

□心配で（いっすい）もできない。

□昼食後、（ごすい）する。

□疲（つか）れて（じゅくすい）する。

3級

穂

部首 禾（のぎへん） 15画

音 （スイ）
訓 ほ

筆順

用例

穂先（ほさき）　稲穂（いなほ）　落ち穂（おちぼ）

問題

□麦の（ほさき）に触（ふ）れる。

□よく実った（いなほ）が並ぶ。

□落ち（ぼ）を拾い集める。

3級

随

部首 阝（こざとへん） 12画

音 ズイ
訓 —

筆順

用例

随行（ずいこう）　随筆（ずいひつ）　追随（ついずい）　付随（ふずい）

問題

□社長の出張に（ずいこう）する。

□人気作家の（ずいひつ）を読む。

□他の（ついずい）を許さない。

□計画に（※ふずい）する諸問題。

3級

髄

部首 骨（ほねへん） 19画

音 ズイ
訓 —

筆順

用例

骨髄（こつずい）　神髄（しんずい）　精髄（せいずい）　脳髄（のうずい）

問題

□（こつずい）バンクに登録する。

□武士道の（※しんずい）に迫（せま）る。

□日本文化の（せいずい）を探（さぐ）る。

□幸い（のうずい）に損傷はない。

＊午睡＝昼寝（ひるね）をすること。　※「附随」とも書く。　※「真髄」とも書く。

準2級

枢

8画

部首 木（きへん）

音 スウ
訓 —

一画で書く／短く止める／止める

枢軸（すうじく）
枢要（すうよう）
中枢（ちゅうすう）

□国家の（すうじく）となる都市。
□（すうよう）な地位に就く。
□組織の（ちゅうすう）で働く。

準2級

崇

11画

部首 山（やま）

音 スウ
訓 —

「山」は平たく／上の横棒より長く

崇高（すうこう）
崇拝（すうはい）

□（すうこう）な精神の持ち主。
□あのロックスターは、多くのファンに（すうはい）されている。

準2級

据

11画

部首 扌（てへん）

音 —
訓 すえる　すわる

右上にはらう／横棒が先

据える（すえる）
据え置く*（すえおく）
据わる（すわる）

□部屋に除湿機（じょしつき）を（す）える。
□運賃を（す）え置く。
□彼は肝（きも）が（す）わっている。

準2級

杉

7画

部首 木（きへん）

音 —
訓 すぎ

短く止める／左下に三本はらう

杉（すぎ）
杉林（すぎばやし）

□樹齢（じゅれい）千年以上の（すぎ）の木。
□この辺りには（すぎばやし）が広がっている。

サ行　スイ≫すぎ

*据え置く＝そのままの状態にしておく。

2級

裾

部首 ネ（ころもへん） 13画

音 —
訓 すそ

筆順：裾（点／はらいが先／横棒が先）

用例：裾(すそ)　裾野(すその)

問題
□ズボンの（すそ）を縫(ぬ)う。
□富士山(ふじさん)の（すその）には春が訪(おとず)れている。

3級

瀬

部首 氵（さんずい） 19画

音 —
訓 せ

筆順：瀬（まっすぐ下ろす／短く止める／短くはらう）

用例：瀬戸物(せともの)　浅瀬(あさせ)　立(た)つ瀬(せ)

問題
□（せともの）の皿が割れる。
□川の（あさせ）を歩く。
□そう言われては立つ（せ）がない。

4級

是

部首 日（ひ） 9画

音 ゼ
訓 —

筆順：是（長めに書く／はらう）

用例：是正(ぜせい)　是認(ぜにん)　是非(ぜひ)　国是(こくぜ)＊

問題
□不平等を（ぜせい）する。
□その行為(こうい)は（ぜにん）できる。
□（ぜひ）、お越(こ)しください。
□平和共存を（こくぜ）とする。

4級

井

部首 二（に） 4画

音 （セイ）ショウ
訓 い

筆順：井（筆順に注意／左にはらう／まっすぐ下ろす）

用例：天井(てんじょう)　井(い)　井戸(いど)

問題
□この部屋は（てんじょう）が高い。
□（いど）を掘(ほ)る。
□（い）から水をくむ。

＊国是＝国や国民が認めた，政治の基本的な方針。

姓
4級
8画
部首 女（おんなへん）
音 セイ ショウ
訓 ―

姓姓姓姓姓姓姓姓
止める
やや右上に
最も長く

姓名（せいめい）　旧姓（きゅうせい）　同姓（どうせい）　百姓（ひゃくしょう）

□自分の〔せいめい〕を書く。
□母の〔きゅうせい〕を知る。
□〔どうせい〕同名の友人がいる。
□〔ひゃくしょう〕一揆（いっき）について調べる。

征
4級
8画
部首 彳（ぎょうにんべん）
音 セイ
訓 ―

征征征征征征征征
筆順に注意

征伐（せいばつ）　征服（せいふく）　遠征（えんせい）　出征（しゅっせい）

□桃太郎（ももたろう）が鬼（おに）を〔せいばつ〕する。
□敵地を〔せいふく〕する。
□日本チームの海外〔えんせい〕。
□若い兵士が〔しゅっせい〕する。

斉
準2級
8画
部首 斉（せい）
音 セイ
訓 ―

斉斉斉斉斉斉斉斉
立てる
左にはらう
筆順に注意
まっすぐ下ろす

斉唱（せいしょう）　一斉（いっせい）

□全員で校歌を〔せいしょう〕する。
□子供たちが〔いっせい〕に駆（か）け出す。

牲
3級
9画
部首 牜（うしへん）
音 セイ
訓 ―

牲牲牲牲牲牲牲牲牲
右上にはらう
最も長く

犠牲（ぎせい）

□自分の身を〔ぎせい〕にして、子供を助ける。

凄　2級

部首　冫（にすい）　10画

音　セイ
訓　―

筆順　点は一つ／長めに書く／右につき出す／つき出す

用例　凄惨（せいさん）　凄絶（せいぜつ）

問題
□戦場の（せいさん）な光景。
□（せいぜつ）な戦いに終止符（しゅうしふ）を打つ。

逝　準2級

部首　辶（しんにょう・しんにゅう）　10画

音　セイ
訓　（ゆく）（いく）

筆順　二画で書く／まっすぐ下ろす／一画で書く

用例　逝去（せいきょ）*　急逝（きゅうせい）

問題
□先生のご（せいきょ）を知る。
□友人の（きゅうせい）に胸が潰（つぶ）れる思いがする。

婿　3級

部首　女（おんなへん）　12画

音　（セイ）
訓　むこ

筆順　はらう／はらう／まっすぐ下ろす

用例　婿入（むこい）り　花婿（はなむこ）

問題
□妻の家に（むこい）りする。
□祭壇（さいだん）の前に（はなむこ）と花嫁（はなよめ）が並ぶ。

誓　準2級

部首　言（いう）　14画

音　セイ
訓　ちかう

筆順　二画で書く／「扌」は平たく／長めに書く

用例　誓約（せいやく）　宣誓（せんせい）　誓（ちか）う

問題
□秘密を守ると（せいやく）する。
□代表が選手（せんせい）を行う。
□永遠の愛を（ちか）う。

*逝去＝他人を敬って，その死をいう言葉。

請　3級

15画
部首　言（ごんべん）

音　セイ（シン）（こう）
訓　うける

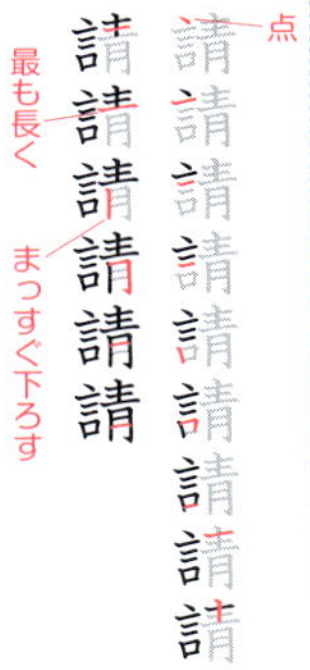

請求（せいきゅう）
申請（しんせい）
要請（ようせい）
下請け（したう）

□支払いを（せいきゅう）する。
□選手登録を（しんせい）する。
□援助の（ようせい）を受ける。
□仕事を（したう）けに出す。

醒　2級

16画
部首　酉（とりへん）

音　セイ
訓　―

覚醒（かくせい）

□昏睡状態に陥っていた患者が（かくせい）する。

斥　3級

5画
部首　斤（おの）

音　セキ
訓　―

斥候（せっこう）*
排斥（はいせき）

□（せっこう）を敵陣へ向かわせる。
□海外で輸入製品の（はいせき）運動が起きる。

析　準2級

8画
部首　木（きへん）

音　セキ
訓　―

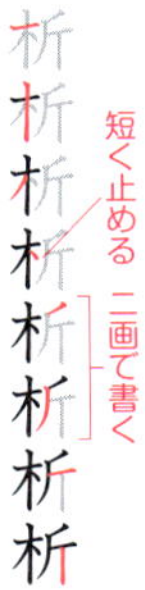

解析（かいせき）
透析（とうせき）
分析（ぶんせき）

□データの（かいせき）を急ぐ。
□人工（とうせき）を受ける。
□失敗の原因を（ぶんせき）し、再発防止に生かす。

*斥候＝敵の動静や地形などを探る（さぐ）ために派遣（はけん）する兵士。

脊

2級

10画

部首 月（にくづき）

音 セキ

訓 ―

筆順

脊 脊 脊 脊 脊 脊 脊 脊 脊 脊

筆順に注意

まっすぐ下ろす

用例

脊髄（せきずい）　脊柱（せきちゅう）　脊椎（せきつい）

問題

□［せきずい］に麻酔（ますい）を打つ。

□［せきちゅう］とは背骨のことだ。

□蛇（へび）は［せきつい］動物だ。

隻

3級

10画

部首 隹（ふるとり）

音 セキ

訓 ―

筆順

隻 隻 隻 隻 隻 隻 隻 隻 隻 隻

筆順に注意

はらう

用例

数隻（すうせき）　片言隻語（へんげんせきご）*

問題

□［すうせき］の船が沖（おき）に見える。

□［へんげんせきご］を大切にする。

惜

3級

11画

部首 忄（りっしんべん）

音 セキ

訓 おしい　おしむ

筆順

惜 惜 惜 惜 惜 惜 惜 惜 惜 惜 惜

筆順に注意

上の横棒より長く

用例

惜敗（せきはい）　惜別（せきべつ）　愛惜（あいせき）　哀惜（あいせき）

問題

□一点差で［せきはい］する。

□［せきべつ］の情があふれる。

□過ぎた日々を［あいせき］する。

□［あいせき］の念に堪（た）えない。

戚

2級

11画

部首 戈（ほこ）

音 セキ

訓 ―

筆順

戚 戚 戚 戚 戚 戚 戚 戚 戚 戚 戚

縦画から書く

上にはねる

つき出す

用例

親戚（しんせき）

問題

□［しんせき］が集まって新年を祝う。

*片言隻語＝わずかな言葉。ちょっとしたひとこと。

4級

跡

部首 𧾷（あしへん） 13画

音 セキ
訓 あと

遺跡（いせき）　追跡（ついせき）　筆跡（ひっせき）　足跡（あしあと）※

□古代（いせき）を発掘（はっくつ）する。
□容疑者を（ついせき）する。
□（ひっせき）を鑑定（かんてい）する。
□地面に鹿（しか）の（あしあと）がある。

3級

籍

部首 ⺮（たけかんむり） 20画

音 セキ
訓 ―

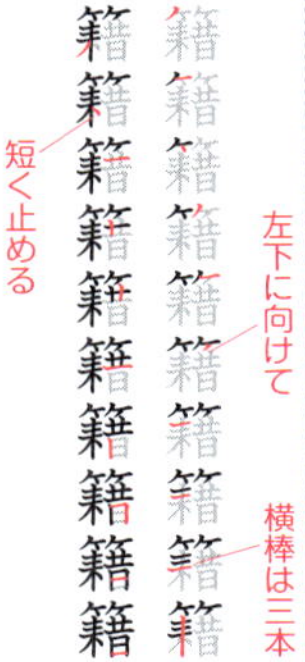

移籍（いせき）　国籍（こくせき）　在籍（ざいせき）　書籍（しょせき）

□海外チームに（いせき）する。
□日本（こくせき）を取得する。
□千名の学生が（ざいせき）する。
□数冊の（しょせき）を借りる。

準2級

拙

部首 扌（てへん） 8画

音 セツ
訓 つたない

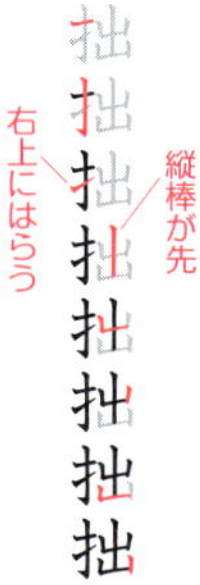

拙速（せっそく）＊　拙劣（せつれつ）　巧拙（こうせつ）　稚拙（ちせつ）

□（せっそく）に事を進める。
□作品の出来が（せつれつ）だ。
□技術の（こうせつ）が明らかだ。
□（ちせつ）だが印象的な絵。

似ている漢字に注意

脊―背

上の部分の形の違い（ちが）に注意。

「あいせき」の意味

愛惜…愛するために名残（なごり）惜（お）しく思うこと。
哀惜…人の死などを悲しみ惜しむこと。

書き方に注意

跡　「赤」としないように。
籍　横棒は三本。二本にしない。

※「そくせき」とも読む。　＊拙速＝できばえはよくないが，仕上がりがはやいこと。

窃　準2級
9画
部首 穴（あなかんむり）
音 セツ
訓 ―

筆順
曲げる　つき出さない　曲げる

用例
窃取（せっしゅ）
窃盗（せっとう）

問題
□顧客（こきゃく）情報を（せっしゅ）する。
□宝石を（せっとう）した容疑をかけられる。

摂　3級
13画
部首 扌（てへん）
音 セツ
訓 ―

筆順
向きに注意　筆順に注意

用例
摂氏（せっし）
摂取（せっしゅ）
摂生（せっせい）
摂理（せつり）

問題
□気温は（せっし）十二度だ。
□栄養を十分に（せっしゅ）する。
□（せっせい）に努め健康を守る。
□自然の（せつり）に従う。

仙　準2級
5画
部首 亻（にんべん）
音 セン
訓 ―

筆順
長めに書く

用例
仙人（せんにん）
歌仙（かせん）
水仙（すいせん）

問題
□（せんにん）が登場する昔話。
□（かせん）とは優（すぐ）れた歌人のこと。
□（すいせん）の花が咲（さ）く。

占　4級
5画
部首 卜（ぼく）
音 セン
訓 し**める**　うらな**う**

筆順
縦棒から書く

用例
占拠（せんきょ）
占領（せんりょう）
独占（どくせん）
星占（ほしうらな）い

問題
□駅前の広場を（せんきょ）する。
□部屋を一人で（せんりょう）する。
□（どくせん）取材を行う。
□（ほしうらな）いのページを見る。

4級

扇

10画
部首 戸（とかんむり）
音 セン
訓 おうぎ

扇 扇 扇 扇 扇 扇 扇 扇 扇 扇
横棒
右上にはらう
扇 右上にはらう

扇状地（せんじょうち）
扇子（せんす）
扇動（せんどう）＊
扇風機（せんぷうき）

□山裾（やますそ）に（せんじょうち）が広がる。
□（せんす）を開いてあおぐ。
□市民を（せんどう）する演説。
□（せんぷうき）を回す。

準2級

栓

10画
部首 木（きへん）
音 セン
訓 ―

栓 栓 栓 栓 栓 栓 栓 栓 栓 栓
短く止める
栓 最も長く

栓抜き（せんぬ）
耳栓（みみせん）
元栓（もとせん）
消火栓（しょうかせん）

□（せんぬ）きで蓋（ふた）を開ける。
□（みみせん）をして、海に入る。
□ガスの（もとせん）を閉める。
□道の端（はし）に（しょうかせん）がある。

準2級

旋

11画
部首 方（かたへん）
音 セン
訓 ―

旋 旋 旋 旋 旋 旋 旋 旋 旋 旋 旋
筆順に注意
はらう
旋 旋 はらう

旋回（せんかい）
旋風（せんぷう）
旋律（せんりつ）
周旋（しゅうせん）

□飛行機が（せんかい）する。
□業界に（せんぷう）を巻き起こす。
□聞き覚えのある（せんりつ）。
□学生に下宿を（しゅうせん）する。

2級

煎 ※

13画
部首 灬（れんが・れっか）
音 セン
訓 いる

煎 煎 煎 煎 煎 煎 煎 煎 煎 煎 煎 煎 煎
長めに書く
まっすぐ下ろす
煎 煎 煎 煎
左下に向けて　右下に向けて三つ打つ

煎じ薬（せんじぐすり）
煎茶（せんちゃ）
煎餅（せんべい）
煎る（いる）

□（せん）じ薬を飲む。
□食後に（せんちゃ）を飲む。
□（せんべい）を食べる。
□ぎんなんを（い）る。

＊扇動＝人をあおり，ある行動を起こすよう仕向けること。　※「煎」も可。

羨

2級

13画

部首 羊（ひつじ）

音 （セン）

訓 うらやむ　うらやましい

筆順

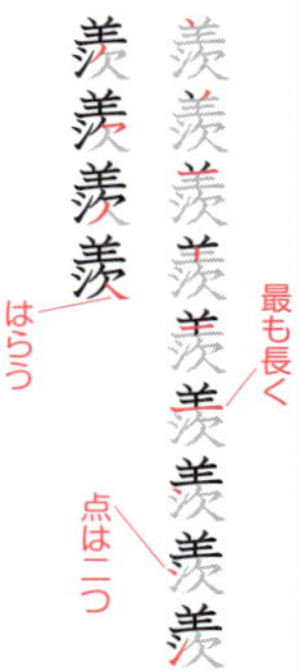

用例

羨（うらや）む

羨（うらや）ましい

問題

□人の才能を（うらや）む。

□海外旅行が当たったとは、（うらや）ましい。

腺

2級

13画

部首 月（にくづき）

音 セン

訓 ―

筆順

用例

涙腺（るいせん）

扁桃腺（へんとうせん）

問題

□温かい言葉に（るいせん）が緩（ゆる）む。

□風邪（かぜ）で扁桃（へんとう）（せん）が腫（は）れる。

詮

2級

13画

部首 言（ごんべん）

音 セン

訓 ―

筆順

用例

詮議（せんぎ）*

詮索（せんさく）

所詮（しょせん）

問題

□問題点を（せんぎ）する。

□彼女（かのじょ）は（せんさく）好（ず）きで困る。

□（しょせん）、この件は我々の手には負えない。

践

準2級

13画

部首 𧾷（あしへん）

音 セン

訓 ―

筆順

用例

実践（じっせん）

問題

□学習した理論を（じっせん）に移す。

*詮議＝意見を出し合って相談し，明らかにすること。

2級

箋

部首 ⺮（たけかんむり） 14画

音 セン
訓 —

筆順：長めに書く／忘れない

便箋（びんせん）
付箋（ふせん）
処方箋（しょほうせん）

□花柄の［びんせん］を買う。
□書類に［ふせん］を貼る。
□病院で［しょほうせん］をもらう。

3級

潜

部首 氵（さんずい） 15画

音 セン
訓 ひそむ もぐる

筆順：右上にはらう／つき出す

潜在（せんざい）
潜水艦（せんすいかん）
潜入（せんにゅう）
潜望鏡（せんぼうきょう）

□［せんざい］能力を引き出す。
□［せんすいかん］に乗り込む。
□敵陣に［せんにゅう］する。
□［せんぼうきょう］で海上を見る。

準2級

遷

部首 辶（しんにょう・しんにゅう） 15画

音 セン
訓 —

筆順：まっすぐ下ろす／つき出す／一画で書く

遷都（せんと）＊
左遷（させん）
変遷（へんせん）

□平安京に［せんと］する。
□本社から［させん］される。
□流行の［へんせん］をたどる。

準2級

薦

部首 艹（くさかんむり） 16画

音 セン
訓 すすめる

筆順：まずくさかんむり／縦棒は二本　筆順・形に注意

自薦（じせん）
推薦（すいせん）

□［じせん］、他薦は問わない。
□志望校へ［すいせん］入学する。

※「箋」（12画）も可。　＊遷都＝都を他の地へ移すこと。

繊

準2級

17画

部首　糸（いとへん）

音　セン
訓　―

筆順：縦棒は二本／長くつき出す／右にのばす

用例：繊維（せんい）　繊細（せんさい）　繊毛（せんもう）*　化繊（かせん）

問題
□食物（せんい）が多い野菜。
□（せんさい）な心の持ち主。
□気管には（せんもう）がある。
□（かせん）のシャツを着る。

鮮

4級

17画

部首　魚（うおへん）

音　セン
訓　あざやか

筆順：縦棒が先／横棒は三本

用例：鮮魚（せんぎょ）　鮮度（せんど）　鮮明（せんめい）　新鮮（しんせん）

問題
□にぎやかな（せんぎょ）売り場。
□野菜の（せんど）を保つ。
□事件の（せんめい）な記憶（きおく）。
□（しんせん）な果物を食べる。

禅

準2級

13画

部首　ネ（しめすへん）

音　ゼン
訓　―

筆順：点／縦棒が先／長めに書く

用例：禅宗（ぜんしゅう）　禅寺（ぜんでら）　禅問答（ぜんもんどう）　座禅（ざぜん）

問題
□曹洞宗（そうとうしゅう）は（ぜんしゅう）の一つだ。
□この寺は（ぜんでら）だ。
□（ぜんもんどう）のような会話。
□心静かに（ざぜん）を組む。

漸

準2級

14画

部首　氵（さんずい）

音　ゼン
訓　―

筆順：短めに書く／まっすぐ下ろす／「車」は縦長に

用例：漸減（ぜんげん）*　漸次（ぜんじ）　漸進（ぜんしん）　漸増（ぜんぞう）

問題
□交通事故が（ぜんげん）する。
□事態が（ぜんじ）収束する。
□（ぜんしん）的に改革する。
□収益が（ぜんぞう）する。

*繊毛＝細胞（さいぼう）表面に密生する，きわめて細く短い毛。　*漸減＝次第（しだい）に減ること。

2級

膳

部首 月（にくづき） 16画

音 ゼン
訓 ―

横棒は三本
筆順に注意

膳（ぜん）
食膳（しょくぜん）
配膳（はいぜん）

□一日に三（ぜん）の米を食べる。
□（しょくぜん）に料理を載（の）せる。
□（はいぜん）係（がかり）が忙（いそが）しく働く。

3級

繕

部首 糸（いとへん） 18画

音 ゼン
訓 つくろ-う

短く止める
筆順に注意

営繕費（えいぜんひ）＊
修繕（しゅうぜん）
身繕い（みづくろい）
取り繕う（とりつくろう）

□ビルの（えいぜんひ）がかさむ。
□屋根を（しゅうぜん）する。
□（みづくろ）いして出かける。
□その場を取り（つくろ）う。

2級

狙

部首 犭（けものへん） 8画

音 ソ
訓 ねら-う

左下にはらう
長めに書く

狙撃（そげき）
狙う（ねらう）

□要人が（そげき）される。
□大会での優勝を（ねら）って練習に励（はげ）む。

送りがなに注意

○鮮（あざ）やか　×鮮か
○繕（つくろ）う　×繕ろう

使い方に注意

次の二語は読み方が似ていて、使い方を間違（まちが）えやすいので注意。
・漸次（ぜんじ）…次第（しだい）に。だんだん。
・暫時（ざんじ）…少しの間。しばらく。

「膳（ぜん）」の使い方

①茶わんに盛ったご飯を数える
例 三膳のご飯。
②一対（いっつい）の箸（はし）を数える
例 二膳の箸。

＊営繕費＝建築物を造ったり修理したりするのにかかる費用。

阻

3級

8画 部首 阝（こざとへん）

音 ソ
訓 （はば**む**）

筆順：三画で書く／長めに書く

用例：阻害（そがい）　阻止（そし）　険阻（けんそ）*

問題
- □作物の生育を（そがい）する。
- □首相（しゅしょう）の暗殺を（そし）する。
- □（けんそ）な山地で暮らす民族がいる。

租

準2級

10画 部首 禾（のぎへん）

音 ソ
訓 ―

筆順：短く止める／長めに書く

用例：租借（そしゃく）　租税（そぜい）　地租（ちそ）

問題
- □英国が（そしゃく）していた地。
- □（そぜい）を納める。
- □明治（めいじ）政府は（ちそ）改正を行った。

措

3級

11画 部首 扌（てへん）

音 ソ
訓 ―

筆順：横棒が先／上の横棒より長く／右上にはらう

用例：措辞（そじ）　措置（そち）　挙措（きょそ）

問題
- □（そじ）が巧（たく）みな詩。
- □適切な（そち）を講じる。
- □彼女（かのじょ）は一つ一つの（きょそ）が優雅（ゆうが）だ。

粗

3級

11画 部首 米（こめへん）

音 ソ
訓 あら**い**

筆順：短く止める／長めに書く

用例：粗品（そしな）　粗大（そだい）　粗茶（そちゃ）　粗末（そまつ）

問題
- □（そしな）をお送りします。
- □（そだい）ごみを出す。
- □（そちゃ）ですが、どうぞ。
- □物を（そまつ）にしない。

*険阻＝高低や山・川の配置などの，土地全体のありさまが険しいこと。

準2級

疎

部首 𤴔（ひきへん） 12画

音 ソ
訓 （うと**い**）（うと**む**）

はらう　右上にはらう

疎遠（そえん）　疎開（そかい）　疎通（そつう）　疎化（かそか）過疎（かそ）

□親戚（しんせき）と（そえん）になる。
□子供たちが（そかい）する。
□意思の（そつう）を図（はか）る。
□農村が（かそか）する。

4級

訴

部首 言（ごんべん） 12画

音 ソ
訓 うった**える**

点　二画で書く　右下に向けて書く

訴状（そじょう）　起訴（きそ）　告訴（こくそ）　直訴（じきそ）

□裁判所に（そじょう）を出す。
□傷害罪で（きそ）する。
□詐欺罪（さぎざい）で（こくそ）する。
□社長に（じきそ）する。

準2級

塑

部首 土（つち） 13画

音 ソ
訓 ―

はらう　長めに書く

塑像（そぞう）＊　可塑性（かそせい）

□美術室の棚（たな）に（そぞう）が並ぶ。
□粘土（ねんど）には（かそせい）がある。

2級

遡※

部首 辶（しんにょう・しんにゅう） 14画

音 （ソ）
訓 さかのぼ**る**

はらう　一画で書く　長くはらう

遡る（さかのぼる）

□ボートで川を（さかのぼ）る。
□十年前に（さかのぼ）って話を始める。

＊塑像＝粘土でつくった像。　※「遡」（13画）も可。

礎 3級

18画 部首 石（いしへん）

音 ソ
訓 （いしずえ）

筆順：はらう／「石」は小さめに／左にはらう

用例：礎石*（そせき）　基礎（きそ）　定礎（ていそ）

問題
□民主政治の［そせき］を築く。
□英語を［きそ］から学ぶ。
□［ていそ］とは、建築工事を始めることだ。

双 3級

4画 部首 又（また）

音 ソウ
訓 ふた

筆順：止める／はらう

用例：双眼鏡（そうがんきょう）　双生児（そうせいじ）　双方（そうほう）　双葉（ふたば）

問題
□［そうがんきょう］で野鳥を見る。
□［そうせいじ］とはふた子のこと。
□［そうほう］の言い分を聞く。
□芽が出て［※ふたば］となる。

壮 準2級

6画 部首 士（さむらい）

音 ソウ
訓 —

筆順：縦棒から書く／右上に／上の横棒より短く

用例：壮観（そうかん）　壮絶（そうぜつ）　壮大（そうだい）　勇壮（ゆうそう）

問題
□［そうかん］な眺めを楽しむ。
□［そうぜつ］な戦いが終わる。
□［そうだい］な夢を抱く。
□［ゆうそう］な行進曲が流れる。

荘 準2級

9画 部首 艹（くさかんむり）

音 ソウ
訓 —

筆順：縦棒が先／右上に／上の横棒より短く

用例：荘重（そうちょう）　山荘（さんそう）　別荘（べっそう）

問題
□［そうちょう］な儀式が行われる。
□［さんそう］でのんびり過ごす。
□夏休みに、友人の［べっそう］へ招待される。

*礎石＝建物の土台となる石。物事の基礎。　※「二葉」とも書く。

捜

準2級

部首 扌(てへん) 10画

音 ソウ
訓 さがす

捜（筆順）
右上にはらう
つらぬく
はらう

捜査（そうさ）
捜索（そうさく）
捜す（さがす）

□誘拐（ゆうかい）事件を〔そうさ〕する。
□〔そうさく〕願いを出す。
□迷子を〔さが〕す。

挿

準2級

部首 扌(てへん) 10画

音 ソウ
訓 さす

挿（筆順）
忘れない
まっすぐ下ろす

挿入歌（そうにゅうか）
挿話（そうわ）＊
挿し絵（さしえ）

□ドラマの〔そうにゅうか〕。
□講演の〔そうわ〕が印象に残る。
□この本は〔さ〕し絵が美しい。

桑

3級

部首 木(き) 10画

音 (ソウ)
訓 くわ

桑（筆順）
長めに書く
「木」は平たく

桑（くわ）
桑畑（くわばたけ）

□〔くわ〕の実を摘（つ）む。
□一面に〔くわばたけ〕が広がっている。

「さがす」の使い分け

「捜す」と「探す」はふつう次のように使い分ける。
・捜す→見えなくなったもの。
・探す→ほしいもの。

「さす」の主な意味

挿す…細長い物を他の物の中に突（つ）き入れる。例かんざしを挿す。
刺す…先のとがった物を突き入れる。例針で指を刺す。
差す…①光が照り入る。②ある状態が現れる。例朝日が差す。赤みが差す。
指す…指などで目標とする物や方向などを示す。例駅の方を指す。

＊挿話＝文章や談話の間にはさむ，本筋とは直接関係のない短い話。

掃 3級

部首 扌（てへん） 11画

音 ソウ
訓 はく

筆順：「ヨ」は平たく　まっすぐ下ろす

用例：掃除（そうじ）　一掃（いっそう）　清掃（せいそう）　掃く（はく）

問題
□教室の（そうじ）をする。
□不安が（いっそう）される。
□海岸を（せいそう）する。
□落ち葉を（は）く。

曹 準2級

部首 日（ひらび） 11画

音 ソウ
訓 ―

筆順：横棒から書く　つき出す　「日」は小さめに

用例：軍曹（ぐんそう）　重曹（じゅうそう）　法曹界（ほうそうかい）

問題
□（ぐんそう）に昇進（しょうしん）する。
□（じゅうそう）を使って掃除（そうじ）する。
□（ほうそうかい）の有力者が一堂にそろう。

曽 2級

部首 日（ひらび） 11画

音 ソウ・ゾ
訓 ―

筆順：「田」は平たく　「日」は小さめに

用例：曽祖父（そうそふ）　曽孫（そうそん）　未曽有*（みぞう）

問題
□（そうそふ）は健在だ。
□ひ孫のことを（そうそん）という。
□（みぞう）の大事件に世間の注目が集まる。

爽 2級

部首 爻（こう） 11画

音 ソウ
訓 さわやか

筆順：四つの「メ」を先に書く　つき出す　はらう

用例：爽快（そうかい）　爽やか（さわやか）

問題
□早起きして気分（そうかい）だ。
□（さわ）やかな風が家の中を吹（ふ）き抜（ぬ）ける。

*未曽有＝今までに一度もなかったこと。

準2級

喪

部首 口（くち） 12画

音 ソウ
訓 も

筆順に注意
長めに書く
折ってはらう

喪失（そうしつ）
喪（も）
喪主（もしゅ）
喪服（もふく）

□戦意を（そうしつ）する。
□父が死去し（もしゅ）に服す。
□葬儀で（もしゅ）を務める。
□（もふく）に着替える。

2級

痩

部首 疒（やまいだれ） 12画

音 （ソウ）
訓 やせる

立てる
右上に
つらぬく

痩（や）せる
痩（や）せ我慢（がまん）

□運動して（や）せる。
□（や）せ我慢（がまん）して笑う。

3級

葬

部首 艹（くさかんむり） 12画

音 ソウ
訓 （ほうむる）

左下にはらう
長めに書く
左にはらう

葬式（そうしき）
葬列（そうれつ）
火葬（かそう）
埋葬（まいそう）

□（そうしき）に参列する。
□（そうれつ）が静かに進む。
□遺体（いたい）を（かそう）する。
□故郷の墓に（まいそう）する。

4級

僧

部首 亻（にんべん） 13画

音 ソウ
訓 ―

「田」は平たく
「日」は小さめに

僧院（そういん）＊
高僧（こうそう）
小僧（こぞう）

□奥（おく）の建物は（そういん）だ。
□（こうそう）の説法を聞く。
□弟はいたずら（こぞう）だ。

サ行
ソウ

＊僧院＝僧が住んでいる建物。また，寺院。

遭　3級

部首：辶（しんにょう・しんにゅう）　14画

音：ソウ
訓：あう

筆順：横棒から書く／つき出す／一画で書く

用例：遭遇（そうぐう）　遭難（そうなん）　遭う（あ）

問題
- □困難に（そうぐう）する。
- □雪山で（そうなん）する。
- □交通事故に（あ）う。

槽　準2級

部首：木（きへん）　15画

音：ソウ
訓：―

筆順：横棒が先／つき出す／「日」は小さめに

用例：水槽（すいそう）　浴槽（よくそう）

問題
- □（すいそう）で熱帯魚を飼う。
- □（よくそう）に湯をためて、のんびり漬（つ）かる。

踪　2級

部首：𧾷（あしへん）　15画

音：ソウ
訓：―

筆順：右上にはらう／上の横棒より長く

用例：失踪（しっそう）

問題
- □（しっそう）していた容疑者が捕（つか）まる。

燥　4級

部首：火（ひへん）　17画

音：ソウ
訓：―

筆順：短く止める／まっすぐ下ろす

用例：乾燥（かんそう）　焦燥（しょうそう）*

問題
- □空気が（かんそう）している。
- □捜査（そうさ）が進まず、（しょうそう）に駆（か）られる。

*焦燥＝いらだち，あせること。

霜

準2級

17画

部首 ⻗（あめかんむり）

音（ソウ）
訓 しも

筆順：霜霜霜霜霜霜霜霜霜霜霜霜霜霜霜霜霜

はらう　短く止める

霜月（しもつき）
霜柱（しもばしら）
初霜（はつしも）

□〔　　〕（しもつき）は十一月のことだ。
□庭に〔　　〕（しもばしら）が立っている。
□〔　　〕（はつしも）が降りる。

騒

4級

18画

部首 馬（うまへん）

音 ソウ
訓 さわぐ

筆順：騒騒騒騒騒騒騒騒騒騒騒騒騒騒騒騒騒騒

縦棒から書く　はねる　やや右上に

騒音（そうおん）
騒然（そうぜん）
騒動（そうどう）
物騒（ぶっそう）

□車の〔　　〕（そうおん）に悩（なや）まされる。
□会場が〔　　〕（そうぜん）となる。
□各地に〔　　〕（そうどう）が起こる。
□夜の一人歩きは〔　　〕（ぶっそう）だ。

藻

準2級

19画

部首 艹（くさかんむり）

音 ソウ
訓 も

筆順：藻藻藻藻藻藻藻藻藻藻藻藻藻藻藻藻藻藻藻

「氵」は「艹」の下に　まっすぐ下ろす

藻類（そうるい）
海藻（かいそう）
藻（も）くず

□海や川で〔　　〕（そうるい）を集める。
□〔　　〕（かいそう）サラダを食べる。
□海の〔　　〕（も）くずとなる。*

憎

3級

14画

部首 忄（りっしんべん）

音 ゾウ
訓 にくむ　にくい　にくらしい　にくしみ

筆順：憎憎憎憎憎憎憎憎憎憎憎憎憎憎

筆順に注意　「田」は平たく　「日」は小さめに

愛憎（あいぞう）
憎（にく）む
憎（にく）らしい

□〔　　〕（あいぞう）の入り交じった感情。
□戦争を〔　　〕（にく）む。
□〔　　〕（にく）らしい演出をする。

サ行　ソウ≫ゾウ

＊（海の）藻くずとなる＝海で死ぬことのたとえ。

贈　4級

部首　貝（かいへん）　18画

音　ゾウ　ソウ
訓　おくる

筆順：「田」は平たく　「日」は小さめに

用例：贈呈（ぞうてい）　贈与（ぞうよ）　寄贈（きぞう）　贈り物（おくりもの）

問題
□記念品を（ぞうてい）する。
□財産の一部を（ぞうよ）する。
□学校に本を（きぞう）する。
□祖母に（おく）り物をする。

即　4級

部首　卩（ふしづくり）　7画

音　ソク
訓　—

筆順：形に注意　縦棒は最後に書く

用例：即位（そくい）　即座（そくざ）　即席（そくせき）　即興（そっきょう）

問題
□国王の（そくい）を祝う。
□質問に（そくざ）に答える。
□（そくせき）のスピーチをする。
□（そっきょう）で演奏する。

促　3級

部首　亻（にんべん）　9画

音　ソク
訓　うながす

筆順：はらう　左にはらう

用例：促進（そくしん）　促成*（そくせい）　催促（さいそく）　促す（うながす）

問題
□技術開発を（そくしん）する。
□トマトの（そくせい）栽培（さいばい）をする。
□返答を（さいそく）する。
□活動への参加を（うなが）す。

捉　2級

部首　扌（てへん）　10画

音　ソク
訓　とらえる

筆順：右上にはらう　左にはらう

用例：捕捉（ほそく）　捉える（とらえる）

問題
□逃亡犯（とうぼうはん）が（ほそく）される。
□筆者の意図を（とら）えようと、注意して読む。

*促成＝農作物などを，人工的に早く生長させること。

4級

俗

部首 亻（にんべん） 9画

音 ゾク
訓 —

付けない
はらう

俗事（ぞくじ）
俗説（ぞくせつ）
世俗的（せぞくてき）
民俗（みんぞく）

□（ぞくじ）に追われる。
□それはあくまで（ぞくせつ）だ。
□彼（かれ）は（せぞくてき）な人だ。
□（みんぞく）芸能を研究する。

3級

賊

部首 貝（かいへん） 13画

音 ゾク
訓 —

横棒が先
長くつき出す
忘れない

賊軍（ぞくぐん）
海賊（かいぞく）
山賊（さんぞく）
盗賊（とうぞく）

□（ぞくぐん）を攻（せ）め打つ。
□（かいぞく）が出没（しゅつぼつ）する。
□（さんぞく）に襲（おそ）われる。
□（とうぞく）が捕（と）らえられる。

2級

遜※

部首 辶（しんにょう・しんにゅう） 14画

音 ソン
訓 —

右上にはらう
左下にはらう
一画で書く
長くはらう

遜色（そんしょく）
謙遜（けんそん）
不遜（ふそん）

□プロと比べても（そんしょく）ない。
□自分の才能を（けんそん）する。
□（ふそん）な態度で嫌（きら）われる。

送りがなに注意

○ 促（うなが）す
× 促がす

「みんぞく」の意味

民俗…古くから民間に伝承してきた風俗（ふうぞく）や習慣。
民族…言語や人種、文化などを共有し、同属意識をもつ人々の集団。

書き方に注意

賊 「戒」としないように。

※「遜」（13画）も可。

コラム 3

漢字の成り立ち

漢字の分類

中国の後漢時代に、許慎という人物が『説文解字』という書物で、漢字を象形・指事・会意・形声・転注・仮借の六つに分類して説明した。この分類法は六書といい、現代も受け継がれている。漢字の成り立ちは原則として次の四つに分類される。

漢字の成り立ちからの分類

①象形文字

実際の物の形を描いた絵がもとになってできた字。「象形」の「象」は「かたどる」の意味。例 日　山　鳥　馬　魚

②指事文字

絵で表しにくい事柄を、点や線などによって表した字。「指事」とは事柄を指ししめすという意味。例 一　二　上　下　本

③会意文字

二字以上を組み合わせて一つの字にし、新しい意味をもたせた字。「口」と「鳥」を合わせた「鳴」など。「会意」とは意味をあわせること。例 林　森　男　明　信

④形声文字

形(意味)を表す字と、声(音)を表す字を組み合わせて一つの字にし、新しい意味をもたせた字。「金属」の意味を表す「金」と、音を表す「同(ドウ)」を合わせた「銅」など。例 伯　舶　江　河　草

なお、形声文字の音を表す部分が同時に意味を表す場合もある。例えば、「晴」は、「日」が意味を表し、「青」は「セイ」の音を表すが、同時に「澄みきった」の意味も表している。

タ行の漢字

汰

2級

7画

部首 氵（さんずい）

音 タ

訓 ―

筆順

用例

沙汰（さた）
淘汰（とうた）
音沙汰（おとさた）
ご無沙汰（ごぶさた）

問題

□正気の〔　〕（さた）ではない。
□悪徳業者が〔淘〕（とう）〔　〕（た）される。
□何の〔　〕（おとさた）もない。
□ご〔　〕（ぶさた）している。

妥

準2級

7画

部首 女（おんな）

音 ダ

訓 ―

筆順

用例

妥協（だきょう）
妥結（だけつ）
妥当（だとう）

問題

□〔　〕（だきょう）せずに話し合う。
□交渉（こうしょう）が〔　〕（だけつ）する。
□社会人として〔　〕（だとう）な判断をする。

唾

2級

11画

部首 口（くちへん）

音 ダ

訓 つば

筆順

用例

唾液（だえき）
唾棄（だき）
生唾（なまつば）
眉唾物（まゆつばもの）*

問題

□〔　〕（だえき）が分泌（ぶんぴつ）される。
□〔　〕（だき）すべき卑劣（ひれつ）な行為（こうい）。
□〔　〕（なまつば）を飲み込（こ）む。
□その話は〔　〕（まゆつばもの）だ。

堕

準2級

12画

部首 土（つち）

音 ダ

訓 ―

筆順

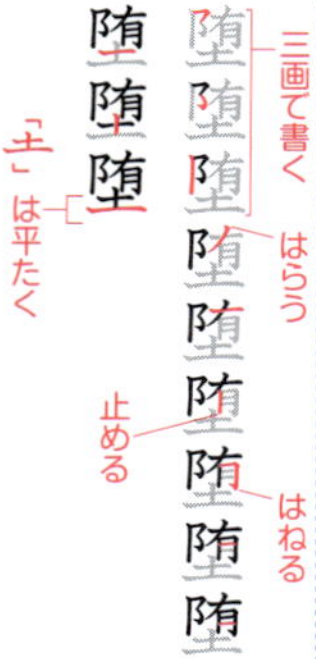

用例

堕落（だらく）
自堕落（じだらく）

問題

□〔　〕（だらく）した生活を改める。
□〔　〕（じだらく）な生き方の友人を批判する。

*眉唾物＝だまされないように用心しなければならないもの。

惰

準2級　12画

音 ダ
訓 —

部首 忄（りっしんべん）

筆順：はねる／筆順に注意／はらう／止める

- 惰弱（だじゃく）
- 惰性（だせい）
- 惰眠（だみん）
- 怠惰（たいだ）

□（だじゃく）な体を鍛（きた）える。
□（だせい）で作業を続ける。
□*（だみん）をむさぼる。
□（たいだ）な生活を改善する。

駄

準2級　14画

音 ダ
訓 —

部首 馬（うまへん）

筆順：縦棒から書く／はねる／忘れない

- 駄菓子（だがし）
- 駄作（ださく）
- 駄賃（だちん）
- 無駄（むだ）

□（だがし）を食べる。
□この小説は（ださく）だ。
□子供にお（だちん）を与（あた）える。
□（むだ）な手順を省く。

耐

4級　9画

音 タイ
訓 た（える）

部首 而（しこうして）

筆順：短くはらう／はねる／はねる／忘れない

- 耐久力（たいきゅうりょく）
- 耐熱（たいねつ）
- 忍耐（にんたい）
- 耐（た）えがたい

□製品の（たいきゅうりょく）を試（ため）す。
□（たいねつ）性のグラス。
□（にんたい）を要する作業。
□（た）えがたい苦痛。

怠

3級　9画

音 タイ
訓 おこた（る）　なま（ける）

部首 心（こころ）

筆順：折る／短く止める／「口」は平たく

- 怠惰（たいだ）
- 怠慢（たいまん）
- 倦怠感（けんたいかん）*
- 怠（なま）け者（もの）

□（たいだ）な暮らしぶり。
□職務（たいまん）を注意される。
□熱のため〔倦（けんたいかん）〕がある。
□（なま）け者の節句働き。

*惰眠をむさぼる＝すべきことをせず，無駄に過ごす。
*倦怠感＝心身が疲（つか）れてけだるい感じ。

胎

3級

胎 9画

部首 月（にくづき）

音 タイ

訓 ―

筆順

用例

胎児(たいじ)　胎内(たいない)　受胎(じゅたい)　母胎(ぼたい)

問題

□（たいじ）が順調に育つ。
□（たいない）の我(わ)が子。
□初めての子を（じゅたい）する。
□貧困(ひんこん)を（ぼたい）とした犯罪。

泰

準2級

泰 10画

部首 氺（したみず）

音 タイ

訓 ―

泰然自若(たいぜんじじゃく)　泰斗(たいと)　安泰(あんたい)　天下泰平(てんかたいへい)*

□（たいぜんじじゃく）たる態度。
□文学界の（たいと）の作品。
□国家の（あんたい）を祈(いの)る。
□※（てんかたいへい）な世の中。

堆

2級

堆 11画

部首 土（つちへん）

音 タイ

訓 ―

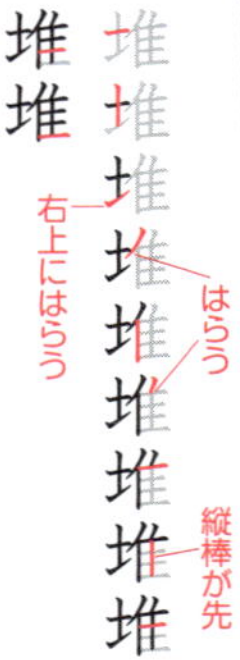

堆積(たいせき)　堆積岩(たいせきがん)　堆肥(たいひ)

□海底に土砂(どしゃ)が（たいせき）する。
□（たいせきがん）をルーペで見る。
□畑に（たいひ）をまく。

袋

3級

袋 11画

部首 衣（ころも）

音 （タイ）

訓 ふくろ

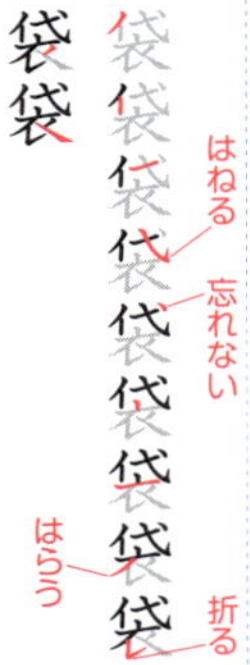

胃袋(いぶくろ)　紙袋(かみぶくろ)　手袋(てぶくろ)　寝袋(ねぶくろ)

□（いぶくろ）を満たす。
□商品を（かみぶくろ）に入れる。
□毛糸の（てぶくろ）を買う。
□冬山用の（ねぶくろ）を使う。

*天下泰平＝世が平和でよく治まっていること。　※「天下太平」とも書く。

逮　3級

部首 辶（しんにょう・しんにゅう）　11画

音 タイ
訓 ―

つらぬく　はねる　止める　はらう　止める　一画で書く

逮捕（たいほ）
逮捕状（たいほじょう）

□真犯人を〔たいほ〕する。
□容疑者に〔たいほじょう〕が出される。

替　4級

部首 曰（ひらび）　12画

音 タイ
訓 かえる　かわる

短く止める　はらう

交替（こうたい）
代替（だいたい）
着替える（きがえる）
席替え（せきがえ）

□選手が〔※こうたい〕する。
□別の品で〔だいたい〕する。
□体操着に〔※きが〕える。
□新学期に〔せきが〕えする。

滞　3級

部首 氵（さんずい）　13画

音 タイ
訓 とどこおる

筆順に注意　はねる

滞在（たいざい）
渋滞（じゅうたい）
停滞（ていたい）
滞りなく（とどこおりなく）

□ホテルに〔たいざい〕する。
□高速道路が〔じゅうたい〕する。
□作業が〔ていたい〕する。
□式が〔とどこお〕りなく終わる。

戴　2級

部首 戈（ほこ）　17画

音 タイ
訓 ―

右にのばす　はねる　忘れない

戴冠式*（たいかんしき）
頂戴（ちょうだい）

□新国王の〔たいかんしき〕を行う。
□お客様から、珍（めずら）しい品をお土産（みやげ）に〔ちょうだい〕する。

※「交代」「着換（える）」とも書く。　*戴冠式＝国王となって初めて王冠をかぶる式。

滝

3級

13画

部首 氵（さんずい）

音 —

訓 たき

筆順

立てる

上の横棒より長く

曲げてはねる

用例

滝（たき）

滝口（たきぐち）

滝（たき）つぼ

問題

- □美しい〔たき〕を眺（なが）める。
- □巨大（きょだい）な〔たきぐち〕から水が流れ落ちる。
- □〔たき〕つぼに水しぶきが舞（ま）う。

択

3級

7画

部首 扌（てへん）

音 タク

訓 —

筆順

はねる

折る

はらう

用例

採択（さいたく）

選択（せんたく）

選択肢（せんたくし）

二者択一（にしゃたくいつ）

問題

- □提案を〔さいたく〕する。
- □進路の〔せんたく〕をする。
- □四つの〔せんたくし〕から選ぶ。
- □〔にしゃたくいつ〕を迫（せま）られる。

沢

4級

7画

部首 氵（さんずい）

音 タク

訓 さわ

筆順

右上にはらう

折る

はらう

用例

光沢（こうたく）

潤沢（じゅんたく）＊

贅沢（ぜいたく）

沢（さわ）がに

問題

- □〔こうたく〕のある生地（きじ）。
- □資金が〔じゅんたく〕にある。
- □贅（ぜい）〔たく〕な暮らしぶり。
- □谷川で〔さわ〕がにを見つける。

卓

3級

8画

部首 十（じゅう）

音 タク

訓 —

筆順

縦棒から書く

長めに書く

用例

卓越（たくえつ）＊

卓球（たっきゅう）

円卓（えんたく）

食卓（しょくたく）

問題

- □〔たくえつ〕した能力の持ち主。
- □〔たっきゅう〕の試合に出る。
- □〔えんたく〕を囲んで会談する。
- □家族で〔しょくたく〕につく。

＊潤沢＝物が豊富で，ゆとりがあること。

＊卓越＝他よりずば抜（ぬ）けて優（すぐ）れていること。

拓

4級 8画 部首 扌(てへん)

音 タク 訓 ―

はねる つき出さない

拓殖(たくしょく) 拓本(たくほん)* 開拓(かいたく) 干拓(かんたく)

□荒れ地を（たくしょく）する。
□石碑の（たくほん）を取る。
□海外市場を（かいたく）する。
□湖を（かんたく）して農地にする。

託

3級 10画 部首 言(ごんべん)

音 タク 訓 ―

曲げてはねる 左下にはらう

託児所(たくじしょ) 委託(いたく) 屈託(くったく) 嘱託(しょくたく)

□（たくじしょ）に子供を預ける。
□業者に販売を（いたく）する。
□（くったく）のない笑顔(えがお)。
□（しょくたく）社員として勤める。

濯

準2級 17画 部首 氵(さんずい)

音 タク 訓 ―

はらう 右上にはらう 縦棒が先

洗濯(せんたく) 洗濯機(せんたくき)

□旅先で命の（せんたく）をする。
□ドラム式の（せんたくき）を購(こう)入(にゅう)する。

諾

3級 15画 部首 言(ごんべん)

音 ダク 訓 ―

はらう 横棒が先

快諾(かいだく) 許諾(きょだく) 受諾(じゅだく) 事後承諾(じごしょうだく)

□相手の（かいだく）を得る。
□著作物引用を（きょだく）する。
□要求を（じゅだく）する。
□（じごしょうだく）を求める。

*拓本＝石碑などに刻まれた文字や模様を墨(すみ)で紙に写し取ったもの。

濁 4級

部首 氵（さんずい） 16画

音 ダク
訓 にごる　にごす

筆順 濁濁濁濁濁濁濁濁濁濁濁濁濁濁濁濁

折ってはねる
忘れない
「罒」を「四」としない

用例
濁流（だくりゅう）
汚濁（おだく）
清濁（せいだく）
濁す（にごす）

問題
□〔だくりゅう〕に飲まれる。
□水質〔おだく〕に悩む。
□〔せいだく〕併せのむ人物。
□立つ鳥跡を〔にご〕さず。

但 準2級

部首 亻（にんべん） 7画

音 ―
訓 ただし

筆順 但但但但但但但

「日」は小さめに
忘れない

用例
但し（ただし）
但し書き（ただしがき）

問題
□参加無料。〔ただ〕し十名まで。
□契約書の終わりに〔ただ〕し書きを入れる。

脱 4級

部首 月（にくづき） 11画

音 ダツ
訓 ぬぐ　ぬげる

筆順 脱脱脱脱脱脱脱脱脱脱脱

ななめに書く
はらう
曲げてはねる

用例
脱衣所（だついじょ）
脱出（だっしゅつ）
脱線（だっせん）
一肌脱ぐ（ひとはだぬぐ）*

問題
□〔だついじょ〕で着替える。
□国外に〔だっしゅつ〕する。
□話が〔だっせん〕する。
□仲間のために〔ひとはだぬ〕ぐ。

奪 3級

部首 大（だい） 14画

音 ダツ
訓 うばう

筆順 奪奪奪奪奪奪奪奪奪奪奪奪奪奪

はらう
はらう
縦棒が先
長めに書く
忘れない

用例
奪回（だっかい）
争奪（そうだつ）
略奪（りゃくだつ）
奪われる（うばわれる）

問題
□選手権を〔だっかい〕する。
□優勝杯（ゆうしょうはい）を〔そうだつ〕する。
□金品を〔りゃくだつ〕する。
□絶景に目を〔うば〕われる。

*一肌脱ぐ＝その人のために自分の力を貸して，手助けする。

準2級

棚

12画 部首 木（きへん）

音 ―

訓 たな

棚

短く止める はらう はねる

棚上げ＊（たなあげ）
本棚（ほんだな）
飾り棚（かざりだな）
食器棚（しょっきだな）

□問題を（たなあ）げにする。
□（ほんだな）に小説をしまう。
□飾り（だな）に小物を飾る。
□（しょっきだな）から皿を出す。

2級

誰

15画 部首 言（ごんべん）

音 ―

訓 だれ

誰

短く止める はらう はらう 縦棒が先

誰（だれ）
誰彼（だれかれ）
誰しも（だれしも）
誰一人（だれひとり）

□知り合いが（だれ）もいない。
□（だれかれ）の区別なく接する。
□人は（だれ）しも孤独だ。
□（だれひとり）として信じない。

4級

丹

4画 部首 丶（てん）

音 タン

訓 ―

丹

忘れない つらぬく

丹精（たんせい）
丹念（たんねん）

□（たんせい）して育てた盆栽。
□年末に家中を（たんねん）に掃除する。

似ている漢字に注意

但（ただし）にんべん―旦（タン）―担（タン）てへん―胆（タン）にくづき

似ている漢字に注意

奪（ダツ）「寸」―奮（フン）「田」

「たんせい」の意味

丹精…心を込めて一心にすること。
丹誠…偽りのない心。真心。
端正…姿や動作に乱れがない様子。
端整…顔立ちなどが整って美しい様子。

＊棚上げ＝問題として取り上げるのをしばらくやめること。

旦　2級

部首　日（ひ）　5画

音　タン　ダン
訓　―

筆順　旦（長めに書く）

用例
- 一旦（いったん）
- 元旦（がんたん）
- 若旦那（わかだんな）

問題
- □［いったん］、作業を中止する。
- □一年の計は［がんたん］にあり。
- □旅館の［わかだんな］が館内を案内する。

胆　3級

部首　月（にくづき）　9画

音　タン
訓　―

筆順　胆（はらう／はねる／「日」は小さめに／忘れない）

用例
- 肝胆（かんたん）
- 魂胆（こんたん）
- 大胆（だいたん）
- 落胆（らくたん）

問題
- □＊［かんたん］相照らす仲の友人。
- □何か［こんたん］がありそうだ。
- □［だいたん］な手口の犯行。
- □不合格と知り［らくたん］する。

淡　4級

部首　氵（さんずい）　11画

音　タン
訓　あわい

筆順　淡（止める／はらう／右上にはねる）

用例
- 淡水魚（たんすいぎょ）
- 淡泊（たんぱく）
- 冷淡（れいたん）
- 淡雪（あわゆき）

問題
- □コイやフナは［たんすいぎょ］だ。
- □※［たんぱく］な味付けの料理。
- □［れいたん］な態度で接する。
- □午後から［あわゆき］が降る。

嘆　4級

部首　口（くちへん）　13画

音　タン
訓　なげく　なげかわしい

筆順　嘆（「口」は平たく／つき出さない）

用例
- 嘆願書（たんがんしょ）
- 感嘆（かんたん）
- 驚嘆（きょうたん）
- 嘆き悲しむ（なげきかなしむ）

問題
- □［たんがんしょ］を提出する。
- □［かんたん］の声を上げる。
- □見事な作品に［きょうたん］する。
- □祖母の死を［なげ］き悲しむ。

＊肝胆相照らす＝互（たが）いに心を打ち明け親しく付き合う。　※「淡白」とも書く。

4級

端

部首 立（たつへん）　14画

音 タン
訓 はし　(は)　はた

端 端 端 端 端 端 端 端 端 端 端 端 端 端

右上にはらう
短くはらう
はねる

極端（きょくたん）
最先端（さいせんたん）
片っ端（かたっぱし）
道端（みちばた）

□考え方が（きょくたん）だ。
□流行の（さいせんたん）を行く。
□片っ（かたっぱし）から試食する。
□（みちばた）で立ち話する。

2級

綻

部首 糸（いとへん）　14画

音 タン
訓 ほころびる

綻 綻 綻 綻 綻 綻 綻 綻 綻 綻 綻 綻 綻 綻

立てる
はらう

破綻（はたん）
綻ばせる（ほころばせる）
綻びる（ほころびる）

□財政が（はたん）する。
□愛らしさに顔を（ほころ）ばせる。
□古いセーターの袖口（そでぐち）が（ほころ）びる。

3級

鍛

部首 金（かねへん）　17画

音 タン
訓 きたえる

鍛 鍛 鍛 鍛 鍛 鍛 鍛 鍛 鍛 鍛 鍛 鍛 鍛 鍛 鍛 鍛 鍛

右上にはらう
右上にはらう
曲げてはねる

鍛錬（たんれん）*
鍛え上げる（きたえあげる）
鍛え抜く（きたえぬく）

□心身を（たんれん）※する。
□一人前に（きた）え上げる。
□スポーツ選手の（きた）え抜（ぬ）いた肉体。

4級

弾

部首 弓（ゆみへん）　12画

音 ダン
訓 ひく　はずむ　たま

弾 弾 弾 弾 弾 弾 弾 弾 弾 弾 弾 弾

短く止める
短くはらう
一画で書く
つき出さない

爆弾（ばくだん）
弾き語り（ひきがたり）
弾み（はずみ）
弾（たま）

□友人の（ばくだん）発言に驚（おどろ）く。
□ギターの（ひ）き語り。
□転んだ（はず）みに捻挫（ねんざ）する。
□ピストルに（たま）を込める。

*鍛錬＝厳しい修業（しゅぎょう）や訓練で心身を鍛えること。　※「鍛練」とも書く。

壇 3級

16画　部首：土（つちへん）

音：ダン（タン）
訓：—

筆順：右上にはらう／立てる／忘れない

用例：壇上（だんじょう）　花壇（かだん）　教壇（きょうだん）　仏壇（ぶつだん）

問題
- □講演会の（だんじょう）に上がる。
- □（かだん）にバラを植える。
- □中学校の（きょうだん）に立つ。
- □（ぶつだん）に手を合わせる。

恥 4級

10画　部首：心（こころ）

音：チ
訓：はじる　はじ　はじらう　はずかしい

筆順：つき出さない／「耳」は縦長に

用例：羞恥心（しゅうちしん）　厚顔無恥（こうがんむち）＊　恥じ入る（はじいる）　赤恥（あかはじ）

問題
- □（しゅうちしん）を抱（いだ）く。
- □（こうがんむち）な振（ふ）る舞（ま）い。
- □失態を（は）じ入る。
- □無知で（あかはじ）をかく。

致 4級

10画　部首：至（いたるへん）

音：チ
訓：いたす

筆順：短く止める／折ってはらう／右上にはらう

用例：致死（ちし）　致命的（ちめいてき）　一致（いっち）　致（いた）します

問題
- □過失（ちし）罪で逮捕（たいほ）する。
- □（ちめいてき）な傷を負う。
- □全員の意見が（いっち）する。
- □よろしくお願い（いた）します。

遅 4級

12画　部首：辶（しんにょう・しんにゅう）

音：チ
訓：おくれる　おくらす　おそい

筆順：はらう／つき出さない／一画で書く

用例：遅刻（ちこく）　遅遅（ちち）　遅咲（おそざ）き　遅番（おそばん）

問題
- □会議に（ちこく）する。
- □（ちち）として進まない。
- □（おそざ）きの桜を眺（なが）める。
- □（おそばん）で勤務する。

＊厚顔無恥＝厚かましくて恥（はじ）を知らない様子。

痴
準2級
13画
部首 疒（やまいだれ）
音 チ
訓 ―

立てる　短く止める　短くはらう　短く止める

痴漢（ちかん）　痴態（ちたい）　音痴（おんち）　愚痴（ぐち）

□（ちかん）行為は犯罪だ。
酔って□（ちたい）をさらす。
□（おんち）を克服する。
友人に□（ぐち）をこぼす。

稚
3級
13画
部首 禾（のぎへん）
音 チ
訓 ―

短く止める　はらう　縦棒が先

稚魚（ちぎょ）　稚拙（ちせつ）＊　幼稚（ようち）　幼稚園（ようちえん）

サケの□（ちぎょ）を放流する。
□（ちせつ）な文章を正す。
□（ようち）な考えにあきれる。
□（ようちえん）から一緒の友人。

緻
2級
16画
部首 糸（いとへん）
音 チ
訓 ―

折ってはらう　短く止める　右上にはらう

緻密（ちみつ）　精緻（せいち）

□（ちみつ）な計画を立てる。
□（せいち）を極めた寄せ木細工の工芸品。

畜
3級
10画
部首 田（た）
音 チク
訓 ―

立てる　付ける　長めに書く

畜産業（ちくさんぎょう）　畜生（ちくしょう）＊　家畜（かちく）　牧畜（ぼくちく）

□（ちくさんぎょう）を営む。
□（ちくしょう）にも劣る行為。
牛や豚は□（かちく）だ。
□（ぼくちく）で生計を立てる。

＊稚拙＝子供じみていて下手なこと。　＊畜生＝人間以外の動物。獣（けもの）。

準2級

逐

10画

部首 辶（しんにょう・しんにゅう）

音 チク

訓 ―

筆順 逐（付ける・はねる・左下にはらう・止める・一画で書く）

用例 逐一（ちくいち）　逐語訳（ちくごやく）*　逐次（ちくじ）　駆逐（くちく）

問題
□（ちくいち）上司に報告する。
□源氏物語（げんじものがたり）の（ちくごやく）を読む。
□（ちくじ）説明する。
□害虫を（くちく）する。

4級

蓄

13画

部首 艹（くさかんむり）

音 チク

訓 たくわえる

筆順 蓄（立てる・長めに書く・付ける）

用例 蓄積（ちくせき）　含蓄（がんちく）　貯蓄（ちょちく）　蓄え（たくわ）

問題
□知識を（ちくせき）する。
□（がんちく）に富んだ言葉。
□将来に向けて（ちょちく）する。
□（たくわ）えが尽（つ）きる。

準2級

秩

10画

部首 禾（のぎへん）

音 チツ

訓 ―

筆順 秩（短く止める・つき出す）

用例 秩序（ちつじょ）　無秩序（むちつじょ）

問題
□校内の（ちつじょ）を乱す。
□骨董品（こっとうひん）が（むちつじょ）に店内に並ぶ。

3級

窒

11画

部首 穴（あなかんむり）

音 チツ

訓 ―

筆順 窒（立てる・付ける・折ってはらう・短く止める）

用例 窒素（ちっそ）　窒息（ちっそく）

問題
□空気の約80％は（ちっそ）だ。
□厳しい規則に（ちっそく）しそうだ。

*逐語訳＝外国語や古文の原文を，一語一語順に正確に訳すこと。その訳文。

嫡

準2級　14画
部首　女（おんなへん）
音　チャク
訓　―

（立てる）（ななめに書く）

- 嫡出子（ちゃくしゅつし）
- 嫡男（ちゃくなん）
- 嫡流（ちゃくりゅう）＊

□（ちゃくしゅつし）として生まれる。
□徳川（とくがわ）家の（ちゃくなん）。
□源氏（げんじ）の（ちゃくりゅう）の血筋。

沖

4級　7画
部首　氵（さんずい）
音　（チュウ）
訓　おき

（右上にはねる）（「中」は縦長に）

- 沖（おき）
- 沖合い（おきあい）
- 沖合漁業（おきあいぎょぎょう）

□（おき）に出て漁をする。
□（おきあい）に船が見える。
□（おきあいぎょぎょう）でカツオを一本（いっぽん）釣りする。

抽

3級　8画
部首　扌（てへん）
音　チュウ
訓　―

（はねる）（つき出す）

- 抽出（ちゅうしゅつ）
- 抽象的（ちゅうしょうてき）
- 抽選（ちゅうせん）

□植物エキスを（ちゅうしゅつ）する。
□（ちゅうしょうてき）な議論に終わる。
□（ちゅうせん）で三名に海外旅行が当たる。

衷

準2級　9画
部首　衣（ころも）
音　チュウ
訓　―

（一画で書く）（付ける）（折ってはらう）

- 衷心（ちゅうしん）＊
- 苦衷（くちゅう）＊
- 和洋折衷（わようせっちゅう）

□（ちゅうしん）よりおわびする。
□相手の（くちゅう）を察する。
□（わようせっちゅう）の創作料理を出す店。

＊嫡流＝一族の中心となる本家の血筋。
＊衷心＝偽（いつわ）りのない心。
＊苦衷＝苦しい心の内。

酎
2級
10画
部首 酉（とりへん）
音 チュウ
訓 ―

筆順
酎（筆順に注意・忘れない・はねる）

用例
酎ハイ（ちゅうはい）
焼酎（しょうちゅう）
芋焼酎（いもじょうちゅう）

問題
□父が（ちゅう）ハイを飲む。
□（しょうちゅう）のお湯割り。
□（いもじょうちゅう）を醸造する蔵元に生まれる。

鋳
3級
15画
部首 金（かねへん）
音 チュウ
訓 いる

筆順
鋳（右上にはらう・つき出す・左につき出す）

用例
鋳造（ちゅうぞう）
改鋳（かいちゅう）
鋳型（いがた）
鋳物（いもの）

問題
□貨幣を（ちゅうぞう）する。
□釣り鐘を（かいちゅう）する。
□*（いがた）にはめた教育。
□（いもの）ホーロー鍋を使う。

駐
3級
15画
部首 馬（うまへん）
音 チュウ
訓 ―

筆順
駐（縦棒から書く・はねる・短く止める）

用例
駐在（ちゅうざい）
駐車（ちゅうしゃ）
駐屯地（ちゅうとんち）
常駐（じょうちゅう）

問題
□海外に（ちゅうざい）する。
□路上への（ちゅうしゃ）は禁止だ。
□自衛隊の（ちゅうとんち）。
□警備員が（じょうちゅう）する。

弔
準2級
4画
部首 弓（ゆみ）
音 チョウ
訓 とむらう

筆順
弔（一画で書く・つき出さない）

用例
弔辞（ちょうじ）
弔電（ちょうでん）
弔問客（ちょうもんきゃく）
弔い（とむらい）

問題
□葬儀で（ちょうじ）を読む。
□（ちょうでん）を読み上げる。
□多くの（ちょうもんきゃく）が訪れる。
□（とむらい）の言葉を述べる。

＊鋳型にはめる＝ある基準で指導し，人の思想や性格を同じにしてしまう。

準2級

挑

9画　部首 扌（てへん）

音 チョウ
訓 いどむ

止める　はらう　止める　曲げてはねる

挑戦（ちょうせん）
挑発（ちょうはつ）
挑む（いどむ）

□新たなことに（ちょうせん）する。
□ライバルの（ちょうはつ）に乗る。
□長年のライバルに試合を（いど）む。

3級

彫

11画　部首 彡（さんづくり）

音 チョウ
訓 ほる

はらう　はねる　左下にはらう　「彡」の間は均等に書く

彫刻（ちょうこく）
彫像（ちょうぞう）
木彫り（きぼり）

□仏像を（ちょうこく）する。
□噴水（ふんすい）に（ちょうぞう）が立つ。
□（きぼ）りの熊（くま）をお土産（みやげ）にもらう。

準2級

眺

11画　部首 目（めへん）

音 チョウ
訓 ながめる

止める　はらう　曲げてはねる　はらう　止める

眺望（ちょうぼう）*
眺め（ながめ）
眺め回す（ながめまわす）

□眼下に（ちょうぼう）が開ける。
□山頂からの（なが）めを楽しむ。
□物珍（ものめずら）しそうに周囲を（なが）め回（まわ）す。

準2級

釣

11画　部首 金（かねへん）

音 （チョウ）
訓 つる

右上にはらう　忘れない　折ってはねる

釣り合い（つりあい）
釣り糸（つりいと）
釣りざお（つりざお）
釣り銭（つりせん）

□両者の（つ）り合いを保つ。
□池に（つ）り糸を垂らす。
□新しい（つ）りざおを使う。
□（つ）り銭をもらう。

タ行　チュウ≫チョウ

*眺望＝はるかかなたまで見渡（みわた）すこと。また，その眺め。

貼

2級　12画　部首 貝（かいへん）

音 チョウ　訓 は**る**

筆順：縦棒が先／はらう／止める

用例：貼付（ちょうふ）　貼り紙（はりがみ）　貼り付ける（はりつける）

問題
- □切手を（ちょうふ）する。
- □バイト募集（ぼしゅう）の（は）※り紙。
- □履歴書（りれきしょ）に写真を（は）※り付ける。

超

3級　12画　部首 走（そうにょう）

音 チョウ　訓 こ**える**　こ**す**

筆順：付ける／長くのばしてはらう／つき出さない

用例：超越（ちょうえつ）　超過（ちょうか）　超人的（ちょうじんてき）　超える（こえる）

問題
- □人知を（ちょうえつ）した現象。
- □（ちょうか）料金を支払（しはら）う。
- □（ちょうじんてき）な活躍（かつやく）をする。
- □想像を（こ）※えた結末。

跳

4級　13画　部首 𧾷（あしへん）

音 チョウ　訓 は**ねる**　と**ぶ**

筆順：はらう／右上にはらう／止める／はらう／曲げてはねる／止める

用例：跳躍力（ちょうやくりょく）　跳ね上がる（はねあがる）　跳ね返す（はねかえす）　跳び越す（とびこす）

問題
- □（ちょうやくりょく）のある選手。
- □値段が倍に（は）ね上がる。
- □重圧を（は）ね返す。
- □水たまりを（と）※び越（こ）す。

徴

4級　14画　部首 彳（ぎょうにんべん）

音 チョウ　訓 ―

筆順：はらう／右上にはらう／付ける

用例：徴収（ちょうしゅう）　徴用（ちょうよう）　象徴（しょうちょう）　特徴（とくちょう）

問題
- □会費を（ちょうしゅう）する。
- □軍需（ぐんじゅ）工場に（ちょうよう）される。
- □ハトは平和の（しょうちょう）だ。
- □彼（かれ）の声には（とくちょう）がある。

※「張り紙」「張り付ける」とも書く。　※「越（える）」とも書く。　※「飛（び越す）」とも書く。

2級
※
嘲
部首 口（くちへん） 15画
音 チョウ
訓 あざける

横棒が先
付ける

嘲笑（ちょうしょう）
自嘲（じちょう）＊
嘲る（あざける）

□世間の〔ちょうしょう〕を浴びる。
□〔じちょう〕するように笑う。
□裏切り者の失敗を、自業自得（じごうじとく）と〔あざけ〕る。

4級
澄
部首 氵（さんずい） 15画
音 （チョウ）
訓 すむ すます

折ってはらう
ななめに書く
付ける

澄み切る（すみきる）
澄まし汁（すましじる）
澄ます（すます）

□〔す〕み切った秋の空。
□〔す〕まし汁を飲む。
□耳を〔す〕まして虫の音（ね）を聴（き）く。

3級
聴
部首 耳（みみへん） 17画
音 チョウ
訓 きく

つき出さない
横棒が先
付ける

聴覚（ちょうかく）
聴衆（ちょうしゅう）
盗聴器（とうちょうき）
傍聴（ぼうちょう）

□〔ちょうかく〕は五感の一つだ。
□多くの〔ちょうしゅう〕の前で話す。
□〔とうちょうき〕が仕掛（しか）けられる。
□裁判を〔ぼうちょう〕する。

似ている漢字に注意
跳（チョウ）あしへん―眺（チョウ）めへん―挑（チョウ）てへん

似ている漢字に注意
徴（チョウ）―懲（チョウ）「心」がつく―徴（ビ）「𠙻」

似ている漢字に注意
嘲（チョウ）くちへん―潮（チョウ）さんずい

※「嘲」も可。 ＊自嘲＝自分で自分を嘲ること。

懲

準2級

部首 心（こころ）　18画

音 チョウ

訓 こりる　こらす　こらしめる

筆順：はらう　右上にはらう　「徴」はやや平たく

用例：懲役（ちょうえき）　懲戒（ちょうかい）　勧善懲悪（かんぜんちょうあく）　懲り懲り（こりごり）

問題

□無期（ちょうえき）を言い渡（わた）す。

□（ちょうかい）免職（めんしょく）となる。

□（かんぜんちょうあく）のストーリー。

□同じ失敗は（こりごり）だ。

勅

準2級

部首 力（ちから）　9画

音 チョク

訓 —

筆順：つらぬく　短めに止める　つき出す

用例：勅使（ちょくし）　詔勅（しょうちょく）　教育勅語（きょういくちょくご）

問題

□明治（めいじ）天皇の（ちょくし）。

□終戦の（しょうちょく）が出された日。

□（きょういくちょくご）の原文。

捗

2級 ※

部首 扌（てへん）　10画

音 チョク

訓 —

筆順：縦棒が先　はねる　長めにはらう

用例：進捗（しんちょく）＊

問題

□建設工事の（しんちょく）状況（じょうきょう）は良好だ。

沈

4級

部首 氵（さんずい）　7画

音 チン

訓 しずむ　しずめる

筆順：右上にはらう　つき出す　曲げてはねる

用例：沈着（ちんちゃく）　沈没（ちんぼつ）　沈黙（ちんもく）　浮（う）き沈（しず）み

問題

□冷静（ちんちゃく）に行動する。

□（ちんぼつ）の危機を脱（だっ）する。

□長い（ちんもく）を破る。

□浮（う）き（しず）みの多い人生。

※「捗」(11画)も可。　＊進捗＝物事が進みはかどること。

珍 4級

9画　部首：王（たま・おうへん）

音：チン
訓：めずらしい

筆順：珍（右上にはらう／付ける／左下にはらう）

珍客（ちんきゃく）
珍重（ちんちょう）
珍味（ちんみ）
物珍しい（ものめずらしい）

□我が家に（ちんきゃく）が訪（おとず）れる。
□輸入品を（ちんちょう）する。
□山海の（ちんみ）を味わう。
□（ものめずら）しい風習に驚（おどろ）く。

朕 準2級

10画　部首：月（ふなづき）

音：チン
訓：―

筆順：朕（上の横棒より長く／つき出さない）

朕（ちん）＊

□「（ちん）は国家なり。」はルイ十四世の言葉だ。

陳 3級

11画　部首：阝（こざとへん）

音：チン
訓：―

筆順：陳（三画で書く／つらぬく）

陳謝（ちんしゃ）
陳腐（ちんぷ）
陳列（ちんれつ）
新陳代謝（しんちんたいしゃ）

□失言を（ちんしゃ）する。
□表現が（ちんぷ）だ。
□棚（たな）に商品を（ちんれつ）する。
□会社組織の（しんちんたいしゃ）。

鎮 3級

18画　部首：金（かねへん）

音：チン
訓：しず（める）　しず（まる）

筆順：鎮（付ける／付ける／横棒が先／忘れない）

鎮圧（ちんあつ）
鎮守（ちんじゅ）＊
鎮痛（ちんつう）
重鎮（じゅうちん）

□反乱を（ちんあつ）する。
□村の（ちんじゅ）の森。
□（ちんつう）作用のある薬。
□財界の（じゅうちん）に会う。

＊朕＝皇帝（こうてい）や天皇が自分を指して言う言葉。　＊鎮守＝その土地を守る神を祭った神社。

2級

椎

部首 木（きへん） 12画

音 ツイ
訓 —

筆順 椎椎椎椎椎椎椎椎椎椎椎椎

短く止める　はらう　縦棒が先

用例 椎間板（ついかんばん）　椎骨（ついこつ）　脊椎（せきつい）

問題
□［ついかんばん］ヘルニアの手術。
□［ついこつ］の構造を調べる。
□哺乳類（ほにゅうるい）や魚類、鳥類などは［せきつい］動物だ。

3級

墜

部首 土（つち） 15画

音 ツイ
訓 —

筆順 墜墜墜墜墜墜墜墜墜墜墜墜墜墜墜

三画で書く　付ける　はねる

用例 墜落（ついらく）　撃墜（げきつい）　失墜（しっつい）

問題
□飛行機が［ついらく］する。
□敵機を［げきつい］する。
□自らの愚（おろ）かな言動で、名誉（めいよ）を［しっつい］する。

準2級

塚

部首 土（つちへん） 12画

音 —
訓 つか

筆順 塚塚塚塚塚塚塚塚塚塚塚塚

「⼧」を「⼧」としない　付ける　はねる

用例 貝塚（かいづか）　一里塚（いちりづか）*

問題
□縄文（じょうもん）時代の［かいづか］を見学する。
□江戸（えど）時代に築かれた［いちりづか］が今も残る。

準2級

漬

部首 氵（さんずい） 14画

音 —
訓 つける　つかる

筆順 漬漬漬漬漬漬漬漬漬漬漬漬漬漬

右上にはらう　つき出す　はらう　止める

用例 漬（つ）け物（もの）　ぬか漬（づ）け　漬（つ）かる

問題
□白菜の［つ］け物（もの）。
□ぬか［づ］けを食べる。
□自家製のたくあんがよく［つ］かる。

*一里塚＝全国の主な街道に一里（約4キロメートル）ごとに土を盛り，樹木を植えた道しるべ。

坪

準2級　8画　部首 土（つちへん）

音 —
訓 つぼ

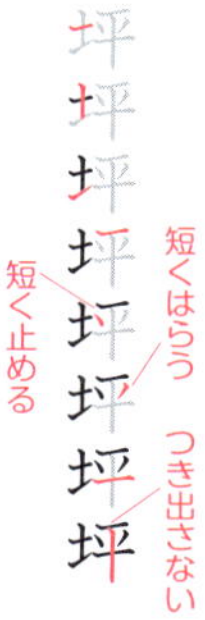

坪数（つぼすう）
坪庭（つぼにわ）
建坪（たてつぼ）

□売り地の（つぼすう）を調べる。
□趣（おもむき）ある（つぼにわ）を眺（なが）める。
□新居の（たてつぼ）を決める。

爪

2級　4画　部首 爪（つめ）

音 —
訓 つめ　つま

爪（つめ）あと
生爪（なまづめ）
爪先（つまさき）
爪（つま）はじき

□台風の（つめ）あとが残る。
□（なまづめ）を剥（は）がす。
□（つまさき）立ちでのぞき込（こ）む。
□世間から（つま）はじきにされる。

鶴

2級　21画　部首 鳥（とり）

音 —
訓 つる

鶴（つる）
鶴（つる）はし＊
千羽鶴（せんばづる）

□（つる）は千年亀（かめ）は万年。
□（つる）はしを使って掘（ほ）る。
□（せんばづる）を折って、入院中の祖母に届ける。

呈

準2級　7画　部首 口（くち）

音 テイ
訓 —

呈（てい）する
謹呈（きんてい）
贈呈（ぞうてい）
露呈（ろてい）

□市場が活況（かっきょう）を（てい）する。
□拙著（せっちょ）を（きんてい）する。
□花束を（ぞうてい）する。
□問題点が（ろてい）する。

＊鶴はし＝鶴のくちばしの形に似た，固い土や岩を崩（くず）すのに使う道具。

廷

準2級

部首 廴（えんにょう）　7画

音 テイ
訓 ―

筆順
左下にはらう
上の横棒より短く
三画で書く

用例
宮廷（きゅうてい）　出廷（しゅってい）　朝廷（ちょうてい）　法廷（ほうてい）

問題
□（きゅうてい）文化を研究する。
□裁判官が（しゅってい）する。
□幕府と（ちょうてい）の争い。
□（ほうてい）で争う。

抵

4級

部首 扌（てへん）　8画

音 テイ
訓 ―

筆順
左下にはらう
折ってはらう
忘れない

用例
抵抗（ていこう）　抵触（ていしょく）　抵当（ていとう）　並大抵（なみたいてい）

問題
□権力に（ていこう）する。
□法律に（ていしょく）する行為（こうい）。
□自宅を（ていとう）に入れる。
□（なみたいてい）の努力ではない。

邸

準2級

部首 阝（おおざと）　8画

音 テイ
訓 ―

筆順
左下にはらう
折ってはらう
忘れない
三画で書く

用例
邸宅（ていたく）　官邸（かんてい）　私邸（してい）　御用邸（ごようてい）

問題
□都内に（ていたく）を構える。
□首相（しゅしょう）（かんてい）に向かう。
□大臣の（してい）を訪（おとず）れる。
□天皇の（ごようてい）。

亭

準2級

部首 亠（なべぶた）　9画

音 テイ
訓 ―

筆順
立てる
「亠」を「宀」としない
付ける

用例
亭主（ていしゅ）　亭主関白（ていしゅかんぱく）*　料亭（りょうてい）

問題
□宿屋の（ていしゅ）に話を聞く。
□父は（ていしゅかんぱく）だ。
□老舗（しにせ）の（りょうてい）で会食が行われる。

*亭主関白＝夫が妻に対していばっていること。

貞

準2級

9画　部首：貝（こがい・かい）

音：テイ
訓：—

筆順：縦棒から書く／付ける／はらう／止める

貞淑（ていしゅく）　貞節（ていせつ）　貞操（ていそう）　不貞（ふてい）

□［ていしゅく］な妻。
□［ていせつ］を守る。
□［ていそう］観念をもつ。
□［ふてい］を働く。

帝

3級

9画　部首：巾（はば）

音：テイ
訓：—

筆順：立てる／ななめに書く／はねる／止める

帝王（ていおう）　帝国（ていこく）　皇帝（こうてい）　女帝（じょてい）

□暗黒街の［ていおう］。
□ローマ［ていこく］の歴史。
□歴代のローマ［こうてい］。
□［じょてい］として君臨する。

訂

3級

9画　部首：言（ごんべん）

音：テイ
訓：—

筆順：最も長く／付ける

訂正（ていせい）　改訂（かいてい）　校訂（こうてい）

□誤字を［ていせい］する。
□教科書が［かいてい］される。
□古典文学を［こうてい］する。

逓

準2級

10画　部首：辶（しんにょう・しんにゅう）

音：テイ
訓：—

筆順：左下にはらう／つらぬく／一画で書く

逓減*（ていげん）　逓送（ていそう）　逓増*（ていぞう）

□人口が［ていげん］する。
□配達物を［ていそう］する。
□この国では出生率が［ていぞう］している。

*逓減＝だんだん減ること。　*逓増＝だんだん増えること。

準2級

偵

部首 亻（にんべん） 11画

音 テイ
訓 ―

筆順：偵 偵 偵 偵 偵 偵 偵 偵 偵 偵 偵
（縦棒が先／付ける／はらう／止める）

用例：偵察（ていさつ）　探偵（たんてい）　内偵（ないてい）　密偵（みってい）

問題
□ライバルの動向の（ていさつ）。
□（たんてい）に調査を依頼（いらい）する。
□素行を（ないてい）する。
□敵国に（みってい）を放つ。

4級

堤

部首 土（つちへん） 12画

音 テイ
訓 つつみ

筆順：堤 堤 堤 堤 堤 堤 堤 堤 堤 堤 堤 堤
（右上にはらう／つき出さない／長めにはらう）

用例：堤防（ていぼう）　突堤（とってい）　防波堤（ぼうはてい）　堤（つつみ）

問題
□立派な（ていぼう）を築く。
□（とってい）で釣りを楽しむ。
□重圧から守る（ぼうはてい）。
□大雨で（つつみ）が切れる。

準2級

艇

部首 舟（ふねへん） 13画

音 テイ
訓 ―

筆順：艇 艇 艇 艇 艇 艇 艇 艇 艇 艇 艇 艇 艇
（短くはらう／上の横棒を長く／つき出す／三画で書く）

用例：艇身（ていしん）*　艦艇（かんてい）　競艇（きょうてい）　舟艇（しゅうてい）

問題
□二（ていしん）の差で勝つ。
□巨大な（かんてい）に乗り込む。
□（きょうてい）の選手を目指す。
□上陸用の（しゅうてい）をこぐ。

3級

締

部首 糸（いとへん） 15画

音 テイ
訓 しまる　しめる

筆順：締 締 締 締 締 締 締 締 締 締 締 締 締 締 締
（立てる／ななめに書く／止める）

用例：締結（ていけつ）　締め切り（しめきり）　取り締まる（とりしまる）　引き締める（ひきしめる）

問題
□条約を（ていけつ）する。
□納品の（し）め切りを守る。
□交通違反（いはん）を取り（し）まる。
□気持ちを引き（し）める。

＊艇身＝ボートレースで，ボート間の距離（きょり）を，ボートの長さを基準に表す単位。

諦

2級　16画
部首　言（ごんべん）
音　テイ
訓　あきらめる

立てる　止める　はねる　ななめに書く

- 諦観（ていかん）
- 諦念（ていねん）
- 諦め（あきらめ）
- 諦める（あきらめる）

- □人生を〔ていかん〕する。
- □〔ていねん〕の境地に達する。
- □〔あきら〕めが悪い性質だ。
- □留学を〔あきら〕める。

泥

準2級　8画
部首　氵（さんずい）
音　（デイ）
訓　どろ

左下にはらう　曲げてはねる

- 泥縄（どろなわ）＊
- 泥沼化（どろぬまか）
- 泥棒（どろぼう）
- 泥まみれ（どろまみれ）

- □〔どろなわ〕式に勉強する。
- □内紛（ないふん）が〔どろぬまか〕する。
- □〔どろぼう〕を捕（つか）まえる。
- □〔どろ〕まみれになって働く。

摘

4級　14画
部首　扌（てへん）
音　テキ
訓　つむ

立てる　ななめに書く

- 摘出（てきしゅつ）
- 摘発（てきはつ）
- 指摘（してき）
- 摘み取る（つみとる）

- □腫瘍（しゅよう）を〔てきしゅつ〕する。
- □汚職（おしょく）を〔てきはつ〕する。
- □問題点を〔してき〕する。
- □悪の芽を〔つ〕み取る。

滴

4級　14画
部首　氵（さんずい）
音　テキ
訓　しずく　（したたる）

立てる　ななめに書く

- 一滴（いってき）
- 水滴（すいてき）
- 点滴（てんてき）
- 滴（しずく）

- □〔いってき〕の酒も飲めない。
- □〔すいてき〕が垂れる。
- □病院で〔てんてき〕を受ける。
- □涙（なみだ）の〔しずく〕がこぼれる。

＊泥縄＝何かが起こってから，慌（あわ）てて対策をすること。

溺 ※

2級

13画

部首 氵（さんずい）

音 デキ

訓 おぼれる

筆順 右上にはらう／一画で書く

用例 溺愛（できあい）　溺死（できし）　溺れる（おぼれる）

問題
- □末っ子を〔できあい〕する。
- □川で〔できし〕する。
- □〔おぼ〕れる者はわらをもつかむ。

迭

準2級

8画

部首 辶（しんにょう・しんにゅう）

音 テツ

訓 ―

筆順 つき出す／一画で書く

用例 更迭（こうてつ）

問題
- □外務大臣の〔こうてつ〕が決定する。

哲

3級

10画

部首 口（くち）

音 テツ

訓 ―

筆順 左下にはらう／付ける

用例 哲学（てつがく）　哲人（てつじん）　先哲（せんてつ）

問題
- □ギリシア〔てつがく〕を学ぶ。
- □尊敬する〔てつじん〕の書籍（しょせき）。
- □〔せんてつ〕の教えを胸に刻む。

徹

準2級

15画

部首 彳（ぎょうにんべん）

音 テツ

訓 ―

筆順 立てる／止める／はねる／左下にはらう／付ける

用例 徹底（てってい）　徹頭徹尾（てっとうてつび）*　徹夜（てつや）　貫徹（かんてつ）

問題
- □方針を〔てってい〕させる。
- □〔てっとうてつび〕応援（おうえん）する。
- □〔てつや〕で作品を仕上げる。
- □初志を〔かんてつ〕する。

※「溺」も可。　*徹頭徹尾＝初めから終わりまで変わらない様子。

準2級

撤

15画

部首 扌（てへん）

音 テツ

訓 ―

（筆順：はねる・立てる・止める・はねる／左下にはらう・付ける）

撤回（てっかい）
撤去（てっきょ）
撤退（てったい）
撤廃（てっぱい）

□前言を（てっかい）する。
□がれきを（てっきょ）する。
□海外市場から（てったい）する。
□統制を（てっぱい）する。

4級

添

11画

部首 氵（さんずい）

音 テン

訓 そえる　そう

（筆順：左下にはらう・付ける・点二つ）

添加物（てんかぶつ）
添削（てんさく）
巻き添え（まきぞえ）
付き添う（つきそう）

□（てんかぶつ）の入らない食品。
□答案を（てんさく）する。
□事故の巻き（ぞ）えを食う。
□病人に付き（そ）う。

2級

※塡

13画

部首 土（つちへん）

音 テン

訓 ―

（筆順：右上にはらう・折る）

装塡＊（そうてん）
補塡＊（ほてん）

□フィルムを（そうてん）する。
□総合病院が今年度分の赤字を（ほてん）する。

似ている漢字に注意

迭（テツ）―鉄（テツ）―送（ソウ）
「失」としない

似ている漢字に注意

徹（テツ）―撤（テツ）
ぎょうにんべん　てへん

書き方に注意

添
「小」や「氺」としないように。

※「塡」も可。　＊装塡＝中に詰め込むこと。　＊補塡＝不足分の埋め合わせをすること。

殿 4級

部首 殳（るまた） 13画

音 デン テン

訓 との どの

筆順：はらう／曲げてはねる

用例：殿堂（でんどう）　宮殿（きゅうでん）　御殿（ごてん）　殿様（とのさま）

問題
- □野球で［でんどう］入りする。
- □王様が［きゅうでん］に住む。
- □立派な［ごてん］を建てる。
- □［とのさま］がお触れを出す。

斗 3級

部首 斗（と） 4画

音 ト

訓 ―

筆順：点二つ／中央をつらぬいて止める

用例：斗酒（としゅ）＊　一斗（いっと）　泰斗（たいと）＊　北斗七星（ほくとしちせい）

問題
- □［としゅ］なお辞せず。
- □［いっと］は一升の十倍だ。
- □美術界の［たいと］の作品。
- □夜空に［ほくとしちせい］が輝く。

吐 4級

部首 口（くちへん） 6画

音 ト

訓 はく

筆順：「口」は小さく／つき出す

用例：吐息（といき）　吐血（とけつ）　吐露（とろ）　吐き気（はきけ）

問題
- □そっと［といき］を漏らす。
- □［とけつ］して倒れる。
- □自分の感情を［とろ］する。
- □悪臭に［は］き気を催す。

妬 2級

部首 女（おんなへん） 8画

音 ト

訓 ねたむ

筆順：折って止める／つき出さない

用例：嫉妬（しっと）　嫉妬心（しっとしん）　妬ましい（ねたましい）

問題
- □［しっと］の炎を燃やす。
- □友人に［しっとしん］を抱く。
- □彼女は［ねた］ましいほどの才能の持ち主だ。

＊斗酒＝多量の酒。　＊泰斗＝特定の分野に優れ，人々の尊敬を集めている人。

4級

途

部首 辶(しんにょう・しんにゅう) 10画

音 ト
訓 ―

付ける　つき出さない　一画で書く

途中(とちゅう)　途方(とほう)　前途(ぜんと)　中途(ちゅうと)

□作業を(とちゅう)でやめる。
□失業して(とほう)に暮れる。
□この計画は(ぜんと)多難だ。
□(ちゅうと)採用で入社する。

4級

渡

部首 氵(さんずい) 12画

音 ト
訓 わたる　わたす

立てる　筆順に注意

渡航(とこう)　過渡期(かとき)*　譲渡(じょうと)　渡(わた)り歩(ある)く

□(とこう)の手続きをする。
□社会が(かとき)を迎(むか)える。
□全財産を子に(じょうと)する。
□世界を(わた)り歩く。

3級

塗

部首 土(つち) 13画

音 ト
訓 ぬる

付ける　つき出さない

塗装(とそう)　塗布(とふ)　塗料(とりょう)　上塗(うわぬ)り

□外壁(がいへき)の(とそう)工事を行う。
□傷口に薬を(とふ)する。
□蛍光(けいこう)(とりょう)を使う。
□恥(はじ)の(うわぬ)りをする。

2級

賭 ※

部首 貝(かいへん) 16画

音 (ト)
訓 かける

短く止める　長くはらう

賭博(とばく)　賭(か)け　賭(か)け事(ごと)

□競馬や競輪は(とばく)だ。
□一世一代の(か)けに出る。
□(か)け事に興じてばかりの生活を改める。

*過渡期＝新しい状態に移り変わる途中の時期。　※「賭」(15画)も可。

奴

4級

部首 女（おんなへん） 5画

音 ド

訓 ―

筆順

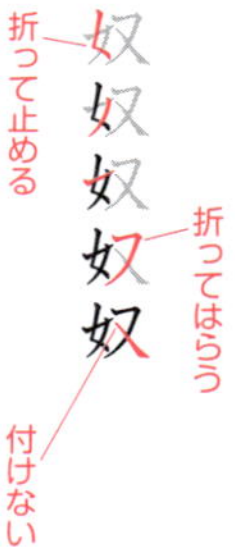

用例

奴隷(どれい)
農奴(のうど)＊
守銭奴(しゅせんど)

問題

□恋(こい)の（どれい）となる。
□中世ヨーロッパの（のうど）。
□お金をためこんでけちな人を、（しゅせんど）と軽蔑(けいべつ)する。

怒

4級

部首 心（こころ） 9画

音 ド

訓 いかる
おこる

筆順

用例

怒号(どごう)
激怒(げきど)
怒(いか)り狂(くる)う
怒(おこ)りっぽい

問題

□現場に（どごう）が飛び交(か)う。
□不正を知って（げきど）する。
□裏切られて（いか）り狂(くる)う。
□弟は（おこ）りっぽい性格だ。

到

4級

部首 刂（りっとう） 8画

音 トウ

訓 ―

筆順

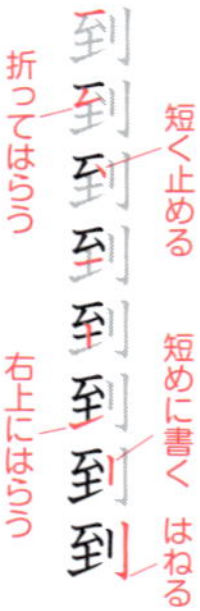

用例

到着(とうちゃく)
殺到(さっとう)
前人未到(ぜんじんみとう)
用意周到(よういしゅうとう)

問題

□時間通りに（とうちゃく）する。
□注文が（さっとう）する。
□※（ぜんじんみとう）の奥地(おくち)の探検。
□（よういしゅうとう）に支度(したく)する。

逃

4級

部首 辶（しんにょう・しんにゅう） 9画

音 トウ

訓 にげる
にがす
のがす
のがれる

筆順

用例

逃避(とうひ)
逃亡(とうぼう)
夜逃(よに)げ
見逃(みのが)す

問題

□現実から（とうひ）する。
□犯人が（とうぼう）する。
□一家で（よに）げする。
□間違(まちが)いを（みのが）す。

＊農奴＝ヨーロッパ封建(ほうけん)社会で自由をもたない農民。　※「前人未踏」とも書く。

倒

4級　10画
部首　亻（にんべん）
音　トウ
訓　たおれる　たおす

折ってはらう　短く止める　右上にはらう　はねる

倒産（とうさん）
圧倒的（あっとうてき）
卒倒（そっとう）
共倒れ（ともだおれ）

□大企業が（とうさん）する。
□（あっとうてき）な強さを見せる。
□驚（おどろ）いて（そっとう）する。
□無理な争いで（ともだお）れする。

凍

3級　10画
部首　冫（にすい）
音　トウ
訓　こおる　こごえる

つらぬく　「冫」を「氵」としない

凍結（とうけつ）
冷凍（れいとう）
凍り付く（こおりつく）
凍え死に（こごえじに）

□寒さで湖が（とうけつ）する。
□（れいとう）食品を使う。
□恐怖（きょうふ）のあまり（こお）り付く。
□（こご）え死にしそうな寒さ。

唐

4級　10画
部首　口（くち）
音　トウ
訓　から

立てる　つき出す

唐突（とうとつ）
遣唐使（けんとうし）
荒唐無稽＊（こうとうむけい）
唐草模様（からくさもよう）

□（とうとつ）に笑い出す。
□（けんとうし）の歴史を調べる。
□（こうとうむけい）な話に驚（おどろ）く。
□（からくさもよう）の風呂敷（ふろしき）。

桃

4級　10画
部首　木（きへん）
音　トウ
訓　もも

止める　止める　はらう　曲げてはねる

桃源郷（とうげんきょう）
白桃（はくとう）
桃色（ももいろ）
桃の節句（もものせっく）

□（とうげんきょう）を夢見る。
□（はくとう）を食べる。
□（ももいろ）のワンピース。
□三月三日は（もも）の節句だ。

＊荒唐無稽＝根拠（こんきょ）がなく，でたらめであること。

透 4級

部首 辶（しんにょう・しんにゅう） 10画

音 トウ
訓 すく すかす すける

筆順 左下にはらう 付ける 一画で書く

用例 透析（とうせき） 透明（とうめい） 浸透（しんとう） 見え透く（みえすく）

問題
□人工（とうせき）を受ける。
□無色（とうめい）の液体。
□民主主義が（しんとう）する。
□見え（す）いたうそをつく。

悼 準2級

部首 忄（りっしんべん） 11画

音 トウ
訓 （いたむ）

筆順 縦棒が先 筆順に注意 付ける

用例 悼辞（とうじ） 哀悼（あいとう） 追悼（ついとう）

問題
□葬儀（そうぎ）で（とうじ）を読む。
□（あいとう）の意を表す。
□故人への（ついとう）の言葉を述べる。

盗 4級

部首 皿（さら） 11画

音 トウ
訓 ぬすむ

筆順 「冫」を「氵」としない 付ける 長めに書く

用例 盗難（とうなん） 盗用（とうよう） 強盗（ごうとう） 盗み聞き（ぬすみぎき）

問題
□旅先で（とうなん）に遭（あ）う。
□作品の（とうよう）が発覚する。
□（ごうとう）が押（お）し入る。
□人の話を（ぬす）み聞きする。

陶 3級

部首 阝（こざとへん） 11画

音 トウ
訓 ―

筆順 三画で書く 折ってはねる 左下にはらう 付ける 上の横棒より長く

用例 陶器（とうき） 陶芸（とうげい） 陶酔（とうすい） 薫陶（くんとう）*

問題
□（とうき）の皿を使う。
□母は（とうげい）が趣味（しゅみ）だ。
□名演技に（とうすい）する。
□師の（薫陶）（くんとう）を受ける。

*薫陶＝優（すぐ）れた人格によって，他の人をよい方向に導くこと。

塔

4級

12画

部首 土（つちへん）

音 トウ

訓 —

（筆順注記：右上にはらう／付ける）

- 塔婆（とうば）
- 石塔（せきとう）
- 金字塔（きんじとう）*
- 五重の塔（ごじゅうのとう）

- □お墓に〔とうば〕を立てる。
- □寺の境内（けいだい）に〔せきとう〕がある。
- □学界に〔きんじとう〕を打ち立てる。
- □古い寺院の五重の〔とう〕。

搭

準2級

12画

部首 扌（てへん）

音 トウ

訓 —

（筆順注記：はねる／付ける）

- 搭載（とうさい）
- 搭乗（とうじょう）
- 搭乗券（とうじょうけん）

- □兵器を〔とうさい〕した飛行機。
- □乗客が〔とうじょう〕する。
- □飛行機の〔とうじょうけん〕。

棟

準2級

12画

部首 木（きへん）

音 トウ

訓 むね（むな）

（筆順注記：つき出す／短く止める）

- 棟梁（とうりょう）
- 病棟（びょうとう）
- 棟上げ（むねあげ）
- 別棟（べつむね）

- □大工の〔とうりょう〕になる。
- □外科〔びょうとう〕に入院する。
- □〔むねあ〕げの儀式（ぎしき）を行う。
- □〔べつむね〕に客室を造る。

痘

3級

12画

部首 疒（やまいだれ）

音 トウ

訓 —

（筆順注記：立てる／短く止める／短くはらう）

- 種痘（しゅとう）
- 水痘（すいとう）
- 天然痘（てんねんとう）

- □〔しゅとう〕のあとが残る。
- □水ぼうそうを〔すいとう〕という。
- □〔てんねんとう〕の予防接種を受ける。

*金字塔＝後の世まで残る，優（すぐ）れた業績。

筒　準2級
部首　⺮（たけかんむり）　12画
音　トウ
訓　つつ

筆順　筒筒筒筒筒筒筒筒筒筒筒筒
「⺮」は平たく　折ってはねる

用例　円筒形（えんとうけい）　水筒（すいとう）　封筒（ふうとう）　茶筒（ちゃづつ）

問題
□乾電池（かんでんち）は〔えんとうけい〕だ。
□〔すいとう〕にお茶を入れる。
□〔ふうとう〕に切手を貼（は）る。
□桜の皮で作った〔ちゃづつ〕。

稲　4級
部首　禾（のぎへん）　14画
音　トウ
訓　いね　いな

筆順　稲稲稲稲稲稲稲稲稲稲稲稲稲稲
短く止める　はらう　短くはらう　短く止める　忘れない

用例　水稲（すいとう）　稲刈り（いねかり）　稲作（いなさく）　稲妻（いなづま）

問題
□田んぼに〔すいとう〕を植える。
□〔いねか〕りを手伝う。
□大規模な〔いなさく〕地帯。
□夜空に〔いなづま〕が走る。

踏　4級
部首　⻊（あしへん）　15画
音　トウ
訓　ふむ　ふまえる

筆順　踏踏踏踏踏踏踏踏踏踏踏踏踏踏踏
右上にはらう　左下にはらう　右下にはらう

用例　踏襲（とうしゅう）　雑踏（ざっとう）　舞踏会（ぶとうかい）　足踏み（あしぶみ）

問題
□前例を〔とうしゅう〕する。
□〔ざっとう〕に紛（まぎ）れる。
□〔ぶとうかい〕が開かれる。
□交渉（こうしょう）は〔あしぶ〕み状態だ。

謄　準2級
部首　言（いう）　17画
音　トウ
訓　―

筆順　謄謄謄謄謄謄謄謄謄謄謄謄謄謄謄謄謄
上の横棒より長く　つき出す　付ける

用例　謄写版（とうしゃばん）*　謄本（とうほん）

問題
□〔とうしゃばん〕で印刷する。
□本籍地（ほんせきち）の役所で、戸籍〔とうほん〕を取る。

*謄写版＝原紙に鉄筆などで字や絵を描（か）き，ローラーでこすりインクをにじみ出させて転写する，手軽な印刷機。

藤
2級　18画
部首　艹（くさかんむり）
音　トウ
訓　ふじ

上の横棒より長く　つき出す
はらう

- 葛藤（かっとう）
- 藤色（ふじいろ）
- 藤棚（ふじだな）

- □心に（かっとう）が生じる。
- □（ふじいろ）のセーター。
- □満開を迎（むか）えた（ふじだな）を観賞する。

闘
4級　18画
部首　門（もんがまえ・かどがまえ）
音　トウ
訓　たたか・う

縦棒から書く
一画で書く
右上にはらう

- 闘争（とうそう）
- 格闘（かくとう）
- 戦闘（せんとう）
- 孤軍奮闘（こぐんふんとう）

- □権力（とうそう）を繰（く）り返す。
- □難題と（かくとう）する。
- □激しい（せんとう）を交える。
- □新天地で（こぐんふんとう）する。

騰
準2級　20画
部首　馬（うま）
音　トウ
訓　―

縦棒から書く
上の横棒より長く
つき出す
折ってはねる

- 騰貴（とうき）
- 高騰（こうとう）
- 沸騰（ふっとう）
- 暴騰（ぼうとう）

- □物価の（とうき）に驚（おどろ）く。
- □地価が（こうとう）する。
- □お湯が（ふっとう）する。
- □株価が（ぼうとう）する。

洞
準2級　9画
部首　氵（さんずい）
音　ドウ
訓　ほら

右上にはらう
折ってはねる

- 洞窟（どうくつ）
- 洞察力（どうさつりょく）*
- 空洞化（くうどうか）
- 洞穴（ほらあな）※

- □（どうくつ）遺跡（いせき）が発見される。
- □鋭（するど）い（どうさつりょく）の持ち主。
- □産業が（くうどうか）する。
- □熊（くま）が（ほらあな）で冬眠（とうみん）する。

*洞察力＝よく観察して奥底（おくそこ）まで見抜（みぬ）く力。　※「どうけつ」とも読む。

胴
4級
10画
部首 月（にくづき）
音 ドウ
訓 —

筆順：胴 胴 胴 胴 胴 胴 胴 胴 胴 胴
（はねる・はらう・折ってはねる）

用例：胴上（どうあ）げ　胴衣（どうい）　胴体（どうたい）　胴乱（どうらん）＊

問題
□監督（かんとく）を〔※どうあ〕げする。
□救命〔どうい〕を身に付ける。
□飛行機が〔どうたい〕着陸する。
□〔どうらん〕に植物を入れる。

瞳
2級
17画
部首 目（めへん）
音 ドウ
訓 ひとみ

筆順：瞳 瞳 瞳 瞳 瞳 瞳 瞳 瞳 瞳 瞳 瞳 瞳 瞳 瞳 瞳 瞳 瞳
（立てる・ななめに書く・つき出さない）

用例：瞳孔（どうこう）　瞳（ひとみ）

問題
□暗い場所で〔どうこう〕が開く。
□〔ひとみ〕を凝（こ）らして落とし物を捜（さが）す。

峠
4級
9画
部首 山（やまへん）
音 —
訓 とうげ

筆順：峠 峠 峠 峠 峠 峠 峠 峠 峠
（折って右上にはらう・縦棒が先・少しはなす）

用例：峠（とうげ）　峠道（とうげみち）

問題
□今年の暑さも〔とうげ〕を越（こ）した。
□家族旅行で〔とうげみち〕をドライブする。

匿
3級
10画
部首 匚（かくしがまえ）
音 トク
訓 —

筆順：匿 匿 匿 匿 匿 匿 匿 匿 匿 匿
（はらいが先・一画で書く）

用例：匿名（とくめい）　隠匿（いんとく）　秘匿（ひとく）

問題
□〔とくめい〕の投書が届く。
□物資を〔いんとく〕する。
□取材源の〔ひとく〕を原則とする。

※「胴揚（げ）」とも書く。　＊胴乱＝採集した植物を入れる容器。

準2級
督
13画
部首 目（め）
音 トク
訓 ―

縦棒から書く
折ってはらう
付けない

督促（とくそく）
督励（とくれい）
家督（かとく）
監督（かんとく）

□借金の返済を〔とくそく〕する。
□上司が部下を〔とくれい〕する。
□長男に〔かとく〕を譲（ゆず）る。
□野球部の〔かんとく〕になる。

3級
篤
16画
部首 ⺮（たけかんむり）
音 トク
訓 ―

「⺮」は平たく
縦棒が先
折ってはねる

篤学（とくがく）
篤志家（とくしか）＊
篤実（とくじつ）
危篤（きとく）

□彼（かれ）は〔とくがく〕の士だ。
□〔とくしか〕からの寄付金。
□〔とくじつ〕な人柄（ひとがら）が好まれる。
□祖父が〔きとく〕に陥（おちい）る。

2級
栃
9画
部首 木（きへん）
音 ―
訓 とち

短く止める
はらう
付ける

栃木県（とちぎけん）
栃の実（とちのみ）
栃餅（とちもち）

□〔とちぎけん〕の西部に住む。
□山で〔とち〕の実を拾う。
□〔とちもち〕は古くから日本にある菓子（かし）だ。

準2級
凸
5画
部首 凵（うけばこ）
音 トツ
訓 ―

二画で書く
一画で書く

凸版（とっぱん）
凸面鏡（とつめんきょう）
凸レンズ（とつレンズ）
凹凸（おうとつ）

□〔とっぱん〕は印刷版の一つだ。
□〔とつめんきょう〕の仕組みを調べる。
□虫眼鏡は〔とつ〕レンズだ。
□表面に〔おうとつ〕がある。

＊篤志家＝社会奉仕（ほうし）に熱心で，進んで協力する人。

突

4級

8画

部首 穴（あなかんむり）

音 トツ
訓 つく

筆順 突突突突突突突突（立てる・曲げて止める）

用例 突進（とっしん）　突然（とつぜん）　激突（げきとつ）　衝突（しょうとつ）

問題
□目標に向けて［とっしん］する。
□［とつぜん］、姿を消す。
□電柱に［げきとつ］する。
□互い（たが）の意見が［しょうとつ］する。

屯

準2級

4画

部首 屮（てつ）

音 トン
訓 ―

筆順 屯屯屯屯（左下にはらう・つき出す・曲げてはねる）

用例 屯田兵（とんでんへい）＊　駐屯（ちゅうとん）　駐屯地（ちゅうとんち）

問題
□北海道（ほっかいどう）の［とんでんへい］の歴史。
□軍隊が［ちゅうとん］する。
□自衛隊の［ちゅうとんち］。

豚

3級

11画

部首 豕（いのこ）

音 トン
訓 ぶた

筆順 豚豚豚豚豚豚豚豚豚豚豚（左下にはらう・右下にはらう・付ける・はねる）

用例 豚カツ（とん）　養豚業（ようとんぎょう）　豚肉（ぶたにく）　子豚（こぶた）

問題
□［とん］カツを食べる。
□［ようとんぎょう］を営む。
□［ぶたにく］を使った料理。
□［こぶた］が生まれる。

頓

2級

13画

部首 頁（おおがい・いちのかい）

音 トン
訓 ―

筆順 頓頓頓頓頓頓頓頓頓頓頓頓頓（左下にはらう・曲げてはねる・短くはらう）

用例 頓知（とんち）※　頓着（とんちゃく）　頓服薬（とんぷくやく）　整理整頓（せいりせいとん）

問題
□［とんち］を働かせる。
□金銭に［とんちゃく］しない。
□［とんぷくやく］を飲む。
□部屋を［せいりせいとん］する。

＊屯田兵＝明治（めいじ）時代，北海道の警備・開拓（かいたく）と共に農業も行った兵。　※「頓智」とも書く。

貪　2級
11画
部首　貝（こがい・かい）
音　ドン
訓　むさぼる

付ける　折ってはらう　はらう　止める

貪欲（どんよく）＊
貪婪（どんらん）＊
貪り食う（むさぼりくう）

□（どんよく）に地位を求める。
□（どんらん）な知識欲を満たす。
□飢えたライオンが獲物を（むさぼ）り食う。

鈍　4級
12画
部首　金（かねへん）
音　ドン
訓　にぶい　にぶる

左下にはらう　右上にはらう　曲げてはねる

鈍感（どんかん）
鈍器（どんき）＊
鈍痛（どんつう）
愚鈍（ぐどん）

□味覚が（どんかん）な人。
□（どんき）で殴られる。
□腹部に（どんつう）を覚える。
□彼は（ぐどん）な男だ。

曇　4級
16画
部首　日（ひ）
音　ドン
訓　くもる

「日」は平たく　上の横棒より長く　短く　止める

曇天（どんてん）
薄曇り（うすぐもり）
花曇り（はなぐもり）

□（どんてん）の中、出かける。
□今日は（うすぐも）りだ。
□（はなぐも）りの日が続く。

丼　2級
5画
部首　丶（てん）
音　—
訓　どんぶり　どん

上の横棒よりやや長く　はらう　忘れない

丼勘定（どんぶりかんじょう）
丼飯（どんぶりめし）
牛丼（ぎゅうどん）
天丼（てんどん）

□（どんぶりかんじょう）で済ませる。
□（どんぶりめし）を平らげる。
□（ぎゅうどん）を注文する。
□昼食に（てんどん）を食べる。

＊貪欲・貪婪＝非常に欲が深いこと。　＊鈍器＝凶器（きょうき）として使われる，固くて重いもの。

コラム 4

筆順の基本

筆順は、長い年月をかけて、このように書くのが最もよいと伝わってきたもので、美しくきちんとした字を書くための書きやすい順序である。

●筆順の二大原則

●上から下へ

例 三…一 二 三　言…丶 亠 亖 言

●左から右へ

例 川…丿 川 川　心…丶 心 心 心

●筆順の原則（二大原則は、さらに以下の原則に分けられる。）

①横画が先

例 十…一 十　用…冂 月 月 用

②中央が先

例 小…亅 小 小　承…了 手 承 承

③外側が先

例 同…冂 同 同　間…門 門 間　司…𠃌 司 司

④左払い（ひだりばら）が先

例 父…八 父 父　文…亠 ナ 文　放…方 於 放

⑤貫く（つらぬ）縦画は最後

例 中…口 中　事…亊 亊 事　半…丷 兰 半

⑥貫く横画は最後

例 母…母 母 母　冊…冂 冊 冊　毎…𠂉 毎 毎

⑦横画と左払いが交わる場合

・左払いが長い字は横画が先

例 左…一 ナ 左　友…一 ナ 友　存…一 ナ 存

・左払いが短い字は左払いが先

例 右…ノ ナ 右　有…ノ ナ 有　希…㐅 肴 希

以上は原則なので例外もある。

①の例外　横画があと　例 田…冂 田 田

②の例外　中央があと　例 火…丶 丷 火

⑥の例外　貫く横画が先　例 世…一 廿 世

ナ行の漢字

那
2級
7画
部首 阝（おおざと）
音 ナ
訓 ―

筆順
那那那那那那那
横棒が先
付ける
三画で書く

用例
刹那主義*（せつなしゅぎ）
旦那（だんな）
大旦那（おおだんな）
若旦那（わかだんな）

問題
□（せつなしゅぎ）の若者。
□隣の家の（だんな）さん。
□老舗呉服店の（おおだんな）。
□京都の旧家の（わかだんな）。

奈
2級
8画
部首 大（だい）
音 ナ
訓 ―

筆順
奈奈奈奈奈奈奈奈
つき出す
つき出さない

用例
奈落の底（ならくのそこ）
奈良県（ならけん）

問題
□（ならく）の底に突き落とす。
□（ならけん）の観光スポットを回る。

梨
2級
11画
部首 木（き）
音 ―
訓 なし

筆順
梨梨梨梨梨梨梨梨梨梨梨
短く止める
短めに書く
はねる

用例
梨狩り（なしがり）
梨のつぶて（なしのつぶて）
山梨県（やまなしけん）
洋梨（ようなし）

問題
□（なしが）りに出かける。
□連絡しても（なし）のつぶてだ。
□母は（やまなしけん）出身だ。
□（ようなし）を使ったケーキ。

謎
2級
17画 ※
部首 言（ごんべん）
音 ―
訓 なぞ

筆順
謎謎謎謎謎謎謎謎謎謎謎謎謎謎謎謎謎
短く止める
止める
はらう
一画で書く

用例
謎（なぞ）
謎掛け（なぞかけ）
謎謎（なぞなぞ）
謎めく（なぞめく）

問題
□（なぞ）に包まれた事件。
□（なぞか）けの言葉を言う。
□（なぞなぞ）遊びをする。
□（なぞ）めいた微笑。

*刹那主義＝現在の一瞬（いっしゅん）の快楽を追求する考え方。
※「謎」（16画）も可。

2級

鍋

部首 金（かねへん） 17画

音 ―
訓 なべ

筆順: 鍋 鍋 鍋 鍋 鍋 鍋 鍋 鍋 鍋 鍋 鍋 鍋 鍋 鍋 鍋 鍋 鍋（付ける・二画で書く・右上にはらう）

鍋敷（なべし）き
鍋焼（なべや）き
鍋料理（なべりょうり）
割（わ）れ鍋（なべ）

□鉄製の（なべし）きを使う。
□（なべや）きうどんを作る。
□（なべりょうり）を食べる。
□割れ（なべ）にとじ蓋（ぶた）。*

準2級

軟

部首 車（くるまへん） 11画

音 ナン
訓 やわらか・やわらかい

筆順: 軟 軟 軟 軟 軟 軟 軟 軟 軟 軟 軟（付ける・つらぬく・左下にはらう）

軟化（なんか）
軟禁（なんきん）
軟弱（なんじゃく）
柔軟（じゅうなん）

□態度が急に（なんか）する。
□自宅に（なんきん）される。
□（なんじゃく）な地盤（じばん）の土地。
□物事を（じゅうなん）に考える。

準2級

尼

部首 尸（しかばね） 5画

音 （ニ）
訓 あま

筆順: 尼 尼 尼 尼 尼（左下にはらう・曲げてはねる）

尼（あま）さん
尼寺（あまでら）

□（あま）さんの説教を聞く。
□出家して（あまでら）で修行（しゅぎょう）に励（はげ）む。

「奈落（ならく）の底」の意味

奈落の底…①地獄（じごく）の底。②底知れない深い所。③抜（ぬ）け出すことができない、苦しい状態や境遇（きょうぐう）。

「梨（なし）のつぶて」の意味

梨のつぶて…〈投げたつぶて〈=小石〉は戻（もど）ってこないことから、「梨」を「無し」にかけて〉こちらから便りを出しても一向に返事がないこと。

送りがなに注意

○ 軟（やわ）らかい
× 軟かい
× 軟わらかい

*割れ鍋にとじ蓋＝どんな人にも，その人に似合った結婚（けっこん）相手がいるものだということ。

弐　4級

6画

音 ニ
訓 ―

部首 弋（しきがまえ）

筆順 止める　右上にはらう　忘れない

用例 弐万円（にまんえん）

問題 □いとこの結婚（けっこん）祝いとして※（にまんえん）を包む。

匂　2級

4画

音 ―
訓 におう

部首 勹（つつみがまえ）

筆順 付ける　左下にはらう　曲げてはねる

用例 匂い（におい）　匂い立つ（においたつ）　匂い袋*（においぶくろ）　匂わせる（におわせる）

問題 □魚を焼く（にお）いがする。　□（にお）い立つような美しさ。　□（にお）い袋（ぶくろ）を身に付ける。　□辞意を（にお）わせる。

虹　2級

9画

音 ―
訓 にじ

部首 虫（むしへん）

筆順 短く止める　つき出さない

用例 虹（にじ）　虹色（にじいろ）

問題 □雨上がりに（にじ）が出る。　□雲が（にじいろ）に輝（かがや）く現象を「彩雲（さいうん）」という。

尿　3級

7画

音 ニョウ
訓 ―

部首 尸（しかばね）

筆順 はらう　左下にはらう　右下にはらう

用例 尿意（にょうい）　尿検査（にょうけんさ）　尿素（にょうそ）　利尿（りにょう）

問題 □（にょうい）を催（もよお）す。　□（にょうけんさ）を受ける。　□（にょうそ）の入ったクリーム。　□（りにょう）作用のある飲み物。

※「二万円」とも書く。　＊匂い袋＝よい匂いのするものを入れた袋。

準2級

妊

7画

部首 女（おんなへん）

音 ニン

訓 —

左下にはらう　付ける　上の横棒より短く

妊娠（にんしん）

妊婦（にんぷ）

懐妊（かいにん）

不妊（ふにん）

□第一子を（にんしん）する。

□出産間近の（にんぷ）。

□妻の（かいにん）を祝う。

□（ふにん）治療（ちりょう）を施（ほどこ）す。

準2級

忍

7画

部首 心（こころ）

音 ニン

訓 しのぶ　しのばせる

折ってはねる　忘れない

忍者（にんじゃ）

忍耐（にんたい）

残忍（ざんにん）＊

忍（しの）び足（あし）

□（にんじゃ）の里とされる土地。

□（にんたい）強く取り組む。

□（ざんにん）な手口の犯行。

□（しの）び足で近づく。

準2級

寧

14画

部首 宀（うかんむり）

音 ネイ

訓 —

立てる　「皿」を「罒」としない　付ける

安寧（あんねい）＊

丁寧（ていねい）

丁寧語（ていねいご）

□（あんねい）秩序（ちつじょ）を保つ。

□（ていねい）に作業する。

□（ていねいご）を使って話す。

似ている漢字に注意

弐（ニ）—式（シキ）

忘れない「二」　「工」

似ている漢字に注意

匂（におう）—勾（コウ）

「ヒ」　「ム」

似ている漢字に注意

妊（ニン）—任（ニン）

おんなへん　にんべん

＊残忍＝むごいことを平気ですること。　＊安寧＝世の中が穏（おだ）やかで平和なこと。

捻（2級）

部首：扌（てへん）　11画

音：ネン
訓：―

筆順：はねる／付ける／折ってはらう

用例：捻挫（ねんざ）　捻出（ねんしゅつ）　腸捻転（ちょうねんてん）＊

問題
- □足首を（ねんざ）する。
- □旅費を（ねんしゅつ）する。
- □（ちょうねんてん）を起こして入院する。

粘（3級）

部首：米（こめへん）　11画

音：ネン
訓：ねばる

筆順：止める／はらう／縦棒が先

用例：粘着（ねんちゃく）　粘土（ねんど）　粘膜（ねんまく）　粘り強い（ねばりづよい）

問題
- □（ねんちゃく）テープを使う。
- □（ねんど）細工を作る。
- □（ねんまく）に触（ふ）れないようにする。
- □（ねば）り強い性格の持ち主。

悩（4級）

部首：忄（りっしんべん）　10画

音：ノウ
訓：なやむ　なやます

筆順：筆順に注意／一画で書く

用例：苦悩（くのう）　子煩悩（こぼんのう）　悩み（なやみ）　悩ませる（なやませる）

問題
- □顔に（くのう）の色がにじむ。
- □父は（こぼんのう）だ。
- □短気なのが（なや）みの種だ。
- □騒音（そうおん）に頭を（なや）ませる。

濃（4級）

部首：氵（さんずい）　16画

音：ノウ
訓：こい

筆順：縦棒が先／上の横棒より長く／折ってはらう

用例：濃厚（のうこう）　濃縮（のうしゅく）　濃密（のうみつ）　色濃い（いろこい）

問題
- □敗色が（のうこう）となる。
- □（のうしゅく）還元果汁（かんげんかじゅう）のジュース。
- □（のうみつ）な関係を築く。
- □不安が（いろこ）く出ている。

＊腸捻転＝腸の一部がねじれる病気。激しい腹痛などを伴（ともな）う。

ハ行の漢字

把
準2級

7画　部首　扌（てへん）

音　ハ
訓　―

筆順　把（はねる・忘れない・曲げてはねる）

用例
- 把握（はあく）
- 一把（いちわ）
- 十把（じっぱ）
- 大雑把（おおざっぱ）

問題
- □問題点を（はあく）する。
- □小松菜を（いちわ）買う。
- □（じっぱ）ひとからげに捉（とら）える。
- □（おおざっぱ）に計画を立てる。

覇
準2級

19画　部首　襾（おおいかんむり）

音　ハ
訓　―

筆順　覇（「襾」を「西」としない・筆順に注意・はらう）

用例
- 覇気（はき）＊
- 覇権（はけん）
- 覇者（はしゃ）
- 制覇（せいは）

問題
- □（はき）がない若者。
- □会社の（はけん）を握（にぎ）る。
- □県大会の（はしゃ）となる。
- □全国（せいは）を目指す。

婆
3級

11画　部首　女（おんな）

音　バ
訓　―

筆順　婆（はらいが先・つき出す・付けない）

用例
- 産婆（さんば）
- 塔婆（とうば）
- 老婆（ろうば）
- 老婆心（ろうばしん）

問題
- □（さんば）は助産師の旧称（きゅうしょう）だ。
- □（とうば）に戒名（かいみょう）を書く。
- □百歳（さい）近い（ろうば）。
- □（ろうばしん）から助言する。

罵
2級

15画　部首　罒（あみがしら・よこめ）

音　バ
訓　ののしる

筆順　罵（「罒」を「四」としない・縦棒が先・折ってはねる）

用例
- 罵声（ばせい）
- 罵倒（ばとう）
- 罵（のの）る

問題
- □（ばせい）を浴びせる。
- □相手を（ばとう）する。
- □仲間の裏切りを知り、口汚（くちぎたな）く（ののし）る。

＊覇気＝進んで物事をやり遂（と）げようとする意気込（いきご）み。

杯
4級
8画
部首 木（きへん）
音 ハイ
訓 さかずき

短く止める
付ける

乾杯（かんぱい）
苦杯（くはい）
祝杯（しゅくはい）
杯事（さかずきごと）

□（かんぱい）の音頭（おんど）を取る。
□赴任先（ふにんさき）で（くはい）をなめる。
□優勝の（しゅくはい）をあげる。
□夫婦（ふうふ）の（さかずきごと）を済ませる。

排
3級
11画
部首 扌（てへん）
音 ハイ
訓 ―

はらう
まっすぐ書く

排気（はいき）
排出（はいしゅつ）
排除（はいじょ）
排他（はいた）

□自動車の（はいき）ガス。
□二酸化炭素を（はいしゅつ）する。
□障害物を（はいじょ）する。
□＊（はいた）的な雰囲気（ふんいき）の団体。

廃
準2級
12画
部首 广（まだれ）
音 ハイ
訓 すたれる すたる

立てる
上の横棒より長く
折ってはらう
曲げてはねる
筆順に注意

廃棄（はいき）
廃止（はいし）
荒廃（こうはい）
はやり廃（すた）り

□不用品を（はいき）処分する。
□上場を（はいし）する。
□内乱で国土が（こうはい）する。
□はやり（すた）りが激しい。

輩
4級
15画
部首 車（くるま）
音 ハイ
訓 ―

はらう
まっすぐ書く
つらぬく

輩出（はいしゅつ）
若輩（じゃくはい）
先輩（せんぱい）
同輩（どうはい）

□優（すぐ）れた人材を（はいしゅつ）する。
□まだ※（じゃくはい）の身だ。
□人生の（せんぱい）に相談する。
□会社の（どうはい）と食事する。

＊排他的＝仲間以外の考えを退ける傾向（けいこう）がある様子。　※「弱輩」とも書く。

培

準2級

部首 扌（つちへん） 11画

音 バイ
訓 （つちかう）

筆順 培培培培培培培培培培培
右上にはらう　立てる　ななめに書く

用例 培養（ばいよう）　栽培（さいばい）

問題
□結核菌（けっかくきん）を〔ばいよう〕する。
□有機肥料を使って野菜を〔さいばい〕する。

陪

3級

部首 阝（こざとへん） 11画

音 バイ
訓 ―

筆順 陪陪陪陪陪陪陪陪陪陪陪
三画で書く　立てる　ななめに書く

用例 陪食（ばいしょく）＊　陪審員（ばいしんいん）　陪席（ばいせき）＊

問題
□〔ばいしょく〕の栄誉（えいよ）に預かる。
□〔ばいしんいん〕制度を学ぶ。
□晩さん会に〔ばいせき〕する。

媒

準2級

部首 女（おんなへん） 12画

音 バイ
訓 ―

筆順 媒媒媒媒媒媒媒媒媒媒媒媒
折って止める　筆順に注意

用例 媒介（ばいかい）　媒酌人（ばいしゃくにん）　媒体（ばいたい）　触媒（しょくばい）

問題
□蚊（か）を〔ばいかい〕とした伝染病。
□結婚式（けっこんしき）の〔ばいしゃくにん〕。
□新商品の広告の〔ばいたい〕。
□事業拡大の〔しょくばい〕となる。

賠

準2級

部首 貝（かいへん） 15画

音 バイ
訓 ―

筆順 賠賠賠賠賠賠賠賠賠賠賠賠賠賠賠
立てる　ななめに書く

用例 賠償（ばいしょう）　賠償金（ばいしょうきん）　損害賠償（そんがいばいしょう）

問題
□被害者（ひがいしゃ）への〔ばいしょう〕。
□多額の〔ばいしょうきん〕を支払（しはら）う。
□交通事故の〔そんがいばいしょう〕を請求（せいきゅう）する。

＊陪食＝身分の高い人の相手をして共に食事すること。　＊陪席＝身分の高い人と同席すること。

伯

準2級

7画

部首 亻(にんべん)

音 ハク
訓 —

伯 伯 伯 伯 伯 伯 伯（左下にはらう）

伯爵(はくしゃく)
伯仲(はくちゅう)
画伯(がはく)

□（はくしゃく）の位を授かる。
□両者の実力が（はくちゅう）する。
□有名な（がはく）が描いた自画像。

拍

4級

8画

部首 扌(てへん)

音 ハク・ヒョウ
訓 —

拍 拍 拍 拍 拍 拍 拍 拍（はねる／左下にはらう）

拍車(はくしゃ)
拍手(はくしゅ)
拍子抜け*(ひょうしぬけ)
三拍子(さんびょうし)

□不景気に（はくしゃ）がかかる。
□盛大な（はくしゅ）を送る。
□（ひょうしぬ）けするほど簡単だ。
□（さんびょうし）のリズムで踊る。

泊

4級

8画

部首 氵(さんずい)

音 ハク
訓 とまる・とめる

泊 泊 泊 泊 泊 泊 泊 泊（右上にはらう／左下にはらう）

外泊(がいはく)
宿泊(しゅくはく)
二泊三日(にはくみっか)
漂泊(ひょうはく)

□病院で（がいはく）許可が出る。
□旅館に（しゅくはく）する。
□（にはくみっか）の旅行に出る。
□国中を（ひょうはく）して歩く。

迫

4級

8画

部首 辶(しんにょう・しんにゅう)

音 ハク
訓 せまる

迫 迫 迫 迫 迫 迫 迫 迫（左下にはらう／一画で書く）

迫力(はくりょく)
圧迫(あっぱく)
気迫(きはく)
緊迫(きんぱく)

□（はくりょく）に欠ける映像。
□胸を（あっぱく）する。
□相手の（きはく）に押される。
□（きんぱく）した雰囲気が漂う。

*拍子抜け＝気を張り詰めていたのに，その必要がなくなってがっかりすること。

剝 （2級）

※剝　10画

部首：刂（りっとう）

音：ハク

訓：はがす　はぐ　はがれる　はげる

筆順：はねる／はらう／はらう／短めに書く／はねる

用例：剝製（はくせい）　剝奪（はくだつ）　剝離（はくり）　剝ぎ取る（はぎとる）

問題
- □絶滅（ぜつめつ）した動物の〔はくせい〕。
- □地位を〔はくだつ〕する。
- □網膜（もうまく）が〔はくり〕する。
- □身ぐるみ〔は〕ぎ取られる。

舶 （準2級）

舶　11画

部首：舟（ふねへん）

音：ハク

訓：―

筆順：左下にはらう／点／止める／左下にはらう

用例：舶来（はくらい）*　舶来品（はくらいひん）　船舶（せんぱく）

問題
- □西洋から〔はくらい〕した製品。
- □〔はくらいひん〕の腕時計（うでどけい）。
- □小型〔せんぱく〕の免許（めんきょ）を取得する。

薄 （4級）

薄　16画

部首：艹（くさかんむり）

音：ハク

訓：うすい　うすめる　うすまる　うすらぐ　うすれる

筆順：右上にはらう／つき出す／忘れない

用例：薄情（はくじょう）　希薄（きはく）　薄着（うすぎ）　品薄（しなうす）

問題
- □心配もしないとは〔はくじょう〕だ。
- □問題意識が〔きはく〕だ。
- □冬でも〔うすぎ〕で通す。
- □新商品が〔しなうす〕だ。

漠 （準2級）

漠　13画

部首：氵（さんずい）

音：バク

訓：―

筆順：右上にはらう／つき出す

用例：漠然（ばくぜん）　広漠（こうばく）　砂漠（さばく）

問題
- □〔ばくぜん〕とした希望を抱（いだ）く。
- □〔こうばく〕たる原野を歩く。
- □〔さばく〕の緑化運動に参加する。

※「剥」も可。　＊舶来＝外国から船などで品物を運んでくること。

縛

3級

部首 糸（いとへん）　16画

音 バク
訓 しばる

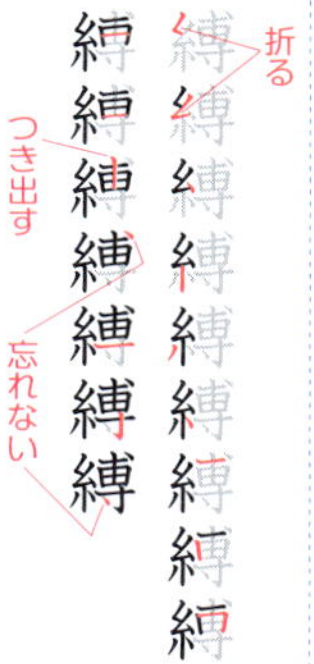

- 呪縛（じゅばく）
- 束縛（そくばく）
- 自縄自縛*（じじょうじばく）
- 金縛り（かなしばり）

- 心の□（じゅばく）を解く。
- 行動を□（そくばく）される。
- □（じじょうじばく）に陥（おちい）る。
- □（かなしば）りに遭（あ）う。

爆

4級

部首 火（ひへん）　19画

音 バク
訓 ―

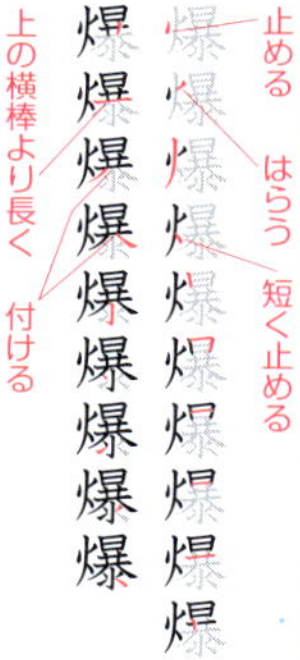

- 爆笑（ばくしょう）
- 爆弾（ばくだん）
- 爆破（ばくは）
- 爆発（ばくはつ）

- 会場の人々が□（ばくしょう）する。
- □（ばくだん）発言に驚（おどろ）く。
- 古いビルを□（ばくは）する。
- 長年の不満が□（ばくはつ）する。

箸

2級

※

部首 ⺮（たけかんむり）　15画

音 ―
訓 はし

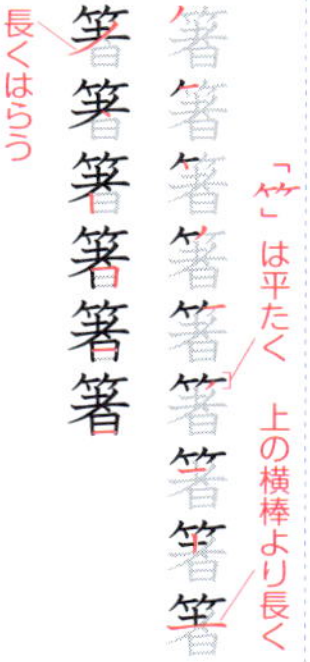

- 菜箸（さいばし）
- 火箸（ひばし）
- 取り箸（とりばし）
- 割り箸（わりばし）

- □（さいばし）を使って盛り付ける。
- □（ひばし）で炭を挟（はさ）む。
- 取り□（ばし）で取り分ける。
- 割り□（ばし）を二つに割る。

肌

準2級

部首 月（にくづき）　6画

音 ―
訓 はだ

- 肌色（はだいろ）
- 肌着（はだぎ）
- 肌身（はだみ）
- 地肌（じはだ）

- □（はだいろ）の壁紙（かべがみ）。
- □（はだぎ）を取り替（か）える。
- □（はだみ）離（はな）さず持ち歩く。
- □（じはだ）がむき出しになる。

＊自縄自縛＝自分の言動で，身動きできなくなり苦しむこと。

※「箸」（14画）も可。

鉢

準2級

部首 金（かねへん） 13画

音 ハチ（ハツ）

訓 —

筆順 鉢 付ける 忘れない 右上にはらう

用例 鉢植え（はちうえ） 鉢巻き（はちまき） 乳鉢（にゅうばち） 植木鉢（うえきばち）

問題
□観葉植物の〔はちう〕え。
□運動会で〔はちま〕きをする。
□〔にゅうばち〕ですり潰す。
□陶器の〔うえきばち〕。

髪

4級

部首 髟（かみがしら） 14画

音 ハツ

訓 かみ

筆順 髪 縦棒から書く 短く止める

用例 整髪料（せいはつりょう） 長髪（ちょうはつ） 髪型（かみがた） 日本髪（にほんがみ）

問題
□〔せいはつりょう〕を付ける。
□美しい〔ちょうはつ〕をとかす。
□※〔かみがた〕を変える。
□〔にほんがみ〕を結う。

伐

3級

部首 亻（にんべん） 6画

音 バツ

訓 —

筆順 伐 右なゝめ上に 忘れない

用例 伐採（ばっさい） 間伐材（かんばつざい）＊ 殺伐（さつばつ） 征伐（せいばつ）

問題
□樹木を〔ばっさい〕する。
□〔かんばつざい〕を使った家具。
□〔さつばつ〕とした世の中。
□盗賊を〔せいばつ〕する。

抜

4級

部首 扌（てへん） 7画

音 バツ

訓 ぬく ぬける ぬかす ぬかる

筆順 抜 はねる つき出す

用例 抜群（ばつぐん） 抜粋（ばっすい） 選抜（せんばつ） 抜け目（ぬけめ）

問題
□〔ばつぐん〕の成績を収める。
□要点を〔ばっすい〕する。
□〔せんばつ〕チームに入る。
□〔ぬ〕け目ない作戦。

※「髪形」とも書く。　＊間伐材＝木の育ちをよくするために切られた木材。

4級

罰

14画

部首 罒（あみがしら・よこめ）

音 バツ　バチ

訓 —

「罒」を「四」としない

短めに書く

はね

罰金（ばっきん）
処罰（しょばつ）
天罰（てんばつ）
罰当たり（ばちあたり）

□駐車違反の（ばっきん）を払う。
□違法行為で（しょばつ）される。
□裏切り者に（てんばつ）が下る。
□（ばちあ）たりな発言をする。

準2級

閥

14画

部首 門（もんがまえ・かどがまえ）

音 バツ

訓 —

縦棒から書く

一画で書く

忘れない

学閥（がくばつ）
財閥（ざいばつ）
派閥（はばつ）
門閥（もんばつ）＊

□（がくばつ）を偏重する企業。
□（ざいばつ）解体が実施された。
□政党内の（はばつ）争い。
□（もんばつ）の制度を廃止する。

2級

氾

5画

部首 氵（さんずい）

音 ハン

訓 —

右上にはらう

折ってはねる

曲げてはねる

氾濫（はんらん）

□台風による豪雨で、川が（はんらん）する。

特別な読み方

白髪（しらが）…年をとるなどして、色素が抜けて白くなった髪の毛。音読みで「はくはつ」とも読む。

似ている漢字に注意

伐（バツ）—代（ダイ）

忘れない

似ている漢字に注意

氾（ハン）—犯（ハン）

さんずい　けものへん

＊門閥＝家柄（いえがら）。また，家柄のよい家。

帆

3級

6画

部首 巾(きんべん・はばへん)

音 ハン

訓 ほ

筆順: 帆 (つき出す・曲げてはねる・忘れない)

用例: 帆船(はんせん)※　出帆(しゅっぱん)　帆立貝(ほたてがい)　白帆(しらほ)

問題:
□(はんせん)の模型を作る。
□神戸港(こうべこう)を(しゅっぱん)する。
□(ほたてがい)を刺身(さしみ)で食べる。
□(しらほ)が風になびく。

汎

2級

6画

部首 氵(さんずい)

音 ハン

訓 —

筆順: 汎 (右上にはらう・曲げてはねる・忘れない)

用例: 汎用(はんよう)　汎用性(はんようせい)

問題:
□(はんよう)コンピューター
□(はんようせい)の高い製品を生み出す。

伴

3級

7画

部首 亻(にんべん)

音 ハン・バン

訓 ともなう

筆順: 伴 (上の横棒より長く・つき出す)

用例: 随伴(ずいはん)　同伴(どうはん)　伴奏(ばんそう)　相伴(しょうばん)

問題:
□社長に(ずいはん)する。
□夫人(どうはん)で出席する。
□ピアノで(ばんそう)する。
□客人のお(しょうばん)に預かる。

阪

2級

7画

部首 阝(こざとへん)

音 ハン

訓 —

筆順: 阪 (三画で書く・はらう・付ける)

用例: 阪神(はんしん)　京阪(けいはん)　京阪神(けいはんしん)

問題:
□(はんしん)工業地帯の歴史。
□(けいはん)に展開する外食産業。
□(けいはんしん)地域の地図を広げる。

※「ほぶね」とも読む。

畔

3級

10画

部首 田（たへん）

音 ハン

訓 —

畔 畔 畔 畔 畔 畔 畔 畔 畔 畔

縦棒が先　止める　はらう　つき出す

河畔（かはん）　湖畔（こはん）

□セーヌ（かはん）を散歩する。

□（こはん）にたつ別荘（べっそう）で休暇（きゅうか）を過ごす。

般

4級

10画

部首 舟（ふねへん）

音 ハン

訓 —

般 般 般 般 般 般 般 般 般 般 般

左下にはらう　点　止める　右上にはらう　曲げてはねる

一般（いっぱん）　諸般（しょはん）*　先般（せんぱん）*　全般（ぜんぱん）

□（いっぱん）常識を問われる。

□（しょはん）の事情を考慮（こうりょ）する。

□（せんぱん）の件、了解（りょうかい）です。

□教育（ぜんぱん）に関わる問題。

販

4級

11画

部首 貝（かいへん）

音 ハン

訓 —

販 販 販 販 販 販 販 販 販 販 販 販 販

付ける　はらう　止める　はらう

販売（はんばい）　販路（はんろ）　市販（しはん）　直販（ちょくはん）

□新商品を（はんばい）する。

□（はんろ）の拡大に努める。

□（しはん）の風邪薬（かぜぐすり）を飲む。

□ネット（ちょくはん）で購入（こうにゅう）する。

斑

2級

12画

部首 文（ぶん）

音 ハン

訓 —

斑 斑 斑 斑 斑 斑 斑 斑 斑 斑 斑 斑 斑

右上にはらう　立てる　止める

斑点（はんてん）　斑紋（はんもん）

□皮膚（ひふ）に（はんてん）ができる。

□ヒョウには美しい（はんもん）がある。

*諸般＝さまざま。いろいろ。　*先般＝先頃（さきごろ）。この間。

4級

搬

部首 扌（てへん） 13画

音 ハン
訓 —

筆順
搬（はねる・左下にはらう・点・止める・右上にはらう・曲げてはねる）

用例
搬出（はんしゅつ） 搬送（はんそう） 搬入（はんにゅう） 運搬（うんぱん）

問題
□機材を（はんしゅつ）する。
□病院に（はんそう）される。
□展示品を（はんにゅう）する。
□（うんぱん）用のトラック。

準2級

煩

部首 火（ひへん） 13画

音 ハン（ボン）
訓 わずら**う** わずら**わす**

筆順
煩（短く止める・短くはらう・はらう・止める）

用例
煩雑（はんざつ） 煩悶（はんもん）＊ 恋煩い（こいわずらい） 思い煩う（おもいわずらう）

問題
□（はんざつ）な手続きを済ます。
□ひそかに（はん）悶（もん）する。
□（こいわずら）いで寝込（ねこ）む。
□将来を思い（わずら）う。

準2級

頒

部首 頁（おおがい・いちのかい） 13画

音 ハン
訓 —

筆順
頒（付けない・短くはらう・はらう・止める）

用例
頒価（はんか） 頒布（はんぷ）

問題
□商品の（はんか）を決める。
□会場で、来場者に商品のカタログを（はんぷ）する。

4級

範

部首 ⺮（たけかんむり） 15画

音 ハン
訓 —

筆順
範（「⺮」は平たく・つき出す・曲げてはねる）

用例
範囲（はんい） 規範（きはん） 師範（しはん） 模範（もはん）

問題
□予算の（はんい）で注文する。
□行動の（きはん）※を決める。
□茶道の（しはん）になる。
□後輩（こうはい）に（もはん）を示す。

＊煩悶＝悩（なや）み苦しむこと。　※「軌範」とも書く。

繁
4級
部首 糸(いと) 16画
音 ハン
訓 —
「母」を「毋」としない
繁栄 繁華街 繁盛 頻繁
□一族が（はんえい）する。
□都内の（はんかがい）に出かける。
□商売が（はんじょう）盛する。
□（ひんぱん）に連絡を取り合う。

藩
3級
部首 艹(くさかんむり) 18画
音 ハン
訓 —
藩主 脱藩 廃藩置県
□薩摩（さつま）（はんしゅ）の子孫。
□坂本龍馬（さかもとりょうま）が（だっぱん）する。
□明治四年に（はいはんちけん）が実施された。

蛮
3級
部首 虫(むし) 12画
音 バン
訓 —
蛮行 蛮勇* 南蛮漬け 野蛮
□旅行者の（ばんこう）を正す。
□（ばんゆう）を振るう。
□アジの（なんばんづ）けを作る。
□（やばん）な行為（こうい）をいさめる。

盤
4級
部首 皿(さら) 15画
音 バン
訓 —
円盤 基盤 鍵盤 羅針盤
□（えんばん）投げの選手。
□生活の（きばん）を固める。
□ピアノの（けんばん）をたたく。
□（らしんばん）が北を指す。

*蛮勇＝後先を考えない，向こう見ずな勇気。

妃
準2級　6画　部首：女（おんなへん）

音：ヒ
訓：―

筆順：妃（折る／曲げてはねる）

用例：妃殿下（ひでんか）　王妃（おうひ）　后妃（こうひ）

問題
□皇太子【ひでんか】のお言葉。
□美しい【おうひ】。
□かつて、歴代の【こうひ】を出した家柄（いえがら）。

彼
4級　8画　部首：彳（ぎょうにんべん）

音：ヒ
訓：かれ　かの

筆順：彼（折ってはらう／つき出す／付ける）

用例：彼岸（ひがん）　彼氏（かれし）　彼ら（かれら）　彼女（かのじょ）

問題
□暑さ寒さも【ひがん】まで。
□姉の【かれし】を紹介（しょうかい）される。
□【かれ】らは美術部員だ。
□【かのじょ】は責任感が強い。

披
準2級　8画　部首：扌（てへん）

音：ヒ
訓：―

筆順：披（はねる／折ってはらう／つき出す／付ける）

用例：披見（ひけん）　披露（ひろう）　披露宴（ひろうえん）

問題
□機密文書を【ひけん】する。
□新たな技（わざ）を【ひろう】する。
□結婚（けっこん）【ひろうえん】を催（もよお）す。

卑
3級　9画　部首：十（じゅう）

音：ヒ
訓：（いやしい）（いやしむ）（いやしめる）

筆順：卑（左下にはらう／縦棒が先／忘れない）

用例：卑怯（ひきょう）　卑近（ひきん）*　卑屈（ひくつ）　卑下（ひげ）*

問題
□【ひ】怯（きょう）な手段を使う。
□【ひきん】な例を挙げる。
□【ひくつ】な笑（え）みを浮（う）かべる。
□自分を【ひげ】する。

*卑近＝身近でわかりやすい様子。　*卑下＝必要以上に，自分が人より劣（おと）ると考えること。

疲

4級　10画

部首　疒（やまいだれ）

音　ヒ

訓　つかれる

疲疲疲疲疲疲疲疲疲疲

（立てる／折ってはらう／つき出す／付ける）

疲弊*（ひへい）　疲労（ひろう）　疲れ目（つかれめ）　気疲れ（きづかれ）

□国力が（ひへい）する。

□（ひろう）で倒れる。

□読書しすぎによる（つか）れ目。

□仕事で（きづか）れする。

被

4級　10画

部首　衤（ころもへん）

音　ヒ

訓　こうむる

被被被被被被被被被被

（「衤」を「ネ」としない／折ってはらう／つき出す／付ける）

被害（ひがい）　被告（ひこく）　被災（ひさい）　被服費（ひふくひ）

□多大な（ひがい）に遭う。

□詐欺事件の（ひこく）。

□台風による（ひさい）状況。

□年間の（ひふくひ）を調べる。

扉

準2級　12画

部首　戸（とかんむり）

音　（ヒ）

訓　とびら

扉扉扉扉扉扉扉扉扉扉扉扉

（はらう／まっすぐ書く）

扉（とびら）　扉絵（とびらえ）

□玄関の（とびら）を開ける。

□小説の色鮮やかな（とびらえ）にひきつけられる。

碑

3級　14画

部首　石（いしへん）

音　ヒ

訓　―

碑碑碑碑碑碑碑碑碑碑碑碑碑碑

（左下にはらう／縦棒が先／忘れない）

碑銘（ひめい）　歌碑（かひ）　石碑（せきひ）　記念碑（きねんひ）

□刻まれた（ひめい）を読む。

□石川啄木の（かひ）。

□公園に（せきひ）が建つ。

□ペリー上陸の（きねんひ）。

*疲弊＝疲れ，弱ること。経済力が低下し，勢いが衰えること。

罷　準2級

部首 罒（あみがしら・よこめ）　15画

音 ヒ
訓 ―

筆順：「罒」を「四」としない／折ってはらう／左下にはらう／曲げてはねる

用例：罷業（ひぎょう）*　罷免（ひめん）

問題
□同盟（ひぎょう）が決行される。
□首相（しゅしょう）が大臣を（ひめん）することを決定する。

避　4級

部首 辶（しんにょう・しんにゅう）　16画

音 ヒ
訓 さける

筆順：はらう／立てる／付ける／一画で書く

用例：避暑地（ひしょち）　避難（ひなん）　回避（かいひ）　逃避（とうひ）

問題
□休暇（きゅうか）を（ひしょち）で過ごす。
□（ひなん）訓練を行う。
□危険を（かいひ）する。
□現実から（とうひ）する。

尾　4級

部首 尸（しかばね）　7画

音 ビ
訓 お

筆順：左下にはらう／はらう／曲げてはねる

用例：尾行（びこう）　語尾（ごび）　首尾（しゅび）　末尾（まつび）

問題
□犯人を（びこう）する。
□（ごび）が聞き取りづらい。
□（しゅび）よく交渉（こうしょう）が進む。
□手紙の（まつび）の挨拶（あいさつ）。

眉　2級

部首 目（め）　9画

音 （ビ）ミ
訓 まゆ

筆順：忘れない／はらう

用例：眉間（みけん）　眉（まゆ）　眉毛（まゆげ）　眉根（まゆね）

問題
□（みけん）にしわを寄せる。
□（まゆ）に唾（つば）を付ける。
□（まゆげ）を整える。
□醜聞（しゅうぶん）に（まゆね）を寄せる。

*罷業＝わざと仕事を休むこと。ストライキ。

4級

微

13画

部首 彳（ぎょうにんべん）

音 ビ

訓 —

はらう　折ってはらう　はらう　付ける

微笑（びしょう）　□（びしょう）を浮（う）かべる。

微動（びどう）＊　表情が□（びどう）だにしない。

微力（びりょく）　□（びりょく）ながら手伝う。

機微（きび）　人情の□（きび）に触（ふ）れる。

2級

膝

15画

部首 月（にくづき）

音 —

訓 ひざ

止める　付ける　はらう

膝頭（ひざがしら）　□（ひざがしら）が痛む。

膝小僧（ひざこぞう）　□（ひざこぞう）を擦（す）りむく。

膝枕（ひざまくら）　幼子（おさなご）が母の□（ひざまくら）で眠（ねむ）る。

膝元（ひざもと）　親の□（ひざもと）を離（はな）れる。

2級

肘

7画

部首 月（にくづき）

音 —

訓 ひじ

はらう　はねる　つき出す　忘れない

肘掛け（ひじかけ）　□（ひじか）け椅子（いす）に座（すわ）る。

肘鉄砲（ひじでっぽう）　□（ひじでっぽう）を食わせる。

肘枕（ひじまくら）　□（ひじまくら）をして横になる。

肩肘張る（かたひじばる）＊　□（かたひじば）って生きる。

似ている漢字に注意

避（ヒ）「辶」―壁（ヘキ）「土」―璧（ヘキ）「玉」―癖（ヘキ）「疒」

「首尾（しゅび）よく」の意味

首尾よく…物事が都合よく運ぶ様子。うまい具合に。（「首尾」は、「物事の成り行き・結果」の意味）

特別な読み方

尻尾（しっぽ）…①動物の尾（お）。②魚の尾びれ。③糸や綱（つな）など尾に似た細長い物の端（はし）っこ。④順位や列などのいちばん後ろ。

＊微動＝わずかに動くこと。　＊肩肘張る＝気負ったりいばったりする。

匹

4級　4画

部首　匸（かくしがまえ）

音　ヒツ
訓　ひき

筆順　匹 匹 匹 匹（曲げて止める／はらう）

用例　匹敵（ひってき）　匹夫の勇*（ひっぷのゆう）　二匹（にひき）

問題
□プロに［ひってき］する実力だ。
□［ひっぷ］の勇に過ぎない行動。
□［にひき］の子犬が仲良く遊んでいる。

泌

3級　8画

部首　氵（さんずい）

音　ヒツ（ヒ）
訓　―

筆順　泌 泌 泌 泌 泌 泌 泌 泌（筆順に注意／左下に長くはらう）

用例　分泌（ぶんぴつ）　分泌液（ぶんぴつえき）

問題
□ホルモンが［ぶんぴつ］される。
□カタツムリの［ぶんぴつえき］。

姫

3級　10画

部首　女（おんなへん）

音　―
訓　ひめ

筆順　姫 姫 姫 姫 姫 姫 姫 姫 姫 姫（縦棒が先／忘れない）

用例　姫君（ひめぎみ）　姫百合（ひめゆり）　一姫二太郎*（いちひめにたろう）　乙姫（おとひめ）

問題
□美しい［ひめぎみ］が生まれる。
□［ひめゆり］が咲く。
□［いちひめにたろう］といわれる。
□竜宮城（りゅうぐうじょう）の［おとひめ］様。

漂

3級　14画

部首　氵（さんずい）

音　ヒョウ
訓　ただよう

筆順　漂 漂 漂 漂 漂 漂 漂 漂 漂 漂 漂 漂 漂 漂（右上にはらう／「覀」を「西」としない／付ける）

用例　漂着（ひょうちゃく）　漂白（ひょうはく）　漂泊（ひょうはく）　漂流（ひょうりゅう）

問題
□無人島に［ひょうちゃく］する。
□シャツを［ひょうはく］する。
□詩人が［ひょうはく］の旅に出る。
□海上を［ひょうりゅう］する。

*匹夫の勇＝血気にはやるだけの勇気。　*一姫二太郎＝子供は最初は女，次が男の順が理想的であること。

3級

苗

部首 艹（くさかんむり）　8画

音 （ビョウ）
訓 なえ　なわ

ななめに書く　縦棒が先

苗木（なえぎ）　苗床（なえどこ）　苗代（なわしろ）

□リンゴの（なえぎ）を植える。
□野菜の（なえどこ）を作る。
□（なわしろ）で育てた稲（いね）を田んぼに移す。

4級

描

部首 扌（てへん）　11画

音 ビョウ
訓 えがく　かく

はねる　縦棒が先

描写（びょうしゃ）　素描（そびょう）*　点描画（てんびょうが）　思い描く（おもいえがく）

□見事な心理（びょうしゃ）。
□人物を（そびょう）する。
□緻密（ちみつ）な（てんびょうが）に驚（おどろ）く。
□明るい未来を思い（えが）く。

準2級

猫

部首 犭（けものへん）　11画

音 （ビョウ）
訓 ねこ

左下にはらう　縦棒が先

猫舌（ねこじた）　猫背（ねこぜ）　猫なで声（ねこなでごえ）*　捨て猫（すてねこ）

□（ねこじた）で困る。
□（ねこぜ）を改善する。
□（ねこ）なで声を出す。
□捨て（ねこ）を拾う。

4級

浜

部首 氵（さんずい）　10画

音 ヒン
訓 はま

左下にはらう　付ける　ななめに書く　長めに書く

海浜（かいひん）　京浜（けいひん）　浜辺（はまべ）　砂浜（すなはま）

□（かいひん）公園に行く。
□（けいひん）工業地帯を訪（おとず）れる。
□（はまべ）でくつろぐ。
□（すなはま）に寝転（ねころ）ぶ。

*素描＝だいたいの形を描（か）き表すこと。　*猫なで声＝人の機嫌（きげん）を取るために出す優（やさ）しい声。

賓

準2級

部首 貝（こがい・かい） 15画

音 ヒン
訓 ―

筆順：立てる／忘れない／長くはらう

用例：迎賓館（げいひんかん）　国賓（こくひん）　主賓（しゅひん）　来賓（らいひん）

問題
- □（げいひんかん）で会談を行う。
- □（こくひん）を迎（むか）える。
- □（しゅひん）として招かれる。
- □（らいひん）の祝辞をいただく。

頻

準2級

部首 頁（おおがい・いちのかい） 17画

音 ヒン
訓 ―

筆順：縦棒から書く／長くはらう／短くはらう

用例：頻出（ひんしゅつ）　頻度（ひんど）　頻発（ひんぱつ）　頻繁（ひんぱん）

問題
- □入試に（ひんしゅつ）の問題。
- □使用（ひんど）が高い道具。
- □交通事故が（ひんぱつ）する。
- □（ひんぱん）に行き来する。

敏

4級

部首 攵（ぼくにょう・のぶん） 10画

音 ビン
訓 ―

筆順：付ける／「毋」を「母」としない／付ける

用例：敏感（びんかん）　敏腕（びんわん）*　過敏（かびん）　機敏（きびん）

問題
- □刺激（しげき）に（びんかん）な肌（はだ）。
- □社長として（びんわん）を振（ふ）るう。
- □神経が（かびん）になる。
- □（きびん）な動きの職人。

瓶

準2級

部首 瓦（かわら） 11画

音 ビン
訓 ―

筆順：まっすぐ書く／二画で書く／はらう／忘れない／一画で書く

用例：瓶詰（びんづめ）　花瓶（かびん）　鉄瓶（てつびん）　土瓶（どびん）

問題
- □季節の果物の（びんづめ）。
- □（かびん）にバラを生ける。
- □（てつびん）でお湯を沸（わ）かす。
- □マツタケの（どびん）蒸（む）し。

*敏腕＝物事をてきぱき処理する能力があること。

準2級

扶

7画
部首 扌(てへん)

音 フ
訓 —

はねる
上の横棒より長く
付ける

扶育(ふいく)
扶助(ふじょ)*
扶養(ふよう)

□交通遺児を〔ふいく〕する。
□相互〔ふじょ〕の精神。
□年老いた両親を〔ふよう〕する。

4級

怖

8画
部首 忄(りっしんべん)

音 フ
訓 こわい

筆順に注意
はらう
つき出す

畏怖(いふ)
恐怖(きょうふ)
恐怖症(きょうふしょう)
恐怖心(きょうふしん)

□神に〔いふ〕の念を抱く。
□〔きょうふ〕に打ち勝つ。
□高所〔きょうふしょう〕の克服。
□敵に〔きょうふしん〕を抱く。

2級

阜

8画
部首 阜(こざと)

音 フ
訓 —

左下にはらう
長めに書く
付ける

岐阜県(ぎふけん)

□父は、大学進学と同時に〔ぎふけん〕から東京都に出てきた。

準2級

附

8画
部首 阝(こざとへん)

音 フ
訓 —

三画で書く
つき出す
忘れない

附属(ふぞく)
寄附(きふ)

□大学の〔ふぞく〕※高校。
□出身校に多額のお金を〔きふ〕※する。

*扶助＝経済的に助けること。　※「付属」とも書く。　※「寄付」とも書く。

訃

2級

部首 言（ごんべん） 9画

音 フ
訓 ―

筆順 訃（短く止める　最も長く　付ける）

用例 訃報*

問題
□恩師の（ふほう）を知り、悲しみに暮れる。

赴

3級

部首 走（そうにょう） 9画

音 フ
訓 おもむく

筆順 赴（横棒から書く　長くはらう　付ける）

用例 赴任（ふにん）　赴く（おもむく）

問題
□単身で海外に（ふにん）する。
□任地へ（おもむ）く。

浮

4級

部首 氵（さんずい） 10画

音 フ
訓 うく　うかれる　うかぶ　うかべる

筆順 浮（右上にはらう　左下にはらう　二画で書く）

用例 浮上（ふじょう）　浮遊（ふゆう）　浮き沈み（うきしずみ）　浮世絵（うきよえ）

問題
□上位に（ふじょう）する。
□水中に（ふゆう）する微生物（びせいぶつ）。
□（う）き沈（しず）みの激しい業界。
□葛飾北斎（かつしかほくさい）の（うきよえ）。

符

3級

部首 ⺮（たけかんむり） 11画

音 フ
訓 ―

筆順 符（「⺮」は平たく　忘れない　つき出す）

用例 符号（ふごう）　音符（おんぷ）　切符（きっぷ）　終止符（しゅうしふ）

問題
□プラスの（ふごう）を付ける。
□（おんぷ）の種類を覚える。
□新幹線の（きっぷ）を買う。
□争いに（*しゅうしふ）を打つ。

*訃報＝人が死んだという知らせ。　*終止符を打つ＝結着をつけて終わりにする。

普

4級　部首 日（ひ）　12画

音 フ
訓 —

筆順に注意　上の横棒より長く

普及（ふきゅう）　普段（ふだん）　普通（ふつう）　普遍的（ふへんてき）

□電気自動車が（ふきゅう）する。
□※（ふだん）どおりに振る舞う。
□ごく（ふつう）の生活を送る。
□（ふへんてき）な真理を求める。

腐

4級　部首 肉（にく）　14画

音 フ
訓 くさる　くされる　くさらす

立てる　つき出す　点　つき出す

腐心（ふしん）　腐敗（ふはい）　豆腐（とうふ）　腐れ縁（くされえん）

□資金繰りに（ふしん）する。
□政治が（ふはい）する。
□（とうふ）のみそ汁を作る。
□彼とは（くさ）れ縁だ。

敷

4級　部首 攵（ぼくにょう・のぶん）　15画

音 （フ）
訓 しく

筆順に注意　つき出す　忘れない　立てる

敷金（しききん）　敷地（しきち）　敷物（しきもの）　屋敷（やしき）

□家主に（しききん）を支払う。
□病院の（しきち）に公園を作る。
□アウトドア用の（しきもの）。
□大きな（やしき）に住む。

膚

4級　部首 月（にくづき）　15画

音 フ
訓 —

縦棒から書く　折ってはらう　縦棒が先　止める

完膚（かんぷ）　皮膚（ひふ）　皮膚科（ひふか）

□*（かんぷ）無きまでやっつける。
□（ひふ）が炎症を起こす。
□（ひふか）に通院して治療を行う。

※「不断」とも書く。　*完膚無きまで＝徹底的に。（「完膚」は傷の全くない皮膚。）

賦

4級

部首 貝（かいへん） 15画

音 フ

訓 —

筆順: 縦棒が先／右上にはらう／忘れない／忘れない

用例: 賦与（ふよ）＊　月賦（げっぷ）　天賦（てんぷ）

問題
- □天から（ふよ）された才能。
- □（げっぷ）で車を購入（こうにゅう）する。
- □（てんぷ）の才能を生かして世間に名を広める。

譜

準2級

部首 言（ごんべん） 19画

音 フ

訓 —

筆順: 点／筆順に注意

用例: 譜面台（ふめんだい）　楽譜（がくふ）　系譜（けいふ）　年譜（ねんぷ）

問題
- □奏者が（ふめんだい）を使う。
- □正確に（がくふ）を読む。
- □先祖の（けいふ）をたどる。
- □有名作家の（ねんぷ）を見る。

侮

準2級

部首 亻（にんべん） 8画

音 ブ

訓 （あなどる）

筆順: はらう／付ける／「毋」を「母」としない

用例: 侮辱（ぶじょく）　侮蔑（ぶべつ）　軽侮（けいぶ）

問題
- □ひどい（ぶじょく）を受ける。
- □（ぶべつ）のまなざしを向ける。
- □不誠実な相手に（けいぶ）の念を抱（いだ）く。

舞

4級

部首 舛（まいあし） 15画

音 ブ

訓 まう　まい

筆順: 付ける／長めに書く／忘れない／つき出す

用例: 舞台（ぶたい）　鼓舞（こぶ）＊　舞（ま）い込（こ）む　獅子舞（ししまい）

問題
- □初めての（ぶたい）に上がる。
- □部員の士気を（こぶ）する。
- □幸運が（ま）い込（こ）む。
- □祭りで（ししまい）を見る。

＊賦与＝生まれつき与（あた）えられていること。　＊鼓舞＝励（はげ）まして元気づけること。

封 3級

音 フウ・ホウ
訓 ―
部首 寸（すん） 9画

右上にはらう／付ける／つき出す／忘れない

封鎖（ふうさ）
同封（どうふう）
密封（みっぷう）
封建的（ほうけんてき）＊

□国境を（ふうさ）する。
□手紙に写真を（どうふう）する。
□（みっぷう）容器で保存する。
□（ほうけんてき）な制度が残る村。

伏 3級

音 フク
訓 ふせる・ふす
部首 亻（にんべん） 6画

つき出す／忘れない

伏線（ふくせん）＊
起伏（きふく）
潜伏（せんぷく）
待ち伏せ（まちぶせ）

□話に（ふくせん）を張る。
□感情の（きふく）が激しい。
□風邪（かぜ）の（せんぷく）期間。
□犯人を待ち（ぶ）せする。

幅 4級

音 フク
訓 はば
部首 巾（きんべん・はばへん） 12画

縦棒が先／つき出す／忘れない

全幅（ぜんぷく）
増幅（ぞうふく）
大幅（おおはば）
横幅（よこはば）

□（ぜんぷく）の信頼（しんらい）を寄せる。
□怒（いか）りが（ぞうふく）される。
□（おおはば）な変更（へんこう）がある。
□（よこはば）のある引き出し。

覆 3級

音 フク
訓 おおう・（くつがえす）・（くつがえる）
部首 襾（おおいかんむり） 18画

「襾」を「西」としない／折ってはらう

覆面（ふくめん）
転覆（てんぷく）
覆い隠す（おおいかくす）
覆いかぶさる（おおいかぶさる）

□（ふくめん）をかぶったレスラー。
□船が（てんぷく）する。
□事実を（おお）い隠（かく）す。
□責任が（おお）いかぶさる。

ハ行 フ≫フク

＊封建的＝個人の自由や権利より，身分や階級を重んじる様子。　＊伏線＝前もってそれとなく示すこと。

払 ４級

部首 扌（てへん） 5画

音 （フツ）
訓 はらう

筆順 払 払 払 払 払
はねる　折ってはらう　止める

用例
払（はら）い込（こ）む
払（はら）いのける
支払（しはら）う
月払（つきばら）い

問題
□家賃を毎月（はら）い込（こ）む。
□不安を（はら）いのける。
□代金を（しはら）う。
□給料を（つきばら）いにする。

沸 準２級

部首 氵（さんずい） 8画

音 フツ
訓 わく　わかす

筆順 沸 沸 沸 沸 沸 沸 沸 沸
右上にはらう　一画で書く　まっすぐ書く　はらう

用例
沸騰（ふっとう）
煮沸（しゃふつ）
沸（わ）き上（あ）がる
湯沸（ゆわ）かし器（き）

問題
□人気が（ふっとう）する。
□（しゃふつ）消毒を行う。
□怒（いか）りが（わ）※き上がる。
□旅行用の（ゆわ）かし器。

紛 ３級

部首 糸（いとへん） 10画

音 フン
訓 まぎれる　まぎらす　まぎらわす　まぎらわしい

筆順 紛 紛 紛 紛 紛 紛 紛 紛 紛 紛
折る　つき出さない　付けない

用例
紛失（ふんしつ）
紛争（ふんそう）
内紛（ないふん）
紛（まぎ）れ込（こ）む

問題
□入場券を（ふんしつ）する。
□国際的な（ふんそう）が起こる。
□（ないふん）が絶えない国。
□人込（ひとご）みに（まぎ）れ込む。

雰 準２級

部首 雨（あめかんむり） 12画

音 フン
訓 ―

筆順 雰 雰 雰 雰 雰 雰 雰 雰 雰 雰 雰 雰
「⻗」は平たく　付けない　つき出さない

用例
雰囲気（ふんいき）

問題
□和（なご）やかな（ふんいき）の中で会食が行われる。

※「湧（き上がる）」とも書く。

4級

噴

15画

音 フン
訓 ふく

部首 口（くちへん）

横棒が先　上の横棒より長く　はらう　止める

噴火（ふんか）
噴出（ふんしゅつ）
噴水（ふんすい）
噴き出す（ふきだす）

□大規模な（ふんか）が起こる。
□長年の不満が（ふんしゅつ）する。
□公園の（ふんすい）を眺める。
□温泉が（ふ）き出す。

3級

墳

15画

音 フン
訓 ―

部首 土（つちへん）

右上にはらう　横棒が先　上の横棒より長く

墳墓の地（ふんぼのち）*
古墳（こふん）

□（ふんぼ）の地をなつかしむ。
□全国にある（こふん）について調べる。

準2級

憤

15画

音 フン
訓 （いきどおる）

部首 忄（りっしんべん）

筆順に注意　横棒が先　上の横棒より長く

憤慨（ふんがい）
憤然（ふんぜん）
鬱憤（うっぷん）
発憤（はっぷん）*

□無礼な発言に（ふんがい）する。
□（ふんぜん）として席を立つ。
□日頃の（うっぷん）を晴らす。
□（※はっぷん）して成績を上げる。

似ている漢字に注意

紛（フン）いとへん ― 粉（フン）こめへん

似ている漢字に注意

噴（フン）くちへん ― 墳（フン）つちへん ― 憤（フン）りっしんべん

「ふんぜん」の意味

憤然…ひどく腹を立てる様子。
奮然…元気を奮い起こす様子。
紛然…物事があれこれ入り混じって複雑な様子。

*墳墓の地＝故郷。　*発憤＝心を奮い立たせること。　※「発奮」とも書く。

丙 準2級

5画　部首 一（いち）

音 ヘイ　訓 —

筆順：丙丙丙丙丙（忘れない／つき出して上に付ける）

用例：丙種＊（へいしゅ）　甲乙丙丁（こうおつへいてい）

問題：
□（へいしゅ）の資格に合格する。
□昔は（こうおつへいてい）で成績を付けていた。

併 準2級

8画　部首 亻（にんべん）

音 ヘイ　訓 あわせる

筆順：併併併併併併併併（上の横棒より長く／はらう／まっすぐ）

用例：併記（へいき）　併設（へいせつ）　併発（へいはつ）　合併（がっぺい）

問題：
□二つの案を（へいき）する。
□大学に病院を（へいせつ）する。
□風邪（かぜ）から肺炎（はいえん）を（へいはつ）する。
□町村が（がっぺい）する。

柄 4級

9画　部首 木（きへん）

音（ヘイ）　訓 がら　え

筆順：柄柄柄柄柄柄柄柄柄（短く止める／忘れない／つき出して上に付ける）

用例：家柄（いえがら）　大柄（おおがら）　人柄（ひとがら）　身柄（みがら）

問題：
□彼（かれ）は（いえがら）がよい。
□（おおがら）な男性。
□謙虚（けんきょ）な（ひとがら）が好まれる。
□犯人の（みがら）を拘束（こうそく）する。

塀 準2級

12画　部首 土（つちへん）

音 ヘイ　訓 —

筆順：塀塀塀塀塀塀塀塀塀塀塀塀（右上にはらう／まっすぐ書く／上の横棒より長く／はらう）

用例：塀（へい）　板塀（いたべい）　土塀（どべい）

問題：
□（へい）を巡（めぐ）らす。
□古い家に残る（いたべい）。
□武家屋敷（ぶけやしき）を囲む（どべい）を修繕（しゅうぜん）する。

＊丙種＝甲，乙に次ぐ第三位。または，その分類。

幣
準2級 15画
部首 巾（はば）
音 ヘイ
訓 ―

貨幣（かへい）
紙幣（しへい）
御幣担ぎ（ごへいかつぎ）*

□（かへい）価値が下がる。
□世界の（しへい）を集める。
□年をとって（ごへい）担ぎをするようになる。

弊
準2級 15画
部首 廾（にじゅうあし）
音 ヘイ
訓 ―

弊害（へいがい）
弊社（へいしゃ）
語弊（ごへい）
疲弊（ひへい）

□都市化には（へいがい）を伴う。
□（へいしゃ）の方針を発表する。
□（ごへい）がある言い方。
□心身が（ひへい）する。

蔽
2級 ※ 15画
部首 艹（くさかんむり）
音 ヘイ
訓 ―

隠蔽（いんぺい）

□不正を（いんぺい）しようと画策する。

餅
2級 ※ 15画
部首 飠（しょくへん）
音 ヘイ
訓 もち

月餅（げっぺい）
煎餅（せんべい）
餅（もち）つき
尻餅（しりもち）

□（げっぺい）は中国風の焼き菓子だ。
□おやつに（せんべい）を食べる。
□（もち）つき大会を行う。
□滑って（しりもち）をつく。

*御幣担ぎ＝縁起（えんぎ）を気にかけること。
※「蔽」も可。
※「餅」（14画）も可。

壁

4級

部首 土（つち） 16画

音 ヘキ
訓 かべ

筆順 はらう／付ける／立てる

用例
- 壁画（へきが）
- 城壁（じょうへき）
- 絶壁（ぜっぺき）
- 白壁（しらかべ）

問題
- □洞窟（どうくつ）で発見された（へきが）。
- □（じょうへき）都市の遺跡（いせき）。
- □断崖（だんがい）（ぜっぺき）をよじ登る。
- □美しい（しらかべ）の町並み。

璧

2級

部首 玉（たま・おう） 18画

音 ヘキ
訓 ―

筆順 はらう／付ける／立てる／忘れない

用例
- 完璧（かんぺき）
- 双璧（そうへき）＊

問題
- □作品を（かんぺき）に仕上げる。
- □日本画の（そうへき）と呼ばれた二人の人物。

癖

3級

部首 疒（やまいだれ） 18画

音 ヘキ
訓 くせ

筆順 立てる／立てる／はらう／付ける

用例
- 悪癖（あくへき）
- 潔癖（けっぺき）
- 性癖（せいへき）
- 口癖（くちぐせ）

問題
- □長年の（あくへき）を改める。
- □金銭に（けっぺき）な性質だ。
- □うそをつく（せいへき）がある。
- □恩師の（くちぐせ）をまねる。

蔑

2級 ※

部首 艹（くさかんむり） 14画

音 ベツ
訓 さげすむ

筆順 「罒」を「四」としない／忘れない／忘れない

用例
- 蔑視（べっし）
- 軽蔑（けいべつ）
- 侮蔑（ぶべつ）

問題
- □強い（べっし）に耐（た）えかねる。
- □（けいべつ）に値（あたい）する行為（こうい）だ。
- □裏切り者を（ぶべつ）する。

＊双璧＝優劣（ゆうれつ）を決めにくい優（すぐ）れた二つのもの。　※「蔑」も可。

偏

準2級　11画

部首　亻（にんべん）

音　ヘン

訓　かたよる

筆順：忘れない／はらう／横棒が先

偏愛（へんあい）　偏見（へんけん）　偏食（へんしょく）　偏重（へんちょう）

□末っ子を〔へんあい〕する。
□〔へんけん〕に満ちた考え方。
□幼児期に〔へんしょく〕をなくす。
□学歴を〔へんちょう〕する社会。

遍

準2級　12画

部首　辶（しんにょう・しんにゅう）

音　ヘン

訓　―

筆順：忘れない／横棒が先／はらう／一画で書く

遍在（へんざい）＊　遍歴（へんれき）　普遍（ふへん）　通り一遍（とおりいっぺん）

□各地に〔へんざい〕する伝説。
□諸国を〔へんれき〕する。
□人類に〔ふへん〕の原理。
□通り〔いっぺん〕の挨拶（あいさつ）を済ます。

哺

2級　10画

部首　口（くちへん）

音　ホ

訓　―

筆順：忘れない／横棒が先／つき出す

哺乳瓶（ほにゅうびん）　哺乳類（ほにゅうるい）

□〔ほにゅうびん〕でミルクを与（あた）える。
□海にすむ鯨（くじら）やイルカも〔ほにゅうるい〕の仲間だ。

捕

4級　10画

部首　扌（てへん）

音　ホ

訓　とらえる　とらわれる　とる　つかまえる　つかまる

筆順：忘れない／はねる／横棒が先／つき出す

捕獲（ほかく）　捕手（ほしゅ）　捕虜（ほりょ）　逮捕（たいほ）

□脱走（だっそう）した猿（さる）を〔ほかく〕する。
□野球で〔ほしゅ〕を務める。
□戦争で〔ほりょ〕となった兵士。
□容疑者が〔たいほ〕される。

＊遍在＝どこにでも広く存在すること。偏（かたよ）って存在する意味の「偏在（へんざい）」と区別する。

4級

舗

15画

部首 人（ひと）

音 ホ

訓 ―

筆順 付ける つき出す 忘れない 横棒が先

用例 舗装（ほそう） 店舗（てんぽ） 本舗*（ほんぽ）

問題
□道路を〔ほそう〕する。
□郊外に〔てんぽ〕を構える。
□古くから和菓子（わがし）を扱（あつか）ってい る、しにせの〔ほんぽ〕。

3級

募

12画

部首 力（ちから）

音 ボ

訓 つのる

筆順 付けない つき出す 長めに書く

用例 募金（ぼきん） 募集（ぼしゅう） 応募（おうぼ） 急募（きゅうぼ）

問題
□共同〔ぼきん〕を行う。
□社員を〔ぼしゅう〕する。
□コンクールに〔おうぼ〕する。
□アルバイト〔きゅうぼ〕の告知。

3級

慕

14画

部首 㣺（したごころ）

音 ボ

訓 したう

筆順 付けない 点二つ 長めに書く

用例 慕情（ぼじょう） 敬慕（けいぼ） 思慕（しぼ）

問題
□なき夫への〔ぼじょう〕。
□恩師に〔けいぼ〕の念を抱（いだ）く。
□故郷の両親を〔しぼ〕する。

3級

簿

19画

部首 ⺮（たけかんむり）

音 ボ

訓 ―

筆順 「⺮」は平たく つき出す 忘れない 忘れない 横棒が先

用例 簿記（ぼき） 帳簿（ちょうぼ） 名簿（めいぼ） 出席簿（しゅっせきぼ）

問題
□専門的に〔ぼき〕を学ぶ。
□事業主が〔ちょうぼ〕をつける。
□卒業生の〔めいぼ〕を作る。
□クラスごとの〔しゅっせきぼ〕。

*本舗＝特定の品物を製造・販売（はんばい）するおおもとの店。

芳

3級　7画
部首　艹（くさかんむり）
音　ホウ
訓　（かんばしい）

立てる
筆順に注意

芳紀（ほうき）＊
芳香剤（ほうこうざい）
芳醇（ほうじゅん）
芳名（ほうめい）

□（ほうき）まさに十八歳。
□車に（ほうこうざい）を置く。
□（ほう）醇（じゅん）な酒を味わう。
□協力者の御（ご）（ほうめい）の発表。

邦

3級　7画
部首　阝（おおざと）
音　ホウ
訓　―

はらう
三画で書く

邦画（ほうが）
邦人（ほうじん）
本邦（ほんぽう）
連邦（れんぽう）

□名作とされる（ほうが）。
□在留（ほうじん）の数を調べる。
□（ほんぽう）初公開の映画。
□スイスは（れんぽう）国家だ。

奉

3級　8画
部首　大（だい）
音　ホウ　ブ
訓　（たてまつる）

最も長く
つき出す
付ける
上の横棒より長く

奉公人（ほうこうにん）＊
奉仕（ほうし）
奉納（ほうのう）
奉行（ぶぎょう）＊

□江戸（えど）時代の（ほうこうにん）。
□社会に（ほうし）する。
□神社に絵馬を（ほうのう）する。
□江戸（えど）時代の（ぶぎょう）。

抱

4級　8画
部首　扌（てへん）
音　ホウ
訓　だく　いだく　かかえる

はねる
折ってはねる
曲げてはねる

抱負（ほうふ）
介抱（かいほう）
辛抱（しんぼう）
一抱え（ひとかかえ）

□新年の（ほうふ）を述べる。
□病人を（かいほう）する。
□（しんぼう）強く取り組む。
□（ひとかか）えもある花束。

＊芳紀＝若い女性の年齢（ねんれい）。　＊奉公人＝他家に雇（やと）われて働く人。　＊奉行＝武家時代の職名。

準2級

泡

8画

部首 氵（さんずい）

音 ホウ
訓 あわ

筆順 泡泡泡泡泡泡泡泡
（右上にはらう）（折ってはねる）（曲げてはねる）

用例
気泡（きほう）
水泡（すいほう）
発泡（はっぽう）
泡立てる（あわだてる）

問題
□炭酸水の（きほう）。
□長期計画が（すいほう）に帰する。
□（はっぽう）スチロールの箱。
□卵白を（あわだ）てる。

3級

胞

9画

部首 月（にくづき）

音 ホウ
訓 ―

筆順 胞胞胞胞胞胞胞胞胞
（折ってはねる）（曲げてはねる）

用例
胞子（ほうし）
細胞（さいぼう）
同胞（どうほう）

問題
□きのこの（ほうし）が飛ぶ。
□（さいぼう）分裂を繰り返す。
□異国の地で（どうほう）と助け合う。

準2級

俸

10画

部首 亻（にんべん）

音 ホウ
訓 ―

筆順 俸俸俸俸俸俸俸俸俸俸
（最も長く）（付ける）（つき出す）（上の横棒より長く）

用例
俸給（ほうきゅう）
減俸（げんぽう）
年俸（ねんぽう）
本俸（ほんぽう）*

問題
□国家公務員の（ほうきゅう）。
□業績不振で（げんぽう）される。
□プロ野球選手の（ねんぽう）。
□役員の（ほんぽう）を定める。

3級

倣

10画

部首 亻（にんべん）

音 ホウ
訓 （ならう）

筆順 倣倣倣倣倣倣倣倣倣倣
（立てる）（筆順に注意）（付ける）

用例
模倣（もほう）
模倣品（もほうひん）

問題
□人の作品を（もほう）する。
□有名なブランドのバッグの（もほうひん）が出回る。

＊本俸＝手当などを加えない，基本となる給料。

4級

峰

部首 山（やまへん）　10画

音 ホウ
訓 みね

峰（つき出す）

峰の筆順：折ってはらう、付ける、最も長く

霊峰（れいほう）　連峰（れんぽう）　最高峰（さいこうほう）　峰続き（みねつづき）

□（れいほう）富士を仰ぎ見る。
□北アルプス（れんぽう）の山々。
□日本文学の（さいこうほう）。
□（みねつづ）きの山々を望む。

4級

砲

部首 石（いしへん）　10画

音 ホウ
訓 ―

砲（曲げてはねる）

砲の筆順：折ってはねる

砲火（ほうか）　砲丸（ほうがん）　大砲（たいほう）　水鉄砲（みずでっぽう）

□隣国（りんごく）と（ほうか）を交える。
□（ほうがん）投げの選手。
□（たいほう）の音が鳴り響（ひび）く。
□（みずでっぽう）で遊ぶ。

3級

崩

部首 山（やま）　11画

音 ホウ
訓 くずれる、くずす

崩　崩

崩の筆順：「山」は平たく、はらう、はねる、はらう

崩壊（ほうかい）　崩御*（ほうぎょ）　崩落（ほうらく）　値崩れ（ねくずれ）

□制度が（ほうかい）する。
□皇太后が（ほうぎょ）する。
□岩石が（ほうらく）する。
□中古車が（ねくず）れする。

似ている漢字に注意

泡（ホウ・さんずい）―胞（ホウ・にくづき）―砲（ホウ・いしへん）

似ている漢字に注意

俸（ホウ・にんべん）―棒（ボウ・きへん）

特別な読み方

雪崩（なだれ）…山の斜面（しゃめん）に積もった大量の雪が、一度に崩（くず）れ落ちること。また、その雪。

*崩御＝天皇や皇后，皇太后などがなくなること。

蜂（2級）

13画　部首：虫（むし）

音：ホウ　訓：はち

筆順（注記）：折ってはらう／付ける／最も長く／つき出す

用例：蜂起（ほうき）　養蜂業（ようほうぎょう）　蜂蜜（はちみつ）　蜜蜂（みつばち）

問題

□反乱軍が武装（ほうき）する。

□（ようほうぎょう）を営む。

□（はちみつ）を使ったケーキ。

□日本（みつばち）を飼育する。

飽（3級）

13画　部首：𩙿（しょくへん）

音：ホウ　訓：あきる　あかす

筆順（注記）：付ける／立てる／短く止める／折ってはねる／曲げてはねる

用例：飽食（ほうしょく）　飽和（ほうわ）　飽き飽き（あきあき）　見飽きる（みあきる）

問題

□（ほうしょく）の時代に生まれる。

□人口が（ほうわ）状態になる。

□長話に（あきあき）する。

□（みあ）きることのない絵。

褒（準2級）

15画　部首：衣（ころも）

音：（ホウ）　訓：ほめる

筆順（注記）：立てる／折ってはらう

用例：褒めちぎる（ほめちぎる）　べた褒め（べたぼめ）

問題

□盛（さか）んに（ほ）めちぎる。

□みんなにべた（ぼ）めされて照れる。

縫（3級）

16画　部首：糸（いとへん）

音：ホウ　訓：ぬう

筆順（注記）：折る／折ってはらう／つき出す／一画で書く

用例：縫合（ほうごう）　裁縫（さいほう）　天衣無縫（てんいむほう）*　縫い目（ぬいめ）

問題

□傷口を（ほうごう）する。

□姉は（さいほう）が得意だ。

□（てんいむほう）な性格。

□（ぬ）い目が綻（ほころ）びる。

*天衣無縫＝思いのままに振（ふ）る舞（ま）い，無邪気（むじゃき）であること。

3級

乏

4画
部首 ノ（の・はらいぼう）
音 ボウ
訓 とぼ**しい**

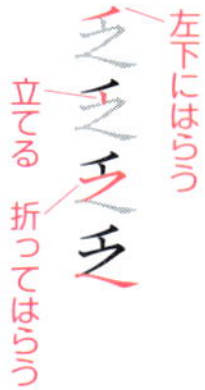

窮乏（きゅうぼう）
欠乏（けつぼう）
耐乏（たいぼう）
貧乏（びんぼう）

□〔きゅうぼう〕した生活を送る。
□救援物資（きゅうえんぶっし）が〔けつぼう〕する。
□長い〔たいぼう〕生活が終わる。
□〔びんぼう〕な暮らしぶり。

4級

忙

6画
部首 忄（りっしんべん）
音 ボウ
訓 いそが**しい**

忙殺（ぼうさつ）
多忙（たぼう）
繁忙（はんぼう）
忙（いそが）しさ

□仕事に〔ぼうさつ〕される。
□〔たぼう〕な日々を送る。
□〔はんぼう〕な時期を乗り切る。
□〔いそが〕しさにかまける。

4級

坊

7画
部首 土（つちへん）
音 ボウ　ボッ
訓 ―

赤（あか）ん坊（ぼう）
朝寝坊（あさねぼう）
風来坊（ふうらいぼう）*
坊（ぼっ）ちゃん

□丸々とした赤ん〔ぼう〕。
□宵（よい）っ張りの〔あさねぼう〕。
□叔父（おじ）は〔ふうらいぼう〕だ。
□彼（かれ）は〔ぼっ〕ちゃん育ちだ。

3級

妨

7画
部首 女（おんなへん）
音 ボウ
訓 さまた**げる**

妨害（ぼうがい）
妨（さまた）げ

□営業を〔ぼうがい〕する。
□容易に諦（あきら）めることは成長の〔さまた〕げとなる。

*風来坊＝どこからともなく来たり去ったりする人。

3級

房

部首 戸（とかんむり） 8画

音 ボウ
訓 ふさ

筆順：房（はらう・立てる・筆順に注意）

用例：暖房（だんぼう）　文房具（ぶんぼうぐ）　乳房（ちぶさ）※　一房（ひとふさ）

問題
□室内を〔だんぼう〕する。
□〔ぶんぼうぐ〕を買いそろえる。
□母犬の〔ちぶさ〕。
□バナナを〔ひとふさ〕買う。

4級

肪

部首 月（にくづき） 8画

音 ボウ
訓 ―

筆順：肪（立てる・筆順に注意）

用例：脂肪（しぼう）　体脂肪率（たいしぼうりつ）

問題
□おなかの〔しぼう〕が気になる。
□正しい食生活を送って〔たいしぼうりつ〕を減らす。

3級

某

部首 木（き） 9画

音 ボウ
訓 ―

筆順：某（筆順に注意・付ける）

用例：某国（ぼうこく）　某氏（ぼうし）　某日（ぼうじつ）　某所（ぼうしょ）

問題
□〔ぼうこく〕の大統領が訪（おとず）れる。
□〔ぼうし〕からの告発。
□今月の〔ぼうじつ〕に約束する。
□都内の〔ぼうしょ〕で密会する。

4級

冒

部首 目（め） 9画

音 ボウ
訓 おかす

筆順：冒（「𠘨」は平たく）

用例：冒険（ぼうけん）　冒頭（ぼうとう）　冒瀆（ぼうとく）＊　感冒（かんぼう）

問題
□〔ぼうけん〕の旅に出る。
□小説の〔ぼうとう〕を読む。
□神への〔ぼうとく〕行為（こうい）。
□流行性〔かんぼう〕にかかる。

※「にゅうぼう」とも読む。　＊冒瀆＝神聖なものをけがすこと。

剖
準2級　10画
音 ボウ
訓 ―
部首 刂（りっとう）

立てる　ななめに書く　短めに止める　はねる

解剖(かいぼう)

□犯人の深層心理にメスを入れ、（かいぼう）を試みる。

紡
準2級　10画
音 ボウ
訓 （つむぐ）
部首 糸（いとへん）

折る　短く止める　立てる　筆順に注意

紡織機(ぼうしょくき)
紡績(ぼうせき)
混紡(こんぼう)

□（ぼうしょくき）で布をおる。
□（ぼうせき）工場に勤める。
□綿と麻(あさ)の（こんぼう）のシャツ。

傍
4級　12画
音 ボウ
訓 （かたわら）
部首 亻（にんべん）

立てる　ななめに書く　立てる　筆順に注意

傍観(ぼうかん)
傍若無人(ぼうじゃくぶじん)*
傍線(ぼうせん)
傍聴(ぼうちょう)

□事の成り行きを（ぼうかん）する。
□（ぼうじゃくぶじん）に振(ふ)る舞(ま)う。
□教科書に（ぼうせん）を引く。
□裁判を（ぼうちょう）する。

帽
4級　12画
音 ボウ
訓 ―
部首 巾（きんべん・はばへん）

折ってはねる　つき出す　「目」は平たく

帽子(ぼうし)
学帽(がくぼう)
制帽(せいぼう)
脱帽(だつぼう)

□毛糸の（ぼうし）を編む。
□小学生が（がくぼう）をかぶる。
□警察官の（せいぼう）。
□彼(かれ)の熱意に（だつぼう）する。

*傍若無人＝人目を気にせず勝手気ままに振る舞うこと。

2級

貌

14画

部首 豸（むじなへん）

音 ボウ

訓 —

筆順

用例

全貌（ぜんぼう）
風貌（ふうぼう）
変貌（へんぼう）
容貌（ようぼう）

問題

□事件の［ぜんぼう］を解明する。
□彼（かれ）は学者らしい［ふうぼう］だ。
□大都市へと［へんぼう］を遂（と）げる。
□りりしい［ようぼう］の男性。

3級

膨

16画

部首 月（にくづき）

音 ボウ

訓 ふくらむ ふくれる

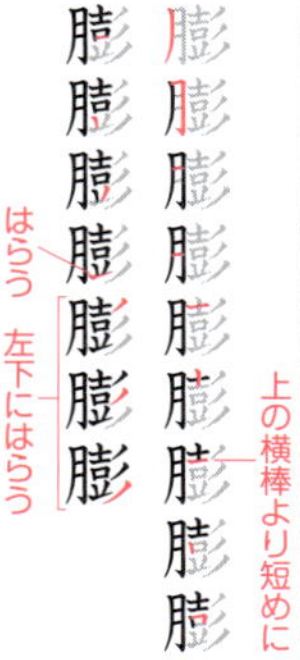

膨大（ぼうだい）
膨張（ぼうちょう）
膨（ふく）れっつら
青膨（あおぶく）れ

□［ぼうだい］な損害を被（こうむ）る。
□人口が［ぼうちょう］する。
□［ふく］れっつらの幼児。
□ぶつけて［あおぶく］れになる。

3級

謀

16画

部首 言（ごんべん）

音 ボウ （ム）

訓 （はかる）

謀略（ぼうりゃく）
陰謀（いんぼう）
首謀者（しゅぼうしゃ）
無謀（むぼう）

□［ぼうりゃく］を巡（めぐ）らす。
□敵の※［いんぼう］を見抜（みぬ）く。
□事件の［しゅぼうしゃ］の逮捕（たいほ）。
□［むぼう］な運転を注意する。

※「頬」（15画）も可。

2級

頬※

16画

部首 頁（おおがい・いちのかい）

音 —

訓 ほお

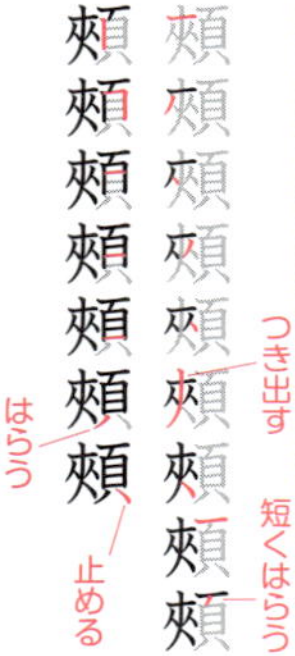

頬擦（ほおず）り
頬杖（ほおづえ）
頬張（ほおば）る
頬骨（ほおぼね）

□［ほおず］りしてかわいがる。
□［　］杖（ほおづえ）をついて考える。
□ごちそうを［　］る（ほおば）。
□［ほおぼね］の張った顔立ち。

※「隠謀」とも書く。

朴　準2級
6画　部首 木（きへん）
音 ボク　訓 ―

朴訥（ぼくとつ）　純朴（じゅんぼく）　素朴（そぼく）

□［ぼくとつ※］な人柄（ひとがら）の青年。
□［じゅんぼく］な少女に出会う。
□［そぼく］な疑問を抱（いだ）く。

睦　2級
13画　部首 目（めへん）
音 ボク　訓 ―

親睦（しんぼく）　和睦（わぼく）

□社内で［しんぼく］を深める。
□長年争っていた両国が、ついに［わぼく］する。

僕　準2級
14画　部首 亻（にんべん）
音 ボク　訓 ―

僕（ぼく）　下僕（げぼく）　公僕（こうぼく）＊　忠僕（ちゅうぼく）

□［ぼく］は中学生だ。
□女王陛下の［げぼく］。
□国民の［こうぼく］として働く。
□法の［ちゅうぼく］となる。

墨　3級
14画　部首 土（つち）
音 ボク　訓 すみ

墨汁（ぼくじゅう）　水墨画（すいぼくが）　白墨（はくぼく）　眉墨（まゆずみ）

□［ぼくじゅう］を筆に含（ふく）ませる。
□［すいぼくが］を描（えが）く。
□チョークを［はくぼく］という。
□三日月形に［まゆずみ］を引く。

※「木訥」とも書く。　＊公僕＝公務員のこと。

撲　準2級

15画　部首　扌（てへん）

音　ボク　訓　―

筆順

はねる
筆順に注意
ななめに書く
ななめに書く
つき出さない

用例　撲殺（ぼくさつ）　撲滅（ぼくめつ）　打撲（だぼく）

問題
□熊（くま）が（ぼくさつ）をまぬかれる。
□飲酒運転を（ぼくめつ）する。
□交通事故に遭（あ）い、全身を（だぼく）する。

没　3級

7画　部首　氵（さんずい）

音　ボツ　訓　―

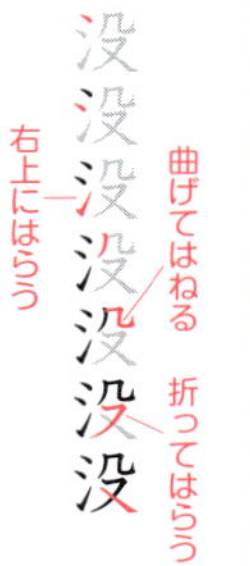

曲げてはねる
右上にはらう
折ってはらう

用例　没収（ぼっしゅう）　没頭（ぼっとう）　沈没（ちんぼつ）　埋没（まいぼつ）

問題
□所持品を（ぼっしゅう）される。
□研究に（ぼっとう）する。
□漁船が（ちんぼつ）する。
□世に（まいぼつ）している逸材（いつざい）。

勃　2級

9画　部首　力（ちから）

音　ボツ　訓　―

付ける
二画で書く
つき出す

用例　勃興（ぼっこう）　勃発（ぼっぱつ）

問題
□新しい国家が（ぼっこう）する。
□国内各地で大規模な内乱が（ぼっぱつ）する。

堀　準2級

11画　部首　土（つちへん）

音　―　訓　ほり

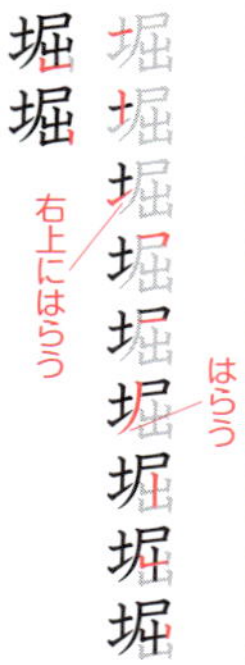

はらう
右上にはらう

用例　堀端（ほりばた）　内堀（うちぼり）　外堀（そとぼり）　釣（つ）り堀（ぼり）

問題
□（ほりばた）を散歩する。
□江戸城（えどじょう）の（うちぼり）。
□着々と*（そとぼり）を埋（う）める。
□近所の釣（つ）り（ぼり）に行く。

＊外堀を埋める＝ある目的を遂（と）げるため，まず周辺の問題から片付けていく。

奔　準2級

8画　部首 大（だい）

音 ホン　訓 ―

- 奔走（ほんそう）
- 奔放（ほんぽう）
- 奔流（ほんりゅう）*
- 出奔（しゅっぽん）

□資金集めに（ほんそう）する。
□自由（ほんぽう）に生きる。
□（ほんりゅう）に飲み込まれる。
□生まれ故郷を（しゅっぽん）する。

翻　3級

18画　部首 羽（はね）

音 ホン　訓 ひるがえる　ひるがえす

左下にはらう / 縦棒が先 / 短く止める / 短く止める / 右上にはらう

- 翻案（ほんあん）*
- 翻意（ほんい）
- 翻訳（ほんやく）
- 翻弄（ほんろう）

□小説を（ほんあん）した映画。
□相手に（ほんい）を促（うなが）す。
□外国文学を（ほんやく）する。
□運命に（ほんろう）される。

凡　4級

3画　部首 几（つくえ）

音 ボン（ハン）　訓 ―

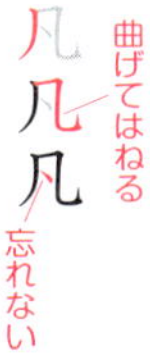

- 凡人（ぼんじん）
- 凡庸（ぼんよう）
- 非凡（ひぼん）
- 平凡（へいぼん）

□（ぼんじん）には考えつかない発想。
□ありふれた（ぼんよう）な人物。
□（ひぼん）な才能の持ち主。
□（へいぼん）な人生を送る。

盆　4級

9画　部首 皿（さら）

音 ボン　訓 ―

- 盆踊り（ぼんおどり）
- 盆栽（ぼんさい）
- 盆地（ぼんち）
- お盆（ぼん）

□祖母から（ぼんおど）りを習う。
□庭で（ぼんさい）を育てる。
□京都（きょうと）（ぼんち）の気候。
□お茶をお（ぼん）で運ぶ。

*奔流＝勢いの激しい流れ。　*翻案＝原作の内容を生かして改作すること。

コラム 5

特別な読み方をする漢字

熟字訓・当て字

さまざまな日本語を、中国で作られた漢字を使って書き表すための工夫（くふう）として、特別な読み方で使う漢字がある。

例えば、「梅雨」と書いて「つゆ」と読むことがある。これは「梅」を「つ」、「雨」を「ゆ」と読んでいるのではない。漢語の「梅雨」が和語の「つゆ」と同じ意味だったため、「梅雨」という二字の漢字をまとめて、訓読みで「つゆ」と読むようにしたのである。このように、漢字一字一字の読み方とは関係なく、熟語全体に日本語の訓読みを当てて読む読み方を、**熟字訓**という。

熟字訓の他にも、「素敵（すてき）」「印度（インド）」「麦酒（ビール）」など、もともと漢字では書かない言葉に、漢字の音や意味を当てることがある。これらの漢字の特殊（とくしゅ）な使い方を**当て字**という。

中学で学習する特別な読み方の語

常用漢字表の付表では、特別な読み方をする語が認められている。以下が中学で学習する特別な読み方をする語である。

小豆（あずき）　硫黄（いおう）　意気地（いくじ）　田舎（いなか）　海原（うなばら）　乳母（うば）
浮つく（うわつく）　笑顔（えがお）　叔父（おじ）　伯父（おじ）　乙女（おとめ）　叔母（おば）
伯母（おば）　お巡りさん（おまわりさん）　鍛冶（かじ）　風邪（かぜ）　固唾（かたず）
仮名（かな）　為替（かわせ）　心地（ここち）　早乙女（さおとめ）　差し支える（さしつかえる）
五月（さつき）　早苗（さなえ）　五月雨（さみだれ）　時雨（しぐれ）　尻尾（しっぽ）　竹刀（しない）
老舗（しにせ）　芝生（しばふ）　三味線（しゃみせん）　砂利（じゃり）　白髪（しらが）　相撲（すもう）
草履（ぞうり）　太刀（たち）　立ち退く（たちのく）　足袋（たび）　梅雨（つゆ）
凸凹（でこぼこ）　名残（なごり）　雪崩（なだれ）　二十（はたち）　二十歳（はたち）
波止場（はとば）　日和（ひより）　吹雪（ふぶき）　土産（みやげ）　息子（むすこ）　紅葉（もみじ）
木綿（もめん）　最寄り（もより）　大和（やまと）　弥生（やよい）　行方（ゆくえ）　若人（わこうど）

マ行の漢字

麻　準2級

11画　部首：麻（あさ）

音：マ　訓：あさ

筆順：立てる／短く止める／はらう

用例：麻酔（ますい）　麻痺（まひ）　麻薬（まやく）　麻布（あさぬの）

問題
- □全身［ますい］をかける。
- □寒さで指先が［ま］痺（ひ）する。
- □［まやく］を厳しく取り締（し）まる。
- □［あさぬの］のスカーフ。

摩　準2級

15画　部首：手（て）

音：マ　訓：—

筆順：立てる／短く止める／左下にはらう／曲げてはねる

用例：摩擦（まさつ）　摩天楼（まてんろう）　あん摩（ま）＊

問題
- □両国間に［まさつ］が生じる。
- □ニューヨークの［まてんろう］。
- □あん［ま］マッサージ指圧師を目指す。

磨　準2級

16画　部首：石（いし）

音：マ　訓：みがく

筆順：立てる／短く止める／つき出さない

用例：磨滅（まめつ）　研磨（けんま）　切磋琢磨（せっさたくま）　百戦錬磨（ひゃくせんれんま）

問題
- □タイヤが［まめつ］する。
- □レンズを［けんま］※する。
- □仲間と切磋琢（せっさたく）［ま］する。
- □［ひゃくせんれんま］の弁護士。

魔　3級

21画　部首：鬼（おに）

音：マ　訓：—

筆順：立てる／短く止める／忘れない／縦棒が先

用例：魔法使い（まほうつかい）　悪魔（あくま）　邪魔（じゃま）　睡魔（すいま）

問題
- □［まほうつか］いのおばあさん。
- □［あくま］の誘惑（ゆうわく）に負ける。
- □通行の［じゃま］になる。
- □急に［すいま］に襲（おそ）われる。

＊あん摩＝体をもんだりたたいたりして筋肉のこりをほぐすこと。　※「研摩」とも書く。

昧

2級　部首 日（ひへん）　9画

音 マイ
訓 —

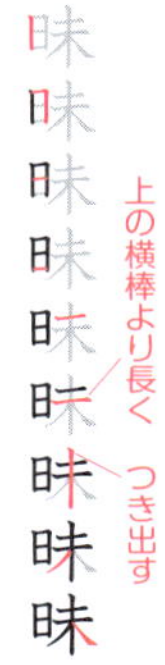

曖昧（あいまい）
曖昧模糊（あいまいもこ）
三昧（ざんまい）

□［あいまい］な返事でごまかす。
□［あいまい］模糊（もこ）とした説明。
□旅先で贅沢（ぜいたく）［ざんまい］の日々を送る。

埋

3級　部首 土（つちへん）　10画

音 マイ
訓 うめる　うまる　うもれる

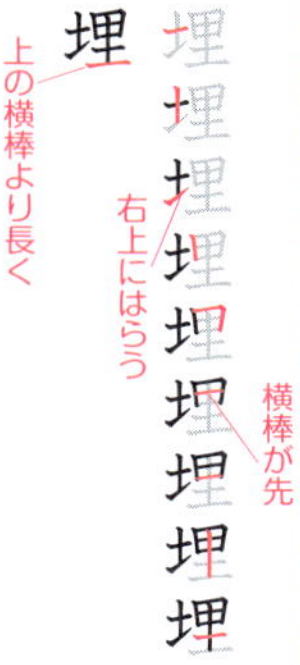

埋葬（まいそう）
埋蔵金（まいぞうきん）
埋没（まいぼつ）
穴埋め（あなうめ）

□墓地に［まいそう］する。
□［まいぞうきん］を発見する。
□家屋が土砂（どしゃ）に［まいぼつ］する。
□赤字の［あなう］めをする。

膜

3級　部首 月（にくづき）　14画

音 マク
訓 —

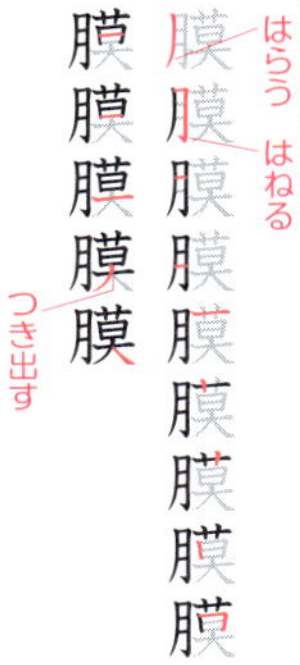

角膜（かくまく）
結膜炎（けつまくえん）
鼓膜（こまく）
粘膜（ねんまく）

□［かくまく］を移植する。
□［けつまくえん］にかかる。
□［こまく］をつんざく大音量。
□胃の［ねんまく］が荒（あ）れる。

枕

2級　部首 木（きへん）　8画

音 —
訓 まくら

枕木＊（まくらぎ）
枕元（まくらもと）
氷枕（こおりまくら）
夢枕＊（ゆめまくら）

□線路の［まくらぎ］。
□［まくらもと］に時計を置く。
□［こおりまくら］で頭を冷やす。
□なき祖父が［ゆめまくら］に立つ。

＊枕木＝レールの下に敷（し）いてレールが動かないようにするもの。　＊夢枕＝夢を見ているときの枕元。

又 3級

部首 又（また） 2画

音 —
訓 また

筆順
又 又
折ってはらう
付けない

用例
又（また）いとこ
又貸（またが）し
又聞（またぎ）き
又（また）とない

問題
□はとこを〔また〕いとこともいう。
□漫画（まんが）を〔またが〕しする。
□〔またぎ〕きした話を伝える。
□〔また〕とない好機を得る。

抹 準2級

部首 扌（てへん） 8画

音 マツ
訓 —

筆順
抹 抹 抹 抹 抹 抹 抹 抹
はねる
上の横棒より短く
つき出す

用例
抹殺（まっさつ）
抹消（まっしょう）
抹茶（まっちゃ）
一抹（いちまつ）＊

問題
□社会から〔まっさつ〕される。
□名簿（めいぼ）から名前を〔まっしょう〕する。
□〔まっちゃ〕のケーキを食べる。
□〔いちまつ〕の不安がよぎる。

慢 4級

部首 忄（りっしんべん） 14画

音 マン
訓 —

筆順
慢 慢 慢 慢 慢 慢 慢 慢 慢 慢 慢 慢 慢 慢
筆順に注意
「罒」を「四」としない
付けない
折ってはらう

用例
慢性（まんせい）
我慢（がまん）
自慢（じまん）
怠慢（たいまん）

問題
□〔まんせい〕の中耳炎（ちゅうじえん）に悩（なや）む。
□痛みを〔がまん〕する。
□手柄（てがら）を〔じまん〕する。
□職務〔たいまん〕を注意する。

漫 4級

部首 氵（さんずい） 14画

音 マン
訓 —

筆順
漫 漫 漫 漫 漫 漫 漫 漫 漫 漫 漫 漫 漫 漫
右上にはらう
「罒」を「四」としない
付けない
折ってはらう

用例
漫画（まんが）
漫然（まんぜん）＊
散漫（さんまん）
冗漫（じょうまん）

問題
□少女〔まんが〕を読む。
□〔まんぜん〕と日々を送る。
□注意力が〔さんまん〕だ。
□〔じょうまん〕な解説に飽（あ）きる。

＊一抹＝ほんの少し。僅（わず）か。　＊漫然＝何の目的もなく、ぼんやりとしている様子。

3級

魅

15画 部首 鬼（きにょう）

音 ミ
訓 ―

（筆順）
左下にはらう
縦棒が先
上の横棒より長く
つき出す
曲げてはねる

魅了（みりょう）
魅力（みりょく）
魅惑（みわく）

□観客を〔みりょう〕する名演技。
□人柄に〔みりょく〕を感じる。
□〔みわく〕的なまなざしの女優にひかれる。

準2級

岬

8画 部首 山（やまへん）

音 ―
訓 みさき

（筆順）
横棒が先
つき出さない

岬（みさき）

□〔みさき〕の灯台に明かりがともる。

2級

蜜

14画 部首 虫（むし）

音 ミツ
訓 ―

（筆順）
立てる
筆順に注意
短く止める

蜜月*（みつげつ）
蜜蜂（みつばち）
蜜豆（みつまめ）
蜂蜜（はちみつ）

□両国の〔みつげつ〕時代が終わる。
□〔みつばち〕の生態を調べる。
□おやつに〔みつまめ〕を食べる。
□紅茶に〔はちみつ〕を入れる。

「まっしょう」の意味

抹消…不必要な文字や事項（じこう）などを消すこと。
末梢…（「枝の先」の意味から）①物の端（はし）。②取るに足りないこと。

似ている漢字に注意

慢（マン）―漫（マン）
りっしんべん　さんずい

似ている漢字に注意

蜜（ミツ）―密（ミツ）
「虫」　「山」

*蜜月＝親密な関係にあること。

4級

妙

部首 女(おんなへん) 7画

音 ミョウ
訓 ―

筆順 折って止める／はねる／長くはらう

用例 妙案(みょうあん)　奇妙(きみょう)　巧妙(こうみょう)　微妙(びみょう)

問題
□〔みょうあん〕が浮かぶ。
□〔きみょう〕な事件が起こる。
□〔こうみょう〕な手口の犯行。
□合格するかどうかは〔びみょう〕だ。

4級

眠

部首 目(めへん) 10画

音 ミン
訓 ねむる　ねむい

筆順 そってはねる／折ってはらう／忘れない

用例 永眠(えいみん)　睡眠(すいみん)　不眠(ふみん)不休(ふきゅう)　眠気(ねむけ)

問題
□九十三歳(さい)で〔えいみん〕する。
□〔すいみん〕不足を解消する。
□〔ふみんふきゅう〕で働く。
□不意に〔ねむけ〕を催(もよお)す。

4級

矛

部首 矛(ほこ) 5画

音 ム
訓 ほこ

筆順 短く止める／折ってはらう／忘れない

用例 矛盾(むじゅん)　矛(ほこ)　矛先(ほこさき)

問題
□意見の〔むじゅん〕を指摘(してき)する。
□〔ほこ〕を納める。
□攻撃(こうげき)の〔ほこさき〕を世間に向ける。

4級

霧

部首 雨(あめかんむり) 19画

音 ム
訓 きり

筆順 「⻗」は平たく／忘れない／付ける／つき出す

用例 濃霧(のうむ)　五里霧中(ごりむちゅう)*　霧雨(きりさめ)　朝霧(あさぎり)

問題
□〔のうむ〕注意報が出る。
□解決策がなく〔ごりむちゅう〕だ。
□〔きりさめ〕が降りしきる。
□〔あさぎり〕が立ち込(こ)める。

*五里霧中＝心が迷って，どうすべきかわからないこと。

4級
娘
部首 女（おんなへん） 10画
音 ―
訓 むすめ

折って止める 立てる はらう

娘婿（むすめむこ） 愛娘（まなむすめ） 一人娘（ひとりむすめ） 箱入り娘（はこいりむすめ）

□（むすめむこ）を迎える。
□有名作家の愛（まなむすめ）。
□老舗（しにせ）旅館の一人（ひとりむすめ）。
□箱入り（むすめ）が嫁に行く。

2級
冥
部首 冖（わかんむり） 10画
音 メイ（ミョウ）
訓 ―

「冖」を「宀」としない　立てる

冥土（めいど）* 冥福（めいふく）

□（めいど）※への旅立ち。
□故人の（めいふく）を心よりお祈りする。

準2級
銘
部首 金（かねへん） 14画
音 メイ
訓 ―

付ける　右上にはらう　長くはらう

銘菓（めいか） 銘柄（めいがら）* 銘記（めいき） 感銘（かんめい）

□地元の（めいか）を土産（みやげ）にする。
□日本酒の（めいがら）を調べる。
□恩師の言葉を（めいき）する。
□深い（かんめい）を受ける。

3級
滅
部首 氵（さんずい） 13画
音 メツ
訓 ほろびる ほろぼす

右上にはらう　忘れない　忘れない　つき出す　忘れない

滅亡（めつぼう） 消滅（しょうめつ） 絶滅（ぜつめつ） 点滅（てんめつ）

□ローマ帝国（ていこく）が（めつぼう）する。
□交流が自然に（しょうめつ）する。
□（ぜつめつ）の危機にある動物。
□ライトが（てんめつ）する。

*冥土＝あの世。　※「冥途」とも書く。　*銘柄＝商品の名前。

免　3級

部首 儿（にんにょう・ひとあし）　8画

音 メン
訓 （まぬかれる）

筆順：折ってはらう　忘れない　曲げてはねる

用例：免疫力（めんえきりょく）　免除（めんじょ）　免税店（めんぜいてん）　放免（ほうめん）

問題
□〔めんえきりょく〕を高める生活。
□授業料を〔めんじょ〕する。
□空港内の〔めんぜいてん〕。
□無罪〔ほうめん〕となる。

麺　2級

部首 麦（むぎ）　16画

音 メン
訓 ―

筆順：最も長く　長くはらう　短くはらう

用例：麺棒（めんぼう）　麺類（めんるい）　乾麺（かんめん）　製麺所（せいめんじょ）

問題
□〔めんぼう〕で生地（きじ）をのばす。
□昼食は〔めんるい〕で済ます。
□〔かんめん〕をゆでる。
□路地裏（ろじうら）の〔せいめんじょ〕。

茂　4級

部首 艹（くさかんむり）　8画

音 モ
訓 しげる

筆順：そってはねる　忘れない

用例：繁茂（はんも）　茂み（しげみ）　生い茂る（おいしげる）

問題
□雑草が〔はんも〕する。
□バラの〔しげ〕み。
□草木が生（お）い〔しげ〕る庭園を散歩する。

妄　準2級

部首 女（おんな）　6画

音 モウ（ボウ）
訓 ―

筆順：立てる　曲げて止める　折って止める

用例：妄信（もうしん）　妄想（もうそう）　虚妄（きょもう）＊　迷妄（めいもう）＊

問題
□うわさを〔もうしん〕する。
□被害（ひがい）〔もうそう〕が強い。
□〔きょもう〕の説をあばく。
□人々が〔めいもう〕に陥（おちい）る。

＊虚妄＝偽（いつわ）り。うそ。　＊迷妄＝道理がわからず，誤りを事実だと思い込（こ）むこと。

盲

準2級

部首　目（め）　8画

音　モウ
訓　―

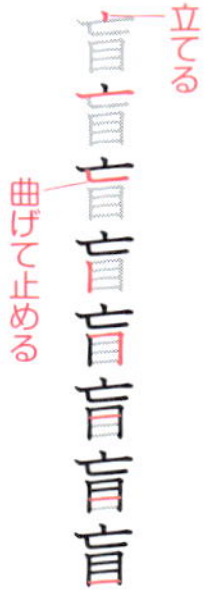

盲信（もうしん）
盲点（もうてん）
盲導犬（もうどうけん）
盲目的（もうもくてき）

□怪（あや）しげな説を（もうしん）する。
□法の（もうてん）を突（つ）く。
□（もうどうけん）を訓練する。
□（もうもくてき）な愛情を注ぐ。

耗

準2級

部首　耒（すきへん）　10画

音　モウ（コウ）
訓　―

消耗（しょうもう）
消耗品（しょうもうひん）
磨耗（まもう）

□体力を（しょうもう）する。
□（しょうもうひん）を補充（ほじゅう）する。
□コンクリートの（※まもう）を防ぐ。

猛

4級

部首　犭（けものへん）　11画

音　モウ
訓　―

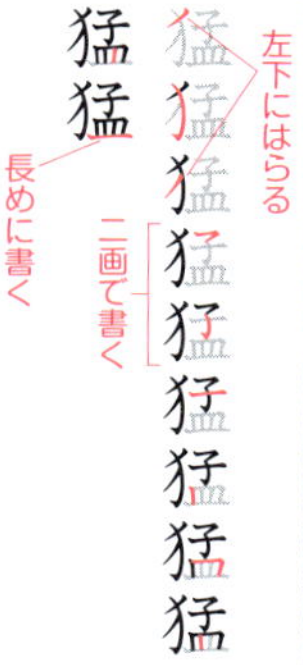

猛威（もうい）
猛毒（もうどく）
猛烈（もうれつ）
勇猛果敢（ゆうもうかかん）＊

□伝染病（でんせんびょう）が（もうい）を振（ふ）るう。
□（もうどく）のキノコ。
□（もうれつ）に暑い日が続く。
□（ゆうもうかかん）に立ち向かう。

「めんぼう」の意味

麺棒…うどんやそばを作るとき、こねた粉を薄（うす）く押（お）しのばすのに使う棒。

綿棒…先に脱脂綿（だっしめん）を巻きつけた細い棒。耳や鼻などに使う。

「もうしん」の意味

妄信…理屈（りくつ）抜（ぬ）きでむやみに信じ込（こ）むこと。また、誤った思い込み。

盲信…よしあしを考えずに信じること。

猛進…激しい勢いで進むこと。

書き方に注意

耗
「耒」や「末」としないように。

※「摩耗」とも書く。　＊勇猛果敢＝勇ましくて強く，大胆（だいたん）であること。

4級

網

14画　部首　糸（いとへん）

音　モウ
訓　あみ

筆順　網網網網網網網網網網網網網網（折る・忘れない・立てる・曲げて止める）

用例　網羅（もうら）　一網打尽＊（いちもうだじん）　交通網（こうつうもう）　網戸（あみど）

問題
□世界の名作を（もうら）する。
□スリを（いちもうだじん）にする。
□（こうつうもう）を整備する。
□（あみど）を新しくする。

4級

黙

15画　部首　黒（くろ）

音　モク
訓　だまる

筆順　黙黙黙黙黙黙黙黙黙黙黙黙黙黙黙（忘れない・右上にはらう・つき出す）

用例　黙殺（もくさつ）　暗黙（あんもく）　沈黙（ちんもく）　黙り込む（だまりこむ）

問題
□少数意見を（もくさつ）する。
□（あんもく）の了解（りょうかい）を得る。
□（ちんもく）は金雄弁（ゆうべん）は銀。
□長い時間（だま）り込（こ）む。

4級

紋

10画　部首　糸（いとへん）

音　モン
訓　―

筆順　紋紋紋紋紋紋紋紋紋紋（折る・立てる）

用例　紋章（もんしょう）　家紋（かもん）　指紋（しもん）　波紋（はもん）

問題
□王室の（もんしょう）。
□着物に（かもん）を入れる。
□犯人の（しもん）を採取する。
□政界に（はもん）が広がる。

似ている漢字に注意

網（あみ）「亡」――綱（つな）「山」

「沈黙は金雄弁は銀」の意味

沈黙は金雄弁は銀…雄弁に言葉で説明したり演説したりするよりも、何も語らずに沈黙しているほうが勝（まさ）るということ。

似ている漢字に注意

紋（モン）「文」――絞（コウ）「交」

＊一網打尽＝悪人などを一度に捕（と）らえること。

ヤ行の漢字

冶（2級）

部首 冫（にすい） 7画

音 ヤ
訓 ―

筆順：折ってはらう／短く止める／「冫」を「氵」としない

用例：陶冶（とうや）＊

問題
□教育現場では、基礎（きそ）学力の定着と人格の〔とうや〕を目的としている。

弥（2級）

部首 弓（ゆみへん） 8画

音 ―
訓 や

筆順：一画で書く／付ける／はらう／止める

用例：弥次（やじ）　弥次馬（やじうま）

問題
□群衆が〔※やじ〕を飛ばす。
□事故現場に〔※やじうま〕が集まる。

厄（準2級）

部首 厂（がんだれ） 4画

音 ヤク
訓 ―

筆順：はらう／折ってはねる／曲げてはねる

用例：厄年（やくどし）　厄日（やくび）　厄介（やっかい）　大厄（たいやく）

問題
□今年は〔やくどし〕に当たる。
□今日は〔やくび〕だ。
□〔やっかい〕な仕事を引き受ける。
□男性の〔たいやく〕は四十二歳（さい）だ。

躍（4級）

部首 𧾷（あしへん） 21画

音 ヤク
訓 おどる

筆順：右上にはらう／はらう／縦棒が先

用例：躍起（やっき）　活躍（かつやく）　飛躍（ひやく）　躍り上がる（おどりあがる）

問題
□〔やっき〕になって否定する。
□世界を舞台（ぶたい）に〔かつやく〕する。
□〔ひやく〕的な進歩を遂（と）げる。
□〔おど〕り上がって喜ぶ。

＊陶冶＝才能や性質を円満で完全なものに育て上げること。　※「野次」「野次馬」とも書く。

2級

闇

17画

部首 門（もんがまえ・かどがまえ）

音 —
訓 やみ

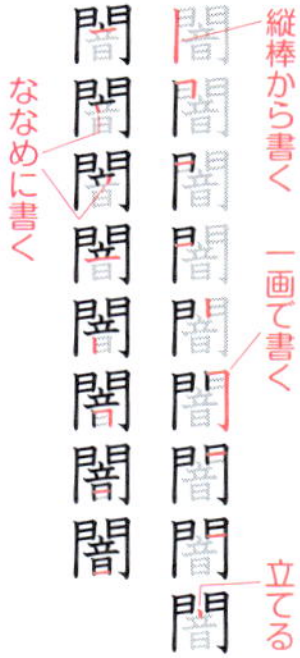

闇雲（やみくも）
闇取引（やみとりひき）
闇夜（やみよ）
暗闇（くらやみ）

□（やみくも）に突（つ）っ走る。
□（やみとりひき）が行われる。
□星一つ見えない（やみよ）。
□事件を（くらやみ）にほうむる。

2級

喩 ※

12画

部首 口（くちへん）

音 ユ
訓 —

隠喩（いんゆ）
直喩（ちょくゆ）
比喩（ひゆ）

□（いんゆ）が使われている詩。
□（ちょくゆ）を使って表す。
□（ひゆ）表現を用いて様子を説明する。

準2級

愉

12画

部首 忄（りっしんべん）

音 ユ
訓 —

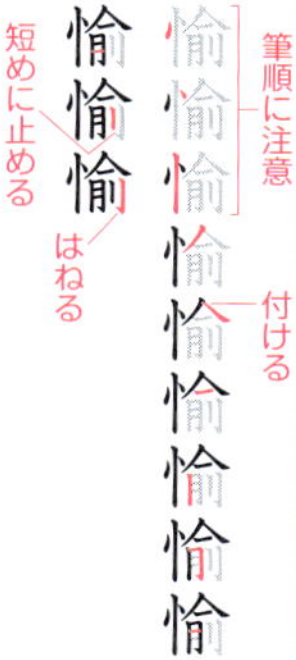

愉悦（ゆえつ）
愉快（ゆかい）
愉快犯（ゆかいはん）

□念願の勝利に（ゆえつ）する。
□（ゆかい）に語り合う。
□（ゆかいはん）が世間を騒（さわ）がせる。

準2級

諭

16画

部首 言（ごんべん）

音 ユ
訓 さとす

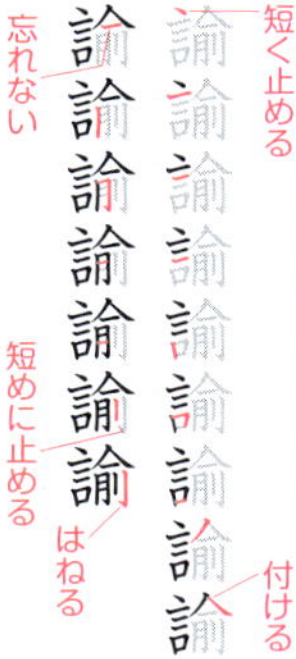

諭旨（ゆし）*
教諭（きょうゆ）
説諭（せつゆ）

□（ゆし）免職（めんしょく）となる。
□中学校の（きょうゆ）を目指す。
□警官が非行少年を（せつゆ）する。

※「喻」も可。
＊諭旨＝理由や道理を言い聞かせること。

癒

準2級

部首 疒（やまいだれ） 18画

音 ユ
訓 いえる・いやす

筆順 立てる・付ける・忘れない・短めに止める・はねる

用例 癒着（ゆちゃく）・快癒（かいゆ）・治癒（ちゆ）・平癒（へいゆ）

問題
□政界と財界との〔ゆちゃく〕。
□病が〔かいゆ〕に向かう。
□傷口が〔ちゆ〕する。
□母の病気の〔へいゆ〕を願う。

唯

準2級

部首 口（くちへん） 11画

音 ユイ・（イ）
訓 —

筆順 はらう・縦棒が先

用例 唯一（ゆいいつ）・唯一無二（ゆいいつむに）・唯我独尊（ゆいがどくそん）*・唯物論（ゆいぶつろん）*

問題
□〔ゆいいつ〕の手段を用いる。
□〔ゆいいつむに〕の親友となる。
□〔ゆいがどくそん〕の態度。
□〔ゆいぶつろん〕を唱える学者。

幽

3級

部首 幺（いとがしら） 9画

音 ユウ
訓 —

筆順 縦棒から書く・「幺」を「糸」としない

用例 幽界（ゆうかい）・幽玄（ゆうげん）・幽霊（ゆうれい）・深山幽谷（しんざんゆうこく）

問題
□死んで〔ゆうかい〕の人となる。
□〔ゆうげん〕な能の世界。
□〔ゆうれい〕が出るとされる家。
□〔しんざんゆうこく〕に架（か）かる橋。

悠

準2級

部首 心（こころ） 11画

音 ユウ
訓 —

筆順 はらう・忘れない・付ける

用例 悠久（ゆうきゅう）・悠然（ゆうぜん）・悠長（ゆうちょう）・悠悠（ゆうゆう）

問題
□〔ゆうきゅう〕の歴史の流れ。
□〔ゆうぜん〕たる態度。
□〔ゆうちょう〕に構える。
□〔ゆうゆう〕と歩く。

*唯我独尊＝自分だけが偉（えら）いとうぬぼれること。　*唯物論＝物質のみが実在するという考え方。

湧

2級

12画

部首 氵（さんずい）

音 ユウ
訓 わく

右上にはらう　短く止める　縦棒が先　つき出す

湧出（ゆうしゅつ）　湧泉（ゆうせん）　湧き水（わきみず）　湧く（わく）

□温泉が［ゆうしゅつ］する。
□［ゆうせん］をくみ上げる。
□秘境の［わ］き水を飲む。
□泉が［わ］く。

猶

準2級

12画

部首 犭（けものへん）

音 ユウ
訓 ―

左下にはらう　はらう　曲げる　忘れない

猶予（ゆうよ）*　執行猶予（しっこうゆうよ）

□一刻の［ゆうよ］も許されない。
□［しっこうゆうよ］付きの判決が下る。

裕

準2級

12画

部首 衤（ころもへん）

音 ユウ
訓 ―

「衤」を「ネ」としない　付けない　付ける

裕福（ゆうふく）　富裕層（ふゆうそう）　余裕（よゆう）

□［ゆうふく］な家に生まれる。
□［ふゆうそう］の生活。
□時間に［よゆう］をもって準備を始める。

雄

4級

12画

部首 隹（ふるとり）

音 ユウ
訓 お　おす

横棒から書く　短く止める　はらう　縦棒が先

雄大（ゆうだい）　英雄（えいゆう）　雄雄しい（おおしい）　雄犬（おすいぬ）

□山頂からの［ゆうだい］な眺（なが）め。
□国民的な［えいゆう］となる。
□困難に［おお］しく立ち向かう。
□［おすいぬ］が三匹（びき）生まれる。

ヤ行　ユ≫ユウ

*猶予＝迷ってぐずぐずすること。実行する日時を先へ延（の）ばすこと。

誘

3級

部首 言（ごんべん） 14画

音 ユウ

訓 さそう

筆順（短く止める／左下にはらう／一画で書く）

用例 誘導（ゆうどう）　誘発（ゆうはつ）　勧誘（かんゆう）　誘い出す（さそいだす）

問題

□避難（ひなん）場所まで〔　　〕（ゆうどう）する。

□悪天候が事故を〔　　〕（ゆうはつ）する。

□新入部員を〔　　〕（かんゆう）する。

□妹を散歩に〔　　〕（さそ）い出す。

憂

3級

部首 心（こころ） 15画

音 ユウ

訓 うれえる　うれい　（うい）

筆順（短くはらう／折ってはらう）

用例 憂鬱（ゆううつ）　憂愁（ゆうしゅう）　憂慮（ゆうりょ）　一喜一憂（いっきいちゆう）

問題

□〔　　〕（ゆううつ）な気分になる。

□〔　　〕（ゆうしゅう）に閉（と）ざされる。

□国の行く末を〔　　〕（ゆうりょ）する。

□試合経過に〔　　〕（いっきいちゆう）する。

融

準2級

部首 虫（むし） 16画

音 ユウ

訓 ―

筆順（つき出さない／はらう／曲げる）

用例 融合（ゆうごう）　融資*（ゆうし）　融通（ゆうずう）　金融（きんゆう）

問題

□東西文化の〔　　〕（ゆうごう）。

□銀行から〔　　〕（ゆうし）を受ける。

□〔　　〕（ゆうずう）がきかない性格。

□〔　　〕（きんゆう）機関に勤務する。

与

4級

部首 一（いち） 3画

音 ヨ

訓 あたえる

筆順（一画で書く／つき出す）

用例 与党（よとう）　関与（かんよ）　給与（きゅうよ）　授与（じゅよ）

問題

□〔　　〕（よとう）と野党の争い。

□事件に〔　　〕（かんよ）した疑い。

□〔　　〕（きゅうよ）が振（ふ）り込まれる。

□卒業証書を〔　　〕（じゅよ）する。

*融資＝仕事に使うお金を，銀行などが貸し出すこと。

4級

誉

部首 言（いう） 13画

音 ヨ
訓 ほまれ

短く止める　はらう　付ける　短く止める　最も長く

栄誉（えいよ）
毀誉褒貶（きよほうへん）*
名誉（めいよ）
名誉毀損（めいよきそん）*

□受賞の（えいよ）に輝く。
□（きよほうへん）相半ばする。
□人の（めいよ）を傷つける。
□（めいよきそん）で訴える。

2級

妖

部首 女（おんなへん） 7画

音 ヨウ
訓 あやしい

折って止める　左下にはらう　付ける

妖艶（ようえん）
妖怪（ようかい）
妖気（ようき）
妖精（ようせい）

□女優の（ようえん）なほほえみ。
□（ようかい）変化が現れる。
□（ようき）が漂う。
□（ようせい）のようにかれんな姿。

準2級

庸

部首 广（まだれ） 11画

音 ヨウ
訓 —

立てる　つき出す　つき出してつらぬく

租庸調（そようちょう）
中庸（ちゅうよう）
凡庸（ぼんよう）

□奈良時代の（そようちょう）の制度。
□精神の（ちゅうよう）を得る。
□二代目の社長は（ぼんよう）な人物だ。

！似ている漢字に注意

憂（ユウ）—優（ユウ）
にんべん

！「ゆうしゅう」の意味

憂愁…心配して悲しむこと。
優秀…非常に優れていること。
有終…物事を最後までやり遂げること。
幽囚…捕らえられ閉じ込められること。

！「租庸調」の意味

租庸調…律令制時代の税制。「租」は収穫した農作物、「庸」は労役かそれに代わる布など、「調」はその地方の特産物で納めさせた。

*毀誉褒貶＝悪く言うことと褒めること。　*名誉毀損＝人の名誉を傷つけること。

揚 (3級)

部首 扌(てへん) 12画

音 ヨウ
訓 あげる あがる

筆順 揚 揚 揚 揚 揚 揚 揚 揚 揚 揚 揚 揚（はねる／忘れない／付ける／折ってはねる）

用例 掲揚（けいよう） 抑揚（よくよう） 意気揚揚（いきようよう） 揚げ物（あげもの）

問題
□国旗を（けいよう）する。
□（よくよう）をつけて読む。
□（いきようよう）と引き上げる。
□（あ）げ物を食べる。

揺 (3級)

部首 扌(てへん) 12画

音 ヨウ
訓 ゆれる ゆる ゆらぐ ゆるぐ ゆする ゆさぶる ゆすぶる

筆順 揺 揺 揺 揺 揺 揺 揺 揺 揺 揺 揺 揺（はねる／左下にはらう／上の横棒より長く／つき出さない）

用例 動揺（どうよう） 揺り籠（ゆりかご） 揺れ動く（ゆれうごく） 貧乏揺すり（びんぼうゆすり）

問題
□緊急事態（きんきゅうじたい）に（どうよう）する。
□（ゆ）り籠（かご）をゆらす。
□国際情勢が（ゆ）れ動く。
□（びんぼうゆ）すりを注意する。

溶 (4級)

部首 氵(さんずい) 13画

音 ヨウ
訓 とける とかす とく

筆順 溶 溶 溶 溶 溶 溶 溶 溶 溶 溶 溶 溶 溶（右上にはらう／立てる／付けない／付ける）

用例 溶解（ようかい） 溶岩（ようがん） 溶接（ようせつ）* 水溶液（すいようえき）

問題
□食塩が水に（ようかい）する。
□火山から（ようがん）が流れ出す。
□二本の鉄管を（ようせつ）する。
□（すいようえき）の性質を調べる。

腰 (4級)

部首 月(にくづき) 13画

音 (ヨウ)
訓 こし

筆順 腰 腰 腰 腰 腰 腰 腰 腰 腰 腰 腰 腰 腰（はらう／はねる／「襾」を「西」としない）

用例 腰（こし） 中腰（ちゅうごし） 本腰（ほんごし） 物腰（ものごし）*

問題
□驚（おどろ）いて（こし）を抜（ぬ）かす。
□（ちゅうごし）で作業する。
□仕事に（ほんごし）を入れる。
□（ものごし）の柔（やわ）らかな人物。

*溶接＝金属を高熱で溶（と）かしてつぎ合わせること。　*物腰＝人に接するときの言葉遣（づか）いや態度。

2級

瘍

部首 疒（やまいだれ） 14画

音 ヨウ
訓 —

瘍 瘍 瘍 瘍 瘍 瘍 瘍 瘍 瘍 瘍 瘍 瘍 瘍 瘍
立てる／忘れない／付ける／折ってはねる

潰瘍（かいよう）
腫瘍（しゅよう）

□胃に（かいよう）ができる。
□脳にできた（しゅよう）を切除する。

4級

踊

部首 𧾷（あしへん） 14画

音 ヨウ
訓 おど**る**　おど**り**

踊 踊 踊 踊 踊 踊 踊 踊 踊 踊 踊 踊 踊 踊
右上にはらう／短く止める／つき出す

舞踊（ぶよう）
踊り子（おどりこ）
踊り場（おどりば）
盆踊り（ぼんおどり）

□日本（ぶよう）を習う。
□ステージに（おど）り子が立つ。
□校舎の階段の（おど）り場。
□（ぼんおど）りをおどる。

準2級

窯

部首 穴（あなかんむり） 15画

音 （ヨウ）
訓 かま

窯 窯 窯 窯 窯 窯 窯 窯 窯 窯 窯 窯 窯 窯 窯
立てる／はらう／曲げる／つき出さない

窯（かま）
窯元（かまもと）
炭焼き窯（すみやきがま）

□ピザを（かま）で焼く。
□清水焼（きよみずやき）の（かまもと）。
□手作りの炭焼き（がま）で炭を焼く。

3級

擁

部首 扌（てへん） 16画

音 ヨウ
訓 —

擁 擁 擁 擁 擁 擁 擁 擁 擁 擁 擁 擁 擁 擁 擁 擁
はねる／立てる／折る／はらう／縦棒が先

擁護（ようご）
擁する（ようする）＊
擁立（ようりつ）
抱擁（ほうよう）

□人権を（ようご）する。
□幼い主君を（よう）する。
□部長候補に（ようりつ）する。
□熱い（ほうよう）を交（か）わす。

＊擁する＝かばい守って盛り立てる。

謡

4級

部首 言（ごんべん） 16画

音 ヨウ
訓 （うたい） （うたう）

筆順 点、上の横棒より長く、つき出さない、左下にはらう

用例

謡曲（ようきょく）*　歌謡曲（かようきょく）　童謡（どうよう）　民謡（みんよう）

問題

□能と（ようきょく）の歴史。
□（かようきょく）を口ずさむ。
□（どうよう）を歌う。
□（みんよう）を習う。

抑

3級

部首 扌（てへん） 7画

音 ヨク
訓 おさえる

筆順 はねる、折ってはらう、折ってはねる

用例

抑圧（よくあつ）　抑制（よくせい）　抑揚（よくよう）　抑留（よくりゅう）

問題

□言論の自由を（よくあつ）する。
□感情を（よくせい）する。
□（よくよう）のない話し方。
□シベリアに（よくりゅう）される。

沃

2級

部首 氵（さんずい） 7画

音 ヨク
訓 ―

筆順

用例

沃土（よくど）　肥沃（ひよく）

問題

□（よくど）に恵まれた国。
□（ひよく）な土地で文明が栄える。

翼

4級

部首 羽（はね） 17画

音 ヨク
訓 つばさ

筆順 短く止める、左上にはねる、上の横棒より長く、縦棒が先

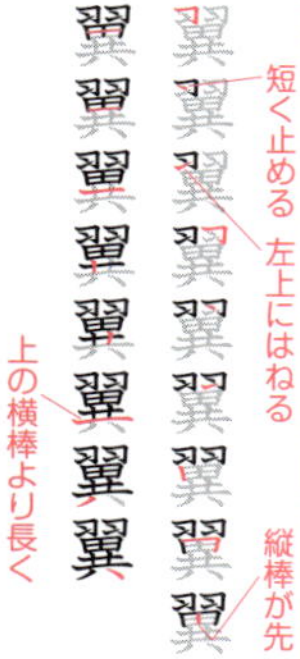

用例

左翼（さよく）　主翼（しゅよく）　尾翼（びよく）　翼（つばさ）

問題

□飛行機の（さよく）が壊れる。
□飛行機の（しゅよく）の仕組み。
□飛行機の水平（びよく）。
□鳥が（つばさ）を休める。

*謡曲＝能楽の歌詞と語る言葉のこと。

ラ行の漢字

2級

拉

8画

部首 扌（てへん）

音 ラ
訓 ―

筆順 拉拉拉拉拉拉拉拉

はねる　立てる　ななめに書く

用例 拉致（らち）

問題
□重要参考人が何者かに突然（とつぜん）（らち）される。

3級

裸

13画

部首 衤（ころもへん）

音 ラ
訓 はだか

筆順 裸裸裸裸裸裸裸裸裸裸裸裸裸

はらいが先　つき出さない　はらう

用例 裸眼（らがん）　裸体（らたい）　赤裸裸（せきらら）*　丸裸（まるはだか）

問題
□（らがん）で視力検査をする。
□（らたい）に布をまとう。
□（せきらら）な告白を聞く。
□山が（まるはだか）になる。

準2級

羅

19画

部首 罒（あみがしら・よこめ）

音 ラ
訓 ―

筆順 羅羅羅羅羅羅羅羅羅羅羅羅羅羅羅羅羅羅羅

「罒」は平たく　折る　縦棒が先

用例 羅針盤（らしんばん）　羅列（られつ）　甲羅（こうら）　網羅（もうら）

問題
□（らしんばん）が指し示す方角。
□数字を（られつ）する。
□亀（かめ）が（こうら）干しをする。
□全ての地域を（もうら）する。

4級

雷

13画

部首 雨（あめかんむり）

音 ライ
訓 かみなり

筆順 雷雷雷雷雷雷雷雷雷雷雷雷雷

はらう　「雨」は平たく　縦棒が先

用例 雷雨（らいう）　雷鳴（らいめい）　魚雷（ぎょらい）　雷（かみなり）

問題
□突然（とつぜん）、（らいう）になる。
□（らいめい）がとどろく。
□（ぎょらい）を発射する。
□（かみなり）を落とされる。

*赤裸裸＝包み隠（かく）しのないこと。

頼

4級　16画　部首 頁（おおがい・いちのかい）

音 ライ
訓 たのむ　たのもしい　たよる

（筆順の注意：つらぬく／短く止める／はらう）

依頼（いらい）　信頼（しんらい）　神頼み（かみだのみ）　頼り（たより）

□仕事を（いらい）する。
□（しんらい）できる情報。
□最後は（かみだの）みだ。
□月明かりを（たよ）りに歩く。

絡

4級　12画　部首 糸（いとへん）

音 ラク
訓 （からむ）（からまる）（からめる）

（筆順の注意：折る／折ってはらう）

短絡*（たんらく）　脈絡（みゃくらく）　連絡（れんらく）　籠絡（ろうらく）

□（たんらく）的な思考を避ける。
□（みゃくらく）のない文章。
□家族に（れんらく）する。
□敵の武将を（籠　ろうらく）する。

酪

準2級　13画　部首 酉（とりへん）

音 ラク
訓 ―

（筆順の注意：曲げる／忘れない／折ってはらう）

酪農（らくのう）　酪農家（らくのうか）

□（らくのう）が盛んな地域。
□（らくのうか）を目指して勉強する。

辣

2級　14画　部首 辛（からい）

音 ラツ
訓 ―

（筆順の注意：立てる／つらぬく／はらう）

辣腕*（らつわん）　悪辣（あくらつ）　辛辣（しんらつ）

□改革に（らつわん）を振るう。
□（あくらつ）な手段で乗っ取る。
□この映画は、（しんらつ）な批評をされている。

*短絡＝筋道をたどらずに物事を性急に結びつけること。　*辣腕＝物事を的確にこなす力があること。

3級

濫

部首 氵（さんずい） 18画

音 ラン
訓 ―

筆順
縦棒が先　止める　忘れない　長めに書く

用例
濫読（らんどく）　濫伐（らんばつ）　濫費（らんぴ）　濫用（らんよう）

問題
□手当たり次第（※らんどく）する。
□森林の（※らんばつ）を防ぐ。
□公費の（※らんぴ）を抑（おさ）える。
□職権（※らんよう）を摘発（てきはつ）する。

2級

藍

部首 艹（くさかんむり） 18画

音 （ラン）
訓 あい

筆順
縦棒が先　止める　忘れない　長めに書く

用例
藍色（あいいろ）　藍染（あいぞ）め

問題
□空が（あいいろ）に変わる。
□（あいぞ）めの帯を締（し）める。

4級

欄

部首 木（きへん） 20画

音 ラン
訓 ―

筆順
短く止める　縦棒が先　一画で書く

用例
欄外（らんがい）　欄干（らんかん）　空欄（くうらん）　解答欄（かいとうらん）

問題
□（らんがい）にメモする。
□橋の（らんかん）に寄りかかる。
□（くうらん）を塗（ぬ）りつぶす。
□（かいとうらん）に書き込（こ）む。

3級

吏

部首 口（くち） 6画

音 リ
訓 ―

筆順
つき出す　はらう

用例
官吏（かんり）　能吏（のうり）＊

問題
□（かんり）の道を志す。
□（のうり）として周りから一目置かれる。

※「乱読」「乱伐」「乱費」「乱用」とも書く。　＊能吏＝有能な役人。

痢 （準2級）
- 部首：疒（やまいだれ）
- 12画
- 音：リ
- 訓：—

筆順：痢痢痢痢痢痢痢痢痢痢痢痢
（立てる／はらう／はねる／はらう）

赤痢　下痢　疫痢

- □（えきり）を予防する。
- 急な□（げり）に悩まされる。
- 発生した□（せきり）の原因を究明する。

履 （準2級）
- 部首：尸（しかばね）
- 15画
- 音：リ
- 訓：はく

筆順：履履履履履履履履履履履履履履履
（はらう／折ってはらう）

履行　履修　履歴　履き物

- 条約を□（りこう）する。
- 選択科目を□（りしゅう）する。
- 自分の□（りれき）をまとめる。
- 入り口で□（は）き物を脱ぐ。

璃 （2級）
- 部首：王（たま・おうへん）
- 15画
- 音：リ
- 訓：—

筆順：璃璃璃璃璃璃璃璃璃璃璃璃璃璃璃
（右上にはらう／立てる／三画で書く／短く止める／筆順に注意）

瑠璃色　浄瑠璃

- □（るりいろ）の羽根の鳥。
- □（じょうるり）の脚本家として知られる人物。

似ている漢字に注意
濫（ラン・さんずい） ― 藍（あい・くさかんむり） ― 鑑（カン・かねへん）

書き方に注意
欄　「关」「目」「耳」などとしないように。

似ている漢字に注意
吏（リ・「口」） ― 更（コウ・「曰」）

4級

離

部首 隹（ふるとり） 19画

音 リ
訓 はなれる はなす

筆順
離 離 離 離 離 離 離 離 離 離 離 離 離 離 離 離 離 離 離
三画で書く　筆順に注意　縦棒が先　短く止める

用例
離反（りはん）　離別（りべつ）　距離（きょり）　分離（ぶんり）

問題
□政党から（りはん）する。
□盟友（めいゆう）と（りべつ）する。
□（きょり）を計測する。
□成分が（ぶんり）する。

2級

慄

部首 忄（りっしんべん） 13画

音 リツ
訓 ―

筆順
慄 慄 慄 慄 慄 慄 慄 慄 慄 慄 慄 慄 慄
筆順に注意　「襾」を「西」としない　はらう

用例
慄然（りつぜん）　戦慄（せんりつ）

問題
□事実を知り（りつぜん）とする。
□恐ろしい事件に、思わず（せんりつ）を覚える。

準2級

柳

部首 木（きへん） 9画

音 リュウ
訓 やなぎ

筆順
柳 柳 柳 柳 柳 柳 柳 柳 柳
短くとめる　はらう　折ってはねる

用例
川柳（せんりゅう）　柳（やなぎ）　柳腰（やなぎごし）

問題
□（せんりゅう）を作る。
□（やなぎ）のようにしなやかだ。
□（やなぎごし）の女主人が客を出（で）迎（むか）える。

準2級

竜

部首 竜（りゅう） 10画

音 リュウ
訓 たつ

筆順
竜 竜 竜 竜 竜 竜 竜 竜 竜 竜
立てる　上の横棒より長く　曲げてはねる

用例
竜虎（りゅうこ）　竜神（りゅうじん）　竜頭蛇尾（りゅうとうだび）＊　竜巻（たつまき）

問題
□（りゅうこ）の戦い。
□（りゅうじん）をまつる社（やしろ）。
□話が（りゅうとうだび）に終わる。
□大きな（たつまき）が起こる。

＊竜頭蛇尾＝初めは威勢（いせい）がよいが，終わりには勢いがなくなること。

粒

4級　11画

部首　米（こめへん）

音　リュウ
訓　つぶ

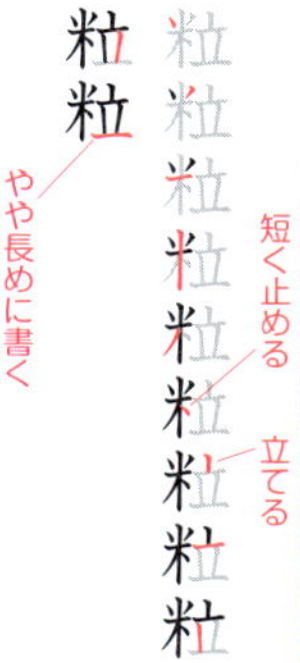

短く止める
立てる
やや長めに書く

粒子(りゅうし)　粒粒辛苦(りゅうりゅうしんく)*　粒(つぶ)より　米粒(こめつぶ)

□物質を作る（りゅうし）。
□（りゅうりゅうしんく）の労作。
□（つぶ）よりの作品を見る。
□（こめつぶ）みたいに小さい。

隆

3級　11画

部首　阝（こざとへん）

音　リュウ
訓　—

三画で書く
折ってはらう
最も長く

隆起(りゅうき)　隆盛(りゅうせい)　隆隆(りゅうりゅう)　興隆(こうりゅう)

□土地が（りゅうき）する。
□王朝が（りゅうせい）を極(きわ)める。
□筋骨（りゅうりゅう）の人。
□幕府の（こうりゅう）を描(えが)く。

硫

準2級　12画

部首　石（いしへん）

音　リュウ
訓　—

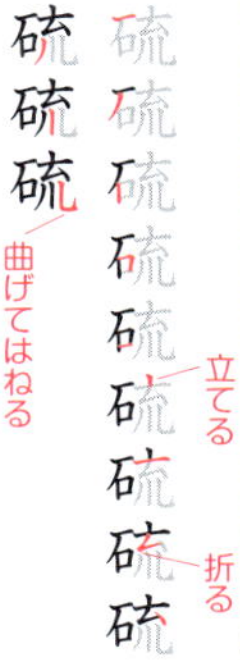

立てる
折る
曲げてはねる

硫化水素(りゅうかすいそ)　硫酸(りゅうさん)

□（りゅうかすいそ）は有毒だ。
□（りゅうさん）は、金と白金以外の金属を溶(と)かす。

侶

2級　9画

部首　亻（にんべん）

音　リョ
訓　—

はらう
上の「口」より大きく

僧侶(そうりょ)　伴侶(はんりょ)

□（そうりょ）の説法を聞く。
□人生の（はんりょ）として共に生きる。

*粒粒辛苦＝物事を成就(じょうじゅ)するために地道な努力を積み重ねること。

虜

準2級

13画

部首 虍（とらかんむり）

音 リョ

訓 —

筆順 縦棒から書く　はらいが先　曲げる　縦棒が先　折ってはねる

用例 虜囚（りょしゅう）　捕虜（ほりょ）

問題
□（りょしゅう）として連行される。
□戦争が終わり、（ほりょ）が解放される。

慮

4級

15画

部首 心（こころ）

音 リョ

訓 —

筆順 縦棒から書く　はらいが先　曲げる　縦棒が先

用例 遠慮（えんりょ）　苦慮（くりょ）　考慮（こうりょ）　配慮（はいりょ）

問題
□何でも（えんりょ）なく話す。
□対応に（くりょ）する。
□事情を（こうりょ）する。
□相手の立場を（はいりょ）する。

了

3級

2画

部首 亅（はねぼう）

音 リョウ

訓 —

筆順 はねる

用例 了解（りょうかい）　了承（りょうしょう）　完了（かんりょう）　終了（しゅうりょう）

問題
□全て（りょうかい）する。
□検査結果を（りょうしょう）する。
□充電が（かんりょう）する。
□番組が（しゅうりょう）する。

涼

準2級

11画

部首 氵（さんずい）

音 リョウ

訓 すずしい　すずむ

筆順 立てる　右上にはらう　はねる

用例 涼風（りょうふう）　清涼剤（せいりょうざい）*　納涼（のうりょう）　夕涼み（ゆうすずみ）

問題
□（りょうふう）が吹く。
□一服の（せいりょうざい）。
□（のうりょう）花火大会を行う。
□縁側で（ゆうすず）みをする。

*清涼剤＝気持ちを爽（さわ）やかにさせるような物事や出来事。

猟

3級

部首 犭（けものへん） 11画

音 リョウ
訓 —

猟師（りょうし）
猟銃（りょうじゅう）
禁猟区（きんりょうく）
狩猟（しゅりょう）

□［りょうし］が熊（くま）を仕留める。
□［りょうじゅう］に弾（たま）を込（こ）める。
□［きんりょうく］を管理する。
□［しゅりょう］で生計を立てる。

陵

3級

部首 阝（こざとへん） 11画

音 リョウ
訓 （みささぎ）

陵辱（りょうじょく）*
陵墓（りょうぼ）
丘陵（きゅうりょう）
御陵（ごりょう）

□他人を［りょうじょく］する行為（こうい）。
□［りょうぼ］を見学する。
□なだらかな［きゅうりょう］地帯。
□［ごりょう］を参拝する。

僚

準2級

部首 亻（にんべん） 14画

音 リョウ
訓 —

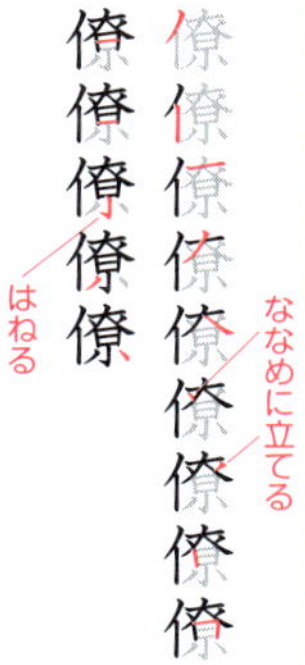

僚友（りょうゆう）
閣僚（かくりょう）
官僚（かんりょう）
同僚（どうりょう）

□［りょうゆう］に再会する。
□［かくりょう］の名簿（めいぼ）を見る。
□［かんりょう］を任用する。
□［どうりょう］と食事をする。

似ている漢字に注意

虜（リョ）「男」―慮（リョ）「思」―虎（コ）「儿」―虐（ギャク）「E」―虚（キョ）「业」―虞（おそれ）「呉」

似ている漢字に注意

僚（リョウ）にんべん―療（リョウ）やまいだれ―瞭（リョウ）めへん

*陵辱＝人をあなどって，恥（はじ）をかかせること。

寮

準2級

部首 宀（うかんむり） 15画

音 リョウ
訓 ―

筆順: 立てる / ななめに書く / はねる

用例: 寮（りょう） 寮生（りょうせい） 寮母（りょうぼ） 学生寮（がくせいりょう）

問題:
□［りょう］で生活する。
□［りょうせい］が集合する。
□［りょうぼ］に感謝する。
□［がくせいりょう］を出る。

療

4級

部首 疒（やまいだれ） 17画

音 リョウ
訓 ―

筆順: 立てる / はらう / ななめに書く / ななめに立てる

用例: 療養（りょうよう） 医療（いりょう） 診療（しんりょう） 治療（ちりょう）

問題:
□半年の［りょうよう］生活を送る。
□［いりょう］の技術が進歩する。
□内科で［しんりょう］を受ける。
□虫歯を［ちりょう］する。

瞭

2級

部首 目（めへん） 17画

音 リョウ
訓 ―

筆順: 「目」は縦長に / ななめに書く / ななめに立てる / はねる

用例: 瞭然*（りょうぜん） 明瞭（めいりょう） 一目瞭然（いちもくりょうぜん） 不明瞭（ふめいりょう）

問題:
□［りょうぜん］たる事実だ。
□簡潔で［めいりょう］な説明。
□［いちもくりょうぜん］の問題点。
□［ふめいりょう］な答弁を重ねる。

糧

3級

部首 米（こめへん） 18画

音 リョウ（ロウ）
訓（かて）

筆順: はらう / 短くとめる / 忘れない / 上の横棒より長く

用例: 糧食（りょうしょく） 糧道*（りょうどう） 糧米（りょうまい） 食糧（しょくりょう）

問題:
□［りょうしょく］を備蓄（びちく）する。
□敵に［りょうどう］を断（た）たれる。
□［りょうまい］を確保する。
□［しょくりょう］を輸入する。

*瞭然＝はっきりとしている様子。
*糧道＝軍隊などへ食糧を送る道筋。

3級

厘

部首 厂（がんだれ） 9画

音 リン
訓 —

筆順: 横棒から書く／はらう／上の横棒より長く

一厘（いちりん）
九分九厘（くぶくりん）

□一（いちりん）差で首位打者を逃（のが）す。
□優勝は（くぶくりん）間違（まちが）いない。

準2級

倫

部首 亻（にんべん） 10画

音 リン
訓 —

筆順: はらう／横棒が先

倫理（りんり）
人倫（じんりん）

□医師の（りんり）を守る。
□*（じんりん）にもとる行為（こうい）。

4級

隣

部首 阝（こざとへん） 16画

音 リン
訓 となる
となり

筆順: 三画で書く／ななめに書く／筆順に注意

隣人（りんじん）
隣席（りんせき）
隣接（りんせつ）
近隣（きんりん）

□（りんじん）と親しくする。
□（りんせき）の人と話す。
□海に（りんせつ）した町。
□（きんりん）の諸国を歴訪する。

2級

瑠

部首 王（たま・おうへん） 14画

音 ル
訓 —

筆順: 縦棒が先／折る／つき出さない／折ってはねる

瑠璃色（るりいろ）
浄瑠璃（じょうるり）

□（るりいろ）の空を眺（なが）める。
□人形（じょうるり）の歴史について勉強する。

*人倫にもとる＝人として守るべき道徳から外れること。

涙　4級
部首 氵(さんずい)　10画
音 ルイ
訓 なみだ

筆順：涙（右上にはらう　忘れない　はらう）

用例：涙腺（るいせん）　感涙（かんるい）　落涙（らくるい）　涙声（なみだごえ）

問題
□再会の〔かんるい〕にむせぶ。
□〔るいせん〕が緩む。
□思わず〔らくるい〕する。
□〔なみだごえ〕で窮状を訴える。

累　準2級
部首 糸(いと)　11画
音 ルイ
訓 ―

筆順：累（「田」は平たく　短く止める　はらう）

用例：累計*（るいけい）　累乗（るいじょう）　累積（るいせき）　係累*（けいるい）

問題
□〔るいけい〕の売上高を出す。
□〔るいじょう〕の計算をする。
□赤字が〔るいせき〕する。
□〔けいるい〕が多くて大変だ。

塁　準2級
部首 土(つち)　12画
音 ルイ
訓 ―

筆順：塁（「田」は平たく　向きに注意　上の横棒より長く）

用例：塁（るい）　残塁（ざんるい）　土塁（どるい）　満塁（まんるい）

問題
□川端に〔るい〕を築く。
□あえなく〔ざんるい〕に終わる。
□〔どるい〕を石垣に換える。
□〔まんるい〕で打席に立つ。

励　3級
部首 力(ちから)　7画
音 レイ
訓 はげむ　はげます

筆順：励（横棒から書く　筆順に注意　折ってはねる　つき出す）

用例：励行（れいこう）　激励（げきれい）　奨励（しょうれい）　勉励（べんれい）

問題
□貯蓄を〔れいこう〕する。
□出場選手を〔げきれい〕する。
□留学を〔しょうれい〕する。
□職務に〔べんれい〕する。

*累計＝小計を合わせて合計を出すこと。　*係累＝面倒をみなければならない家族。

準2級

戻

7画

部首 戸（とかんむり）

音 （レイ）
訓 もど**す**　もど**る**

はらう　はらう

戻す
後戻り
差し戻し

□本を棚に（もど）す。
□もう（あともど）りできない。
□不備のある書類を差し（もど）す。

準2級

鈴

13画

部首 金（かねへん）

音 レイ　リン
訓 すず

右上にはらう　短く止める

予鈴
風鈴
呼び鈴
鈴

□始業の（よれい）が鳴る。
□（ふうりん）の心地よい音色。
□呼び（りん）を押す。
□猫の首に（すず）を付ける。

3級

零

13画

部首 雨（あめかんむり）

音 レイ
訓 ―

「雨」は平たく　短く止める

零下
零細
零点
零落*

□気温が（れいか）になる。
□（れいさい）企業を救済する。
□試験で（れいてん）を取る。
□（れいらく）の一途をたどる。

似ている漢字に注意

累（ルイ）「糸」―塁（ルイ）「土」―異（イ）「共」

書き方に注意

励　「方」「刀」としないように。

似ている漢字に注意

鈴（レイ）かねへん―零（レイ）あめかんむり―冷（レイ）にすい

*零落＝落ちぶれること。

霊
3級
15画
部首 雨（あめかんむり）
音 レイ（リョウ）
訓 （たま）

筆順
はらう
「⻗」は平たく
ほぼ同じ長さに
長めに書く

用例
霊感（れいかん）
霊魂（れいこん）
霊前（れいぜん）
霊長類（れいちょうるい）

問題
□（れいかん）が強い。
□（れいこん）の存在を信じる。
□（れいぜん）に花を供える。
□人間は（れいちょうるい）だ。

隷
4級
16画
部首 隶（れいづくり）
音 レイ
訓 ―

筆順
上の縦棒より短めに
つき出さない
折る
つき出す
つらぬく

用例
隷従（れいじゅう）
隷書（れいしょ）*
隷属（れいぞく）
奴隷（どれい）

問題
□強者に（れいじゅう）する。
□（れいしょ）で文字を書く。
□他国に（れいぞく）する。
□（どれい）制度を廃止（はいし）する。

齢
4級
17画
部首 歯（はへん）
音 レイ
訓 ―

筆順
縦棒から書く
折る
ななめに書く
短く止める

用例
高齢者（こうれいしゃ）
樹齢（じゅれい）
年齢（ねんれい）
妙齢（みょうれい）*

問題
□（こうれいしゃ）の医療制度（いりょうせいど）。
□（じゅれい）三百年の古木。
□（ねんれい）を明記する。
□（みょうれい）の女性に会う。

麗
4級
19画
部首 鹿（しか）
音 レイ
訓 （うるわしい）

筆順
はらう
点
立てる
折る

用例
麗人（れいじん）
華麗（かれい）
端麗（たんれい）
美麗（びれい）

問題
□男装の（れいじん）の舞台（ぶたい）。
□（かれい）な舞踏会（ぶとうかい）を催（もよお）す。
□（たんれい）な顔立ちの子供。
□（びれい）な装飾（そうしょく）を施（ほどこ）す。

＊隷書＝漢字の書体の一つ。
＊妙齢＝（女性の）若い年頃（としごろ）。

4級

暦

14画

部首 日（ひ）

音 レキ

訓 こよみ

暦暦暦暦暦暦暦暦暦暦暦暦暦暦

横棒から書く　短く止める　「日」は平たく

還暦（かんれき）　旧暦（きゅうれき）　西暦（せいれき）　暦（こよみ）

□祖父が［かんれき］を迎える。
□［きゅうれき］での季節を調べる。
□［せいれき］に換算する。
□［こよみ］の上ではもう春だ。

4級

劣

6画

部首 力（ちから）

音 レツ

訓 おとる

劣劣劣劣劣劣

はねる　はらう　つき出す　折ってはねる

劣化（れっか）　劣勢（れっせい）　劣等感（れっとうかん）　優劣（ゆうれつ）

□部品が［れっか］する。
□［れっせい］の選手を応援する。
□［れっとうかん］に悩まされる。
□両者で［ゆうれつ］を競う。

4級

烈

10画

部首 灬（れんが・れっか）

音 レツ

訓 ―

烈烈烈烈烈烈烈烈烈烈

折ってはらう　短めに書く　はねる

烈火（れっか）　強烈（きょうれつ）　熱烈（ねつれつ）　猛烈（もうれつ）

□［れっか］のごとく怒る。
□［きょうれつ］な印象を与える。
□［ねつれつ］な歓迎を受ける。
□今日は［もうれつ］に暑い。

3級

裂

12画

部首 衣（ころも）

音 レツ

訓 さく　さける

裂裂裂裂裂裂裂裂裂裂裂裂

折ってはらう　はねる　短めに書く　立てる　折ってはらう

決裂（けつれつ）　破裂（はれつ）　分裂（ぶんれつ）　支離滅裂（しりめつれつ）*

□協議は［けつれつ］した。
□風船が［はれつ］する。
□政党が［ぶんれつ］する。
□［しりめつれつ］な話だ。

*支離滅裂＝筋道も何もなく，ばらばらなこと。

恋

4級

部首 心（こころ） 10画

音 レン

訓 こう・こい・こいしい

筆順 恋（立てる・はらう・短く止める）

用例 恋愛（れんあい）　恋慕（れんぼ）　失恋（しつれん）　初恋（はつこい）

問題
□（れんあい）感情を抱（いだ）く。
□（れんぼ）の情を表す。
□（しつれん）から立ち直る。
□（はつこい）を詠（よ）んだ短歌。

廉

3級

部首 广（まだれ） 13画

音 レン

訓 ―

筆順 廉（立てる・ななめに書く・つき出す・ほぼ同じ長さに）

用例 廉価（れんか）　清廉潔白（せいれんけっぱく）　低廉（ていれん）　破廉恥（はれんち）

問題
□（れんか）で買い求める。
□（せいれんけっぱく）を証明する。
□（ていれん）な価格で譲（ゆず）る。
□（はれんち）なうわさが立つ。

錬

3級

部首 金（かねへん） 16画

音 レン

訓 ―

筆順 錬（右上にはらう・つらぬく・はらう）

用例 錬金術（れんきんじゅつ）　修錬（しゅうれん）　精錬（せいれん）　鍛錬（たんれん）

問題
□（れんきんじゅつ）の歴史。
□精神を（しゅうれん）※する。
□金属を（せいれん）する。
□心身を（たんれん）※する。

呂

2級

部首 口（くち） 7画

音 ロ

訓 ―

筆順 呂（短くはらう・上の「口」より大きく）

用例 呂れつ（ろれつ）*　語呂（ごろ）　風呂（ふろ）

問題
□（ろ）れつが回らない。
□うまく（ごろ）を合わせる。
□ゆずを浮（う）かべた（ふろ）に入る。

※「修練」「鍛練」とも書く。　＊呂れつ＝言葉を発するときの調子。

3級

炉

部首 火（ひへん） 8画

音 ロ
訓 ―

炉炉炉炉炉炉炉炉

短く止める　はらう　折る　はらう

炉端（ろばた）
暖炉（だんろ）
焼却炉（しょうきゃくろ）
溶鉱炉（ようこうろ）

□ ろばた［　］で魚を焼く。
□ だんろ［　］にまきをくべる。
□ しょうきゃくろ［　］にごみを入れる。
□ ようこうろ［　］を建設する。

2級

賂

部首 貝（かいへん） 13画

音 ロ
訓 ―

賂賂賂賂賂賂賂賂賂賂賂賂賂

折ってはらう　「貝」は縦長に　はらう

賄賂（わいろ）

□ わいろ［　］を受け取った政治家が起訴（きそ）される。

4級

露

部首 雨（あめかんむり） 21画

音 ロ　ロウ
訓 つゆ

露露露露露露露露露露露露露露露露露露露露露

「雨」は平たく　右上にはらう　折ってはらう

露出（ろしゅつ）
露天風呂（ろてんぶろ）
披露（ひろう）
夜露（よつゆ）

□ 山肌（やまはだ）が［ろしゅつ］する。
□ ［ろてんぶろ］につかる。
□ 特技を［ひろう］する。
□ 草木が［よつゆ］にぬれる。

2級

弄

部首 廾（にじゅうあし） 7画

音 ロウ
訓 もてあそ-ぶ

弄弄弄弄弄弄弄

長めに書く　はらう

愚弄（ぐろう）*
嘲弄（ちょうろう）
翻弄（ほんろう）
弄（もてあそ）ぶ

□ 相手を［ぐろう］する。
□ 他者を［ちょうろう］する。
□ 運命に［ほんろう］される。
□ ギターを［もてあそ］ぶ。

ラ行　レン≫ロウ

*愚弄＝人をばかにしてからかうこと。

郎
4級

部首 阝（おおざと） 9画

音 ロウ
訓 ―

筆順：郎（立てる／折ってはらう／三画で書く）

用例：郎党（ろうとう）　新郎（しんろう）　夜郎自大（やろうじだい）＊

問題
- □一族（ろうとう）※が集まる。
- □（しんろう）に花を贈（おく）る。
- □（やろうじだい）な若者。

浪
3級

部首 氵（さんずい） 10画

音 ロウ
訓 ―

筆順：浪（立てる／折ってはらう／はらう）

用例：浪人（ろうにん）　浪費（ろうひ）　波浪（はろう）　放浪（ほうろう）

問題
- □一年間、（ろうにん）する。
- □（ろうひ）を厳しく律する。
- □（はろう）警報が出される。
- □諸国を（ほうろう）する。

廊
3級

部首 广（まだれ） 12画

音 ロウ
訓 ―

筆順：廊（立てる／折る／短く止める／三画で書く）

用例：廊下（ろうか）　回廊（かいろう）　画廊（がろう）　柱廊（ちゅうろう）

問題
- □（ろうか）を掃除（そうじ）する。
- □堂内の（かいろう）を巡（めぐ）る。
- □（がろう）で個展を開く。
- □（ちゅうろう）を通り抜（ぬ）ける。

楼
3級

部首 木（きへん） 13画

音 ロウ
訓 ―

筆順：楼（短く止める／ななめに書く／折る／はらう）

用例：楼閣（ろうかく）　高楼（こうろう）　鐘楼（しょうろう）　摩天楼（まてんろう）

問題
- □砂上の（ろうかく）のような話。
- □（こうろう）から見下ろす。
- □（しょうろう）を建立（こんりゅう）する。
- □（まてんろう）が立ち並ぶ。

※「郎等」とも書く。

＊夜郎自大＝自分の力量も知らずに威張（いば）ること。

3級

漏

14画

部首 氵（さんずい）

音 ロウ

訓 もる　もれる　もらす

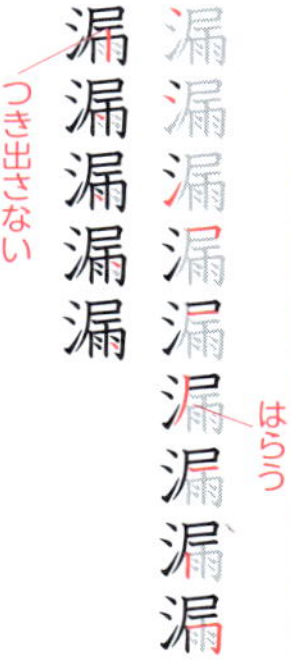

漏水（ろうすい）　漏電（ろうでん）　遺漏（いろう）＊　雨漏（あまも）り

□パイプから（ろうすい）する。
□（ろうでん）に注意する。
□万事（いろう）なく進める。
□（あまも）りを修理する。

2級

籠

22画

部首 竹（たけかんむり）

音 （ロウ）

訓 かご　こもる

竹籠（たけかご）　鳥籠（とりかご）　買い物籠（かいものかご）　冬籠（ふゆご）もり

□（たけかご）を編む。
□（とりかご）から逃げ出す。
□買い物（かご）を持参する。
□動物が（ふゆご）もりする。

2級

麓

19画

部首 鹿（しか）

音 ロク

訓 ふもと

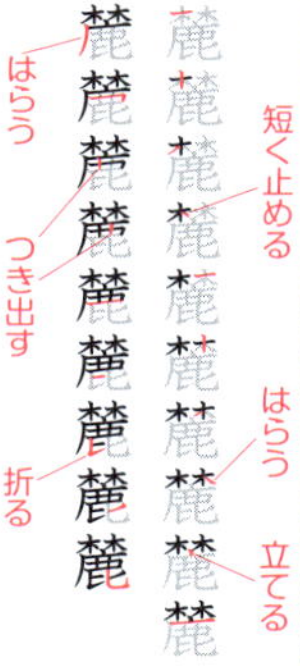

山麓（さんろく）　麓（ふもと）

□（さんろく）に雪が積もる。
□登山隊が（ふもと）まで無事たどり着く。

似ている漢字に注意

郎（ロウ・おおざと）―浪（ロウ・さんずい）―朗（ロウ・つき）

似ている漢字に注意

楼（ロウ・「米」）―桜（さくら・「ツ」）

送りがなに注意

○籠（こ）もる　×籠る

＊遺漏＝必要なことが漏（も）れ落ちること。

コラム 6

覚えておきたい同音異義語

同音異義語とは

同じ音読みをするが、意味が異なる熟語。
漢字の意味の違いに注意して、使い分けよう。

重要な同音異義語

意義…わけ。意味。価値。
異議…違った意見。反対意見。
異義…違う意味。

観賞…ものを見て味わい、楽しむこと。
鑑賞…芸術作品を理解し、味わうこと。
干渉…立ち入って口出しすること。

関心…心を引かれること。
歓心…うれしいと思う気持ち。
感心…立派だと深く心を動かされること。
寒心…恐ろしくてぞっとすること。

掲示…人目につく所に掲げ示すこと。
啓示…人知を超えた真理を神が示すこと。

思考…あれこれと考えること。
試行…試しに行ってみること。
施行…実際に行うこと。

主催…中心となって会を催すこと。
主宰…中心となって全体をまとめること。

対象…行為の目標となるもの。
対照…照らし合わせて比べること。
対称…対応して釣り合っていること。

追求…どこまでも追い求めること。
追及…原因や責任を問い詰めること。
追究…深く調べ、研究すること。

普及…社会一般に広く行き渡ること。
不朽…価値を失わずに後世に残ること。

保障…地位や状態を保護して守ること。
保証…確かであると請け合うこと。
補償…与えた損害を埋め合わせること。

ワ行の漢字

準2級

賄

部首 貝（かいへん） 13画

音 ワイ
訓 まかなう

筆順 賄賄賄賄賄賄賄賄賄賄賄賄賄（はらいが先）

用例
賄賂（わいろ）
収賄（しゅうわい）
贈賄（ぞうわい）
賄う（まかなう）

問題
□（わいろ）で人を懐柔（かいじゅう）する。
□（しゅうわい）の容疑で逮捕（たいほ）する。
□金品を（ぞうわい）する。
□働いて学費を（まかな）う。

2級

脇

部首 月（にくづき） 10画

音 —
訓 わき

筆順 脇脇脇脇脇脇脇脇脇脇（折ってはねる）（はらう）

用例
脇腹（わきばら）
脇見（わきみ）
脇道（わきみち）
両脇（りょうわき）

問題
□（わきばら）が痛い。
□授業中に（わきみ）する。
□話が（わきみち）にそれる。
□（りょうわき）を味方で固める。

4級

惑

部首 心（こころ） 12画

音 ワク
訓 まどう

筆順 惑惑惑惑惑惑惑惑惑惑惑惑（右上にはらう）（忘れない）

用例
惑星（わくせい）
困惑（こんわく）
迷惑（めいわく）
誘惑（ゆうわく）

問題
□天体望遠鏡で（わくせい）を見る。
□難しい要求に（こんわく）する。
□多大な（めいわく）を被（こうむ）る。
□（ゆうわく）に負けない。

準2級

枠

部首 木（きへん） 8画

音 —
訓 わく

筆順 枠枠枠枠枠枠枠枠（はらう）（曲げてはねる）

用例
枠組み（わくぐ）
枠内（わくない）
木枠（きわく）
窓枠（まどわく）

問題
□計画の（わくぐ）みができる。
□予算の（わくない）に収める。
□（きわく）で囲む。
□（まどわく）を掃除（そうじ）する。

3級

湾

12画

部首 氵（さんずい）

音 ワン
訓 ―

湾湾湾湾湾湾湾湾湾湾湾湾

立てる
一画で書く

湾岸（わんがん） 湾曲（わんきょく） 湾内（わんない） 港湾（こうわん）

□（わんがん）を警備する。
□道が大きく（わんきょく）する。
□（わんない）を船でめぐる。
□（こうわん）の役所で働く。

4級

腕

12画

部首 月（にくづき）

音 ワン
訓 うで

腕腕腕腕腕腕腕腕腕腕腕腕

立てる
折ってはらう
曲げてはねる

腕章（わんしょう） 腕力（わんりょく） 敏腕（びんわん） 腕前（うでまえ）

□記者の（わんしょう）を付ける。
□（わんりょく）に物を言わせる。
□（びんわん）の刑事が来る。
□（うでまえ）を披露する。

似ている漢字に注意

賄（ワイ）「有」―賂（ロ）「各」―貼（チョウ）「占」―賠（バイ）「音」―賭（ト）「者」―賜（たまわる）「易」―賦（フ）「武」

似ている漢字に注意

脇（わき）にくづき―協（キョウ）じゅう

似ている漢字に注意

枠（わく）きへん―粋（スイ）こめへん

コラム 7

覚えておきたい同訓異字

同訓異字とは

同じ訓読みをするが、意味が異なる漢字。どの漢字を使うかは、文の意味に合う熟語に言い換えてみると判断しやすい。

例 あく｛店があく→開店→店が開く／席があく→空席→席が空く

重要な同訓異字

荒い…波の荒い海。語気が荒い。
粗い…編み目が粗い。やり方が粗い。

暑い…夏は暑い。暑い地方。
熱い…熱い湯に入る。熱い友情。

表す…喜びを表す。言葉に表す。
現す…姿を現す。正体を現す。
著す…書物を著す。自叙伝を著す。

収める…成功を収める。全集に収める。
納める…税金を納める。注文品を納める。
治める…国を治める。暴動を治める。
修める…学問を修める。身を修める。

変える…予定を変える。形を変える。
代える…挨拶に代える。投手を代える。
換える…空気を換える。乗り換える。
替える…替え歌。差し替える。

勧める…入会を勧める。お茶を勧める。
薦める…私の薦める映画。本書を薦める。

進める…話を進める。交渉を進める。

努める…解決に努める。練習に努める。
勤める…会社に勤める。勤め人。
務める…役員を務める。主役を務める。

計る…時間を計る。国の将来を計る。
量る…重さを量る。容積を量る。
測る…距離を測る。体温を測る。
図る…解決を図る。便宜を図る。

入試頻出漢字の問題

一字漢字の読み取り①

答えは350ページ

◆——線部の読みを書きましょう。

① 自分の意志を**貫**く。（　　）
② 専門知識に**乏**しい。（　　）
③ 参加希望者を**募**る。（　　）
④ **穏**やかな日差しの午後。（　　）
⑤ 無理を**強**いる。（　　）
⑥ ひそかに悩（なや）みを**抱**える。（　　）
⑦ 自由には責任が**伴**う。（　　）
⑧ 急な来客に**慌**てる。（　　）
⑨ 無理な申し出を**拒**む。（　　）
⑩ どさくさに**紛**れて逃（に）げる。（　　）
⑪ 親友との会話が**弾**む。（　　）
⑫ 込（こ）み上げる怒（いか）りを**抑**える。（　　）
⑬ 新たな任地に**赴**く。（　　）
⑭ 頭の**隅**に入れておく。（　　）
⑮ 先生に指示を**仰**ぐ。（　　）
⑯ 近所から迷惑（めいわく）を**被**る。（　　）
⑰ 式典が**厳**かに行われる。（　　）
⑱ 盛大（せいだい）なパーティーを**催**す。（　　）
⑲ **滑**らかな手触（てざわ）りのセーター。（　　）
⑳ 落ち込んだ友人を**慰**める。（　　）
㉑ 記憶（きおく）が**鮮**やかによみがえる。（　　）
㉒ 目を**覆**うばかりの事故現場。（　　）

一字漢字の読み取り②

答えは350ページ

◆――線部の読みを書きましょう。

① 強い自己嫌悪（けんお）に陥る。

② 時を隔てて再会を果たす。

③ 美しい思い出に浸る。

④ 後輩（こうはい）の不心得を諭す。

⑤ 教育に携わる職に就（つ）きたい。

⑥ 午後の作業が滞る。

⑦ 高い目標を掲げる。

⑧ 大会に備えて心身を鍛える。

⑨ ズボンの裾（すそ）を繕う。

⑩ 仲間に注意を促す。

⑪ 険悪なムードが漂う。

⑫ 犯人が県内に潜む。

⑬ 厚い雲が日差しを遮る。

⑭ ライバルに戦いを挑む。

⑮ 練習を怠って腕（うで）が鈍（にぶ）る。

⑯ 栄養が著（いちじる）しく偏る。

⑰ 精密な細工を施す。

⑱ 急成長を遂げる。

⑲ 弟の不摂生（ふせっせい）を戒める。

⑳ 昨年の流行語が廃れる。

㉑ 自らの幼少期を顧みる。

㉒ 凝ったデザインの洋服。

熟語の読み取り

答えは350ページ

◆――線部の読みを書きましょう。

① 研究成果を披露する。
② 緊迫(きんぱく)した雰囲気の会議。
③ 神社の境内で落ち合う。
④ 担当の業務を遂行する。
⑤ 秋の気配が感じられる。
⑥ 夕食の支度を手伝う。
⑦ 商品を吟味して取りそろえる。
⑧ 最新の機器を駆使する。
⑨ 現状を正確に把握する。
⑩ コンプレックスを克服する。
⑪ 原書と翻訳を比べる。
⑫ 柔和なまなざしの女性。
⑬ 文書の体裁を整える。
⑭ 自然の恩恵(おんけい)を享受する。
⑮ 敵の様子を凝視する。
⑯ 為替相場を調べる。
⑰ 示唆に富んだ話を聞く。
⑱ 頻繁に盗難(とうなん)事件が起こる。
⑲ 厄介な事件に巻き込(こ)まれる。
⑳ 交通渋滞(じゅうたい)が緩和される。
㉑ 怠惰な生活から抜(ぬ)け出す。
㉒ 二つの案を折衷する。

熟語の書き取り①

答えは351ページ

◆――線部のカタカナを漢字に直しましょう。

1. 決勝戦に**コウフン**する。
2. 新入生を**カンゲイ**する。
3. 自然**カンキョウ**に恵(めぐ)まれる。
4. 又(また)とない**キカイ**を逸(いっ)する。
5. 自己**ショウカイ**をする。
6. **フクザツ**な手続きを済ます。
7. 駅で知人に**グウゼン**出会う。
8. 政治に**カンシン**を抱(いだ)く。
9. 誘拐犯(ゆうかいはん)の**トクチョウ**。
10. キノコを**サイバイ**する。
11. 未知の**リョウイキ**の開拓(かいたく)。
12. 成長**カテイ**を記録する。
13. **キミョウ**な形の生き物。
14. 両者を比較(ひかく)**タイショウ**する。
15. 心の**ヨユウ**が全くない。
16. 一定の品質を**イジ**する。
17. 事件解決は**ヨウイ**ではない。
18. 事情を聞いて**ナットク**する。
19. 的確な**シテキ**をする。
20. 実力を存分に**ハッキ**する。
21. 決定的な**ショウコ**をつかむ。
22. 無駄(むだ)な**テイコウ**をやめる。

熟語の書き取り②

答えは351ページ

◆ ―線部のカタカナを漢字に直しましょう。

1. ビミョウな違(ちが)いを感じる。（　）
2. 左右タイショウの図形を選ぶ。（　）
3. 金メダルをカクトクする。（　）
4. 目のサッカクに陥(おちい)る。（　）
5. 将来をバクゼンと考える。（　）
6. 空腹をガマンする。（　）
7. ムジュンの多い学説。（　）
8. 新たな価値観のフキュウ。（　）
9. 雨水が大地にシントウする。（　）
10. 我(わ)が身をギセイにする。（　）
11. 世界平和にコウケンする。（　）
12. キョクタンな言い方をする。（　）
13. 事故のシュンカンを撮(と)る。（　）
14. 課題にシンケンに取り組む。（　）
15. 米をシュウカクする。（　）
16. 時間というガイネン。（　）
17. 世相をショウチョウする事件。（　）
18. 強さにミリョクを覚える。（　）
19. 異質なものをハイジョする。（　）
20. 珍事件(ちんじけん)にソウグウする。（　）
21. テッテイして改革する。（　）
22. 自信をソウシツする。（　）

一字漢字の書き取り

答えは351ページ

◆――線部のカタカナを漢字に直しましょう。

① 病気の友人をササえる。
② 天災(てんさい)にソナえる。
③ 膨大(ぼうだい)な時間をツイやす。
④ 母校をオトズれる。
⑤ 信頼(しんらい)関係をキズく。
⑥ 大半を女性がシめる会合。
⑦ 美しい景色をナガめる。
⑧ 飲食店をイトナむ。
⑨ 思い出を胸にキザむ。
⑩ 決勝戦にノゾむ。

⑪ 人々の称賛(しょうさん)をアびる。
⑫ キビしい自然の中で生きる。
⑬ 名誉(めいよ)教授としてマネく。
⑭ タクみに馬を操(あやつ)る。
⑮ 駅で大金をヒロう。
⑯ ホガらかな性格の青年。
⑰ 上司に異議をトナえる。
⑱ 相手の秘密をニギる。
⑲ 体力がオトロえる。
⑳ 卒業文集をアむ。
㉑ 嵐(あらし)で船がユれる。
㉒ 壁(かべ)に人影(ひとかげ)がウツる。

入試頻出漢字の答え

一字の漢字の読み取り①

344ページ

1. つらぬ
2. とぼ
3. つの
4. おだ
5. し
6. かか
7. ともな
8. あわ
9. こば
10. まぎ
11. はず
12. おさ
13. おもむ
14. すみ
15. あお
16. こうむ
17. おごそ
18. もよお
19. なめ
20. なぐさ
21. あざ
22. おお

一字漢字の読み取り②

345ページ

1. おちい
2. へだ
3. ひた
4. さと
5. たずさ
6. とどこお
7. かか
8. きた
9. つくろ
10. うなが
11. ただよ
12. ひそ
13. さえぎ
14. いど
15. おこた
16. かたよ
17. ほどこ
18. と
19. いまし
20. すた
21. かえり
22. こ

熟語の読み取り

346ページ

1. ひろう
2. ふんいき
3. けいだい
4. すいこう
5. けはい
6. したく
7. ぎんみ
8. くし
9. はあく
10. こくふく
11. ほんやく
12. にゅうわ
13. ていさい
14. きょうじゅ
15. ぎょうし
16. かわせ
17. しさ
18. ひんぱん
19. やっかい
20. かんわ
21. たいだ
22. せっちゅう